ПРОЧТЕНЬЕ ТВОРЧЕСКОГО СЛОВА

Л. РЖЕВСКИЙ

ПРОЧТЕНЬЕ ТВОРЧЕСКОГО СЛОВА

ЛИТЕРАТУРОВЕДЧЕСКИЕ ПРОБЛЕМЫ И АНАЛИЗЫ

New York University Press
1970

THE LANGUAGE OF CREATIVE WRITING

LITERARY PROBLEMS AND ANALYSES

by L. RZHEVSKY

Printed and Published by
New York University Press
for the Department of
Slavic Languages and Literatures

I S B N 0-8147-7351-6

Lib. Cong. C. C. #73-129-099

FOREWORD

This collection of essays by the distinguished Russian author, literary critic and educator, Professor Leonid D. Rzhevsky, is published in celebration of his sixty-fifth birthday in August of this year. The novels, short stories and critical essays by Professor Rzhevsky, as well as his scholarship and eloquence, have been for years an inspiration to his readers and lecture audiences, and in the first place to his colleagues and students at New York University.

The essays assembled for this volume have originally appeared in a variety of learned journals and other publications and have been selected for their particular excellence and for their unity of theme: stylistic analysis of a literary work. The volume opens with a major essay emphasizing method, definitions and the complexities and subtleties of the language of creative writing. The articles that follow are devoted to an analysis of the style of five writers and poets of the Soviet period in Russian literature, based on the concepts developed in the introductory essay. The authors chosen for discussion by Professor Rzhevsky are among the most original and sophisticated masters of the written word in twentieth-century Russian literature: Babel, Pasternak, Bulgakov, Solzhenitsyn and Akhmadulina.

ROBERT MAGIDOFF

The Publication Committee would like to express its gratitude to George Winchester Stone, Dean of the Graduate School of Arts and Sciences, New York University, for his generous support of this publication, and to Professor Rzhevsky's many students and readers whose advance subscriptions to the volume have made its appearance possible.

Faculty members on the Publication Committee:

Professor Robert Magidoff
Professor John E. Allen, III
Professor Samuel F. Orth

Members of the Slavic Graduate and Alumni Association:

Alayne P. Reilly, Ph.D.
William C. Little
George Pahomov

СОДЕРЖАНИЕ:

Прочтенье творческого слова

1.

Работа эта обращена к Читателю с большой буквы, внимательному и любящему богатство и выразительность творческой речи.

«Литературе так же нужны талантливые читатели, как и талантливые писатели», — говорил С. Маршак.

Можно бы прибавить (с тем же эпитетом): и исследователи — есть между этими несходными понятиями некая обратная общность: не каждый талантливый читатель может стать талантливым исследователем, но талантливым читателем всякий исследователь должен быть непременно.

Этим, казалось бы бесспорным, «должен» часто пренебрегают.

Пренебрегают авторы литературоведческих разборов, увлекаясь побочными по отношению к творческому существу произведения трактовками, оставляя непрочтенными драгоценнейшие и ключевые для авторского замысла строки. Пренебрегают иной раз составители учебников и лекторы, забывая поставить читателей-слушателей лицом к лицу с мастерскими фрагментами целого, заводя их в дебри библиографии и чужих мнений (своих без такого контакта явиться не может); творческое слово пытаются рассказать своим языком, хотя никому не придет в голову «рассказать» симфонию Шостаковича или «Снятие с креста» — Рембрандта.

Немыслимо, например, в разборе «Анны Карениной» миновать сцену свидания Анны с сыном — центральную в структуре этого образа, всю озаренную светом «я» самого Толстого, который, по выражению В. Шкловского, на этом этапе работы с романом «как бы полувлюбляется в свою героиню». Или — в романе «Идиот» пренебречь структурной ролью финальной сцены-развязки, для которой, по признанию автора, «...почти и писался и задуман был весь роман». И тем не менее «непрочтения» часты.

Интересен, например, в «Войне и мире» образ Пети Ростова, очень слабо прочтенный критикой. Появляется Петя Ростов в романе в пяти-шести местах и отведено ему — вразброс — страниц пятнадцать, не больше. Но «тема» его, очень толстовская по творческому осуществлению, целеустремленна и глубока: он как бы спутник другого, центрального, образа романа — образа Наташи Ростовой, этой творческой исповеди Толстого в своей любви к жизни. Наташа — само воплощение жизни. Похожий на сестру, Петя словно бы аккумулирует в себе ее восторг и очарованность жизнью — в чистом виде, беспримесно. Со слова в о с т о р г начинается наше с ним знакомство в романе: поджидая, когда проснутся приехавшие с фронта Николай Ростов и Денисов, Петя «...схватив саблю и испытывая тот в о с т о р г, который испытывают мальчики при виде воинственного оружия старшего брата... отворил дверь». И позже, на святках в доме Ростовых накануне 12-ого года: «Наташа еще не кончила петь, как в комнату вбежал в о с т о р ж е н н ы й четырнадцатилетний Петя с известием, что пришли ряженые». Во время приезда государя в Москву, в Кремле, Петя, впитывая в себя «общее выражение умиления и в о с т о р г а, ...сам не помня себя, стиснул зубы и, зверски выкатя глаза, бросился вперед, работая локтями и крича «ура!»

Восторженность Пети не только патриотическая — это его природа, его переполненность впечатлениями жизни, его нетерпение жить, стремительность чувств. «Петя, — пишет Толстой, — находился в постоянно возбужденном состоянии радости на то, что он большой, и в постоянно восторженной поспешности не пропустить какого-нибудь случая настоящего геройства. Он был очень счастлив тем, что видел и испытал в армии, но вместе с тем ему казалось, что там, где его нет, там-то теперь и совершается самое настоящее, геройское. И он торопился поспеть туда, где его теперь не было».[1]

---

[1] Лев Толстой, Собрание сочинений в двенадцати томах, т. 7, М. 1958, стр. 146.

«И он торопился поспеть туда, где его теперь не было»!

Слова эти, кажется, можно прочесть и не так безголосо, как их обычно читают. То, о чем говорится дальше, как будто подсказывает другое прочтение, уводящее читателя за черту реалий. Петя забывается под визг натачиваемой казаком для него сабли и в этом своем полузабытьи, торопящийся «туда, где его теперь не было», как бы заглядывает уже в потусторонний таинственный мир:

> ...Он закрыл глаза. И с разных сторон, как будто издалека, затрепетали звуки, стали слаживаться, разбегаться, сливаться, и опять всё соединилось в тот же сладкий и торжественный гимн. «Ах, это прелесть что такое! Сколько хочу и как хочу», сказал себе Петя. Он попробовал руководить этим огромным хором инструментов.
>
> «Ну, тише, тише, замирайте теперь». И звуки слушались его. «Ну, теперь полнее, веселее. Еще, еще радостнее». И из неизвестной глубины поднимались усиливающиеся, торжественные звуки. «Ну, голоса, приставайте!» приказал Петя. И сначала издалека послышались голоса мужские, потом женские. Голоса росли, росли в равномерном торжественном усилии. Пете страшно и радостно было внимать их необычайной красоте.

Этот хор, внимание «необычайной красоте», восторг и наслаждение, которых не с кем было разделить, — всё это происходит с Петей как бы на пороге из реального мира в нездешний, в котором звучала музыка. Нужно сделать только один шаг, чтобы переступить порог.

Это и случается всего какой-нибудь час спустя, на рассвете, в схватке с отступающими французами. И Денисов, сопутствующий первой «говорящей» экспозиции Пети в романе, замыкает композиционно и последнюю, поворачивая к себе «запачканное кровью и грязью, уже побледневшее лицо Пети. «Я привык что-нибудь сладкое. Отличный изюм. Берите весь», вспомнилось ему»...

Образ Пети — самое сжатое, но, пожалуй, и самое сильное творческое выражение очарованности жизнью, темы восторга, такой звучной в романе «Война и мир». Восторга, слишком, может быть, наивного и чистого, чтобы противостоять земному злу; восторга — движения сердца, пути которого, как любил повторять Толстой, вернее путей разума: движения сердца могут быть безрассудны — но всё же прекрасны...

Страницы, отведенные казалось бы незначительному образу Пети, нельзя обойти при разборе эпопеи — так обогащают они наши представления о характере толстовской поэтики.

**
*

И еще один пример непрочтенья текста, на этот раз ведущий к прямому искажению его существа. Вскоре после смерти А. Чехова появилась о нем статья Льва Шестова под заглавием «Творчество из ничего».[2] Статья — прекрасный образец разбора явления искусства «по касательной»: философ и эрудит, Лев Шестов, как это часто случается, в литературоведении был дилетантом. «Упорно, уныло и однообразно, — утверждает Шестов, — в течение всей своей почти 25-летней литературной деятельности Чехов только одно и делал: тем или иным способом убивал человеческие надежды»... И сам «на наших глазах блёкнул, вянул и умирал — не умирало в нем только его удивительное искусство одним прикосновением, даже дыханием, убивать всё, чем живут и гордятся люди».

Стремясь обосновать это утверждение, оспаривать которое вряд ли стоит труда, Шестов сосредоточивается преимущественно на «Скучной истории», в толковании которой тотчас же допускает произвол: «я» рассказчика, старого профессора, о трагедии которого идет речь, у него почти отождествляется с «я» самого Чехова, а то обстоятельство, что мысли и переживания этого безнадежно больного профессора продиктованы близостью смерти, — отодвигается куда-то на задний план. В результате главный персонаж повести объявляется «чудо-

---

[2] Статья, вошедшая в книгу «Начала и концы», СПб, 1908, была перепечатана зарубежным альманахом «Мосты» (№ 5, 1960), по которому и цитируется.

вищным уродом», в котором «зародилось непобедимое отвращение ко всему, что хоть слегка напоминает высокие чувства». Если к тому, что «напоминает высокие чувства», относится и любовь, то очевидно и в этой способности критик профессору отказывает. Негодующе подчеркивается бессилие профессора ответить на вопрос Кати, его воспитанницы, «Что мне делать?» — она уходит от него с сознанием, «что он стал ей чужим».

Обидно предположить, что кто-нибудь из интересующихся творчеством Чехова внимательно прочтет статью Шестова и недостаточно внимательно — «Скучную историю». Оптимистически допустим, что этого не произойдет и что интересующийся окажется читателем «талантливым», по определению С. Маршака. Тогда, конечно же, он не сможет пройти мимо заключительных строк повести, которые цитирует Л. Шестов, оставаясь глухим к их внутреннему звучанию. Между тем строки эти полны того чеховского лиризма, который сам по себе оказывается творческим компонентом, не только замыкающим структурное целое, но и как бы обратным светом озаряющим всё только что рассказанное — события, переживания, конфликты, образы и, может быть, прежде всего, образ самого автора. Так — в «Даме с собачкой», «Доме с мезонином», «Архиерее» и многих других вещах Чехова. Так и в «Скучной истории». Вот ее заключение:

> Мне хочется спросить: «Значит, на похоронах у меня не будешь?» Но она не глядит на меня, рука у нее холодная, словно чужая. Я молча провожаю ее до дверей... Вот она вышла от меня, идет по длинному коридору, не оглядываясь. Она знает, что я гляжу ей вслед, и, вероятно, на повороте оглянется.
>
> Нет, не оглянулась. Черное платье в последний раз мелькнуло, затихли шаги... Прощай, мое сокровище!

«Прощай, мое сокровище!» Какое полное выражение душевной экспрессии — сдержанной горечи и самозабвенной любви, всего в трех словах! И эта экспрессия, по Шестову, принадлежит «чудовищному уроду» с непобедимым отвращением «ко всему, что хоть слегка напоминает высокие чувства».

Три непрочтенных творческих слова.
«Творчество из ничего»?
Нет, критика из ничего, разумеется.

2.

Прочтенье творческого слова есть раскрытие «совершенного» и его природы в произведении художественной литературы. «Совершенного» — то есть той ощутимой данности высокого мастерства, которая только и делает литературное произведение художественным. «Произведения, — писал Б. Пастернак, — говорят многим: темами, положениями, сюжетами, героями. Но больше всего говорят они присутствием содержащегося в них искусства. Присутствие искусства на страницах «Преступления и наказания» потрясает больше, чем преступление Раскольникова».[3]

Это «присутствующее» не легко поддается определениям — еще Кант утверждал неадэкватность эстетической идеи какому-либо понятию. «Самое важное в произведении искусства, — говорил Лев Толстой, — чтобы оно имело нечто вроде фокуса, то есть чего-то такого, к чему сходятся все лучи и от чего исходят. И этот фокус должен быть недоступен полному объяснению словами. Тем и важно хорошее произведение искусства, что основное его содержание во всей полноте может быть выражено только им».[4]

В процессе раскрытия «совершенного» мы от непосредственного контакта-впечатления тотчас же обращаемся к его природе, то есть — той совокупности форм творческого выражения, которая это «совершенное» составляет и в которой воплощены творческий замысел автора и особенности его духовного облика и таланта.

Польский философ и искусствовед Р. Ингарден, считающий литературно-художественное произведение «чудом» ('eine wahres Wunder'), называет этот анализ «эсте-

---

[3] «Доктор Живаго», изд. Univ. of Michigan, Sec. printing, Ann Arbor, 1959, стр. 291.

[4] А. Б. Гольденвейзер, Вблизи Толстого. М. 1959, с. 68.

тической конкретизацией». «Сотни лет, — пишет он, — произведение художественной литературы может находиться в состоянии нераскрытости, быть представлено в фальшивой (эстетической) конкретизации, пока кто-либо, кто это произведение правильно поймет и адэкватно раскроет, покажет другим тем или иным способом его подлинный облик. В этом заключается огромная роль литературного критика»...[5]

Полузаимствуя у польского ученого термин, можно было бы переформулировать начальное определение в этой главке так:

Прочтенье творческого слова (как художественного целого) есть *его эстетическое раскрытие*.

3.

В различной литературоведческой практике рассмотрение произведения художественной литературы *изнутри*, то есть в пределах самой творческой его фактуры, осложняется часто привлечением материала *извне*, побочного по отношению к творческому целому. Рассматриваются данные авторской биографии; совершаются сопоставления, выясняющие различного рода аналогии и влияния; даются социологические опосредствования творческих фактов. Увлечение такого типа методологией часто уводит далеко в сторону от существа эстетического анализа. Один из крупнейших русских литературоведов, ныне академик, В. Жирмунский, писал по этому поводу следующее: «Рассматривая памятник литературы как произведение художественное, мы будем каждый элемент художественного целого расценивать с точки зрения его эстетической действенности»... «Это не значит, что к литературному памятнику нельзя подойти с другой точки зрения, кроме эстетической: вопрос об искусстве как о социальном факте, или как о продукте душевной деятельности художника, изучение произведения искусства как явления религиозного, морального, познавательного, остаются как возможности; задача ме-

[5] Roman Ingarden, Das literarische Kunstwerk. Tübingen, 1965, s. 363.

тодологии указать пути осуществления и необходимые пределы применения подобных методов изучения»...[6]

Здесь прекрасно подчеркнута ограниченность вспомогательных путей изучения творческого слова — социологического, компаративного, психологического, биографического и других — по отношению к задаче его эстетического раскрытия. Признание ограниченности — не отрицание: привлечение в помощь исследователю биографического, например, материала может очень содействовать прочтенью творческого текста; особенно — текста со значительным «коэффициентом автобиографичности» творческого сообщения (лирика Пушкина, проза и лирика Лермонтова, почти весь Л. Толстой). Биографического характера сближения могут помочь, например, прояснению природы лирического «я» того или иного поэтического сообщения; вот одна из возможных иллюстраций: два однозаглавных стихотворений А. Блока и Б. Пастернака — «Гамлет» бесспорно автобиографичны; лирическое «я» первого, однако, может быть, более абстрактно по отношению к авторскому «я», чем столь отчетливо автобиографическое:

> Но продуман распорядок действий,
> И неотвратим конец пути.
> Я один, всё тонет в фарисействе.
> Жизнь прожить — не поле перейти.

И обращаясь к Пушкину: в очень ценной «Истории русской литературы» проф. Д. Чижевского (части первой: «Романтизм») автор, перечисляя темы и элементы романтической поэтики Пушкина, называет среди них мотив безумия и эпитет б е з у м н ы й. «Они, — пишет он, — получают положительное значение уже в стихотворении «Погасло дневное светило», 1820, «Пускай увенчанный любовью», 1824, «Под небом голубым», 1826, и особенно в «Не дай мне Бог сойти с ума», 1833. Последнее стихотворение есть идеализация безумия».[7]

---

[6] В. Жирмунский, Задачи поэтики. Сборник «Вопросы теории литературы», Л. 1928, с. 22.

[7] Dmitrij Tschiževski. Russische Literaturgeschichte des 19. Jahrhunderts. Die Romantik. München, 1964, s. 71.

Установление черт романтической общности этих четырех стихотворений вряд ли помогает раскрыть творческую природу последнего из них, написанного так незадолго до гибели поэта. В стихотворении «Не дай мне Бог сойти с ума» «я» поэтического сообщения соотносится не с романтическим «я» первых двух, за которым стоит лишь отвлеченная традиция формы, но с реальным лирическим «я» самого автора, выражающим смятение тогдашнего его душевного бытия. Это «я» следовало бы сопоставить с такими, например, строчками из писем к жене того же 1833-го года, как: «...Все эти дни голова болела, хандра грызла меня; нынче легче. Начал многое, но ни к чему нет охоты; Бог знает, что со мною делается...» (от 21 октября). «Побереги ж и ты меня. К хлопотам, неразлучным с жизнию мужчины, не прибавляй беспокойств семейственных, ревности etc. etc. Не говоря об cocuage.» (от 6-го ноября). «Идеализации безумия» как типично романтической теме противопоставлен здесь ужас перед вполне реальной возможностью сумасшествия (Не дай мне Бог сойти с ума!) — мольба, которая и является подлинной лирической темой вещи. Разговорно «снижен» семантико-стилевой характер 4-ой строфы, принадлежащий уже позднему Пушкину:

Да вот беда: сойди с ума,
И страшен будешь, как чума,
Как раз тебя запрут,
Посадят на цепь дурака
И сквозь решетку как зверка
Дразнить тебя придут.

Эстетическому раскрытию способствует несомненно и сопоставительное рассмотрение творческого факта с творческими же «смежными», если оно опирается на внутреннее единство контрастов и аналогий, а не оказывается, как это иногда бывает, притягиванием за волосы друг к другу эстетически разнородных элементов. В недавней статье В. Жирмунского, посвященной восьмидесятилетию со дня рождения Анны Ахматовой, читаем: «Всякое большое поэтическое явление, всегда трудно объяснимое в своей творческой неповторимости, легче истолковать путем сопоставления с другими, даже если они не могут претендовать на роль прямого «источника» для творчества поэта».[8]

**
*

Особенно внимательно надо рассмотреть практику литературоведческого исследования социологического толка, так широко установившуюся после Октябрьской революции и заполнившую такое множество литературоведческих работ и учебных пособий. Говоря общо, социологизмом в литературоведении называется установление связи между фактами художественной литературы и общественной жизнью, — связи причинной по своей природе и являющейся для сторонников этого направления обязательной предпосылкой критического суждения.

Одна из ранних последовательных концепций социологического метода принадлежала профессору П. Н. Сакулину, который, однако, исходя из принципа «разумного эклектизма», считал, что исследователь должен «брать вещи сначала имманентно, потом каузально», то есть обращаться к общественно-историческому рассмотрению литературных фактов только после изучения их внутри самого творческого целого.[9]

Трактовка эта была отвергнута за эклектизм и, главным образом, за то, что отводила художественному критерию первое место. Дальнейшее развитие социологизма в литературоведении приведет к сгущению исследовательских аспектов, лежащих в стороне от собственно эстетических оценок. Связь между литературными и общественными фактами станет не столько причинной, сколько функциональной: творческое «отображение» жизни художником слова будет рассматриваться как выражение классовой идеологии, а сама художественная литература — как орудие классовой борьбы и воспитания масс, партийно обусловленное и направляемое. «Для

[8] Академик В. Жирмунский, О творчестве Анны Ахматовой. «Новый мир» № 6, 1969, стр. 241.

[9] П. Н. Сакулин. Наука о литературе. Очерк XIV. Социологический метод в литературоведении. М. «Мир», 1925.

марксистской эстетики, — читаем в работе проф. А. Н. Соколова по теории стиля, — социальность искусства выступает в аспектах классовости, народности, партийности».[10]

Существо метода становится, таким образом, утилитарно-социологическим. Утилитаризм в русском литературоведении — явление старое. Еще Достоевский в полемической статье «Г-н — бов об искусстве» писал о том, что «...утилитаристы, не посягая явно на художественность, в то же время совершенно не признают ее необходимость» ...«была бы видна идея, цель, хотя бы все нитки и пружины выглядывали наружу; к чему же после этого художественность?».[11]

Этот утилитаризм, широко и многообразно оспориваемый во времена Достоевского, в 20-ые годы и особенно в последовавшие за ними десятилетия нашего века стал в России монопольным и общеобязательным, вызвав к жизни необыкновенное упрощение (вульгаризацию) литературоведческих толкований, проникающее в самые казалось бы серьезные издания и труды. Так, например, в трехтомной «Истории русской литературы» АН СССР под редакцией Д. Д. Благого читаем: «Повесть «Душенька» писалась с заведомой целью (!) увести читателя от серьезных вопросов живой действительности в мир сказочной фантастики (т. 1, стр. 547). Или:

«Декабристы сочувственно отнеслись к пушкинской поэме («Гаврилиаде» Л. Р.), но были недовольны ее односторонне-эротическим обликом и отсутствием прямой постановки политических вопросов» (т. 2, стр. 152). Ограниченность подхода отражена и во внешнем облике формулировок, например:

«Лермонтов создал образ беззаветно преданного идее борьбы за свое освобождение Мцыри»... (т. 2, стр. 590).

В этой же главе о Лермонтове происходит «погребение» творческого замысла поэмы «Демон». «Общественное значение «Демона», — читаем на стр. 562-63, — ...в

[10] А. Н. Соколов, Теория стиля. М. 1968, стр. 135.

[11] «Время», февраль 1861.

протесте против тогдашней русской действительности». «Демон» наиболее значительное из числа романтических произведений Лермонтова,... с исключительной силой выразившее отрицание Лермонтовым тогдашнего уклада жизни» и т.п.

Протест Демона — протест богоборческого характера и принадлежит ему по самой его, падшего ангела, природе; однако, структурной темой поэмы является нечто совсем иное: бесконечно чуждый добру, Демон на какие-то мгновенья начинает верить, что любовь может помирить его с Небом и жизнью, помочь ему отказаться от ненависти, обрести душевную гармонию: «И зло наскучило ему» (главка 2). «...И входит он, любить готовый, С душой, открытой для добра, И мыслит он, что жизни новой Пришла желанная пора» (гл. 8). Затем, в главке 10, следует клятва Демона Тамаре, раскрывающая духовную его устремленность:

...Клянусь любовию моей:
Я отрекся от старой мести,
Я отрекся от гордых дум;
Отныне яд коварной лести
Ничей уж не встревожит ум;
Хочу я с небом примириться,
Хочу любить, хочу молиться,
Хочу я веровать добру...

Эта структурная тема — тема глубокого творческого самовыражения, отвлеченно-философских и, видимо, автобиографических обобщений: Демон — символ самосознания человечества, порочного и скептического, которое, однако, таит мысль о духовном своем возрождении, о том, что его еще могут спасти Красота и Любовь, — тут же и убеждаясь в несбыточности мечты. Близка эта мечта и обобщенному облику лермонтовского лирического героя, скептического отрицателя, эгоцентрика и гордеца, который в самом своем отрицании и самообреченности внутренне устремлен к недостижимой гармонии. Устремленность эта несомненно была органична и самому Лермонтову, автору не только «Благодарности», но и трех «Молитв».

Творческое богатство поэмы «Демон» делает естественными социологические трактовки и комментарии, которые и нашли место в откликах на нее Белинского и других современников, но толкование поэмы «в обход» самого авторского текста убивает ее эстетическое раскрытие. И тем не менее, «История русской литературы» АН СССР заключает свой разбор так:

«В передовой статье «Правды» от 14 октября 1939 года, посвященной творчеству Лермонтова, говорилось: «Главный художественный образ Лермонтова — это образ сильного и гордого человека, который не может и не хочет примириться с рабством, который бросает вызов небу и земным царям». Таким и был образ Демона» (стр. 563). А в одной из статей журнала «Русская литература» автор, приведя аналогичное толкование «Демона», продолжает: «...консервативная критика пыталась найти в поэме идею примирения с небом».[12]

***

Социологизм в советском литературоведении часто представляет собой по существу замену критерия эстетического критерием утилитарно-партийным. Среди множества возможных иллюстраций достаточно привести одну: в еще не оконченной изданием Краткой литературной энциклопедии Анне Ахматовой посвящено 66 строк, а Демьяну Бедному — 110 (количество, которое некоторым официозным критикам, тем не менее, показалось недостаточным); Андрею Белому — 76, а мужественному, но совершенно лишенному творческого дара Николаю Островскому — 182 с четырьмя иллюстрациями в тексте.

Явление подмены критерия настолько существенно в практике прочтенья произведений русской послеоктябрьской литературы, что на нем необходимо задержаться подольше.

Складывается это явление к началу тридцатых годов вместе с утверждением в литературном творчестве и кри-

[12] Януш Генцель, «Замечания о двух поэмах Лермонтова». «Русская литература», № 2, 1967, стр. 127.

тике так называемого метода социалистического реализма, «основным принципом которого является правдивое, исторически-конкретное изображение действительности, а важнейшей задачей — коммунистическое воспитание масс».[13]

Это определение метода в основе своей содержит две обязательных для пишущего установки: установку на программность и установку на запретительность. Требование программности, то есть оптимистического интегрирования «нового» в жизни, писатель мог в какой-то мере творчески освоить; обойти «запретительность», не прибегая к криптографии, оказывалось невозможным. Запретительность устанавливала перечень тех творческих тем и раскрытий, которые для советского писателя 30-х — 40-х годов составляли безусловное «табу». Перечень этот был чрезвычайно обширен и охватывал целые области человеческой жизни и выражений человеческого духа, касаться которых значило бы выступать против единственно допустимой и обязательной в СССР идеологии. Совершенно очевидно, что канонизация социалистического реализма в сталинскую эпоху была связана не столько с горьковской романтической устремленностью в «светлое будущее», сколько с потребностью нейтрализовать критическую традицию русской литературы. Творчество для этого надо было направить в новое, тщательно контролируемое русло, причем так, чтобы контроль не был бы официальным контролем, но скорее — «самооглядкой» писателя и назывался бы «творческим методом». Стихотворная шутка одного из эмигрантских поэтов хорошо передает эту, вероятно важнейшую, направленность «метода»:

Ведь для того же социалистический
И существует реализм,
Чтобы никто не мог реалистически
Изображать социализм.

В свете сказанного прочтенье многих произведений русской послеоктябрьской литературы, наряду с «коэф-

[13] Большая Советская Энциклопедия, изд. 2-ое, 1959, т. 49, стр. 181.

фициентом программности», то есть тех особых освещений и акцентов, которые вводит автор в силу обязательности партийного заказа, должно учитывать также и «коэффициент запретительности» — то, что не состоялось под пером автора либо стало ущербным в самом ходе творческого процесса, скованного несвободой творческого выражения; сюда относятся и некоторые особенности авторского отбора, вызванного стремлением найти для себя наиболее «поэтическую», по выражению Белинского, действительность, тот объект творческого претворения, который в данном случае единственно органичен писателю. Во второй части «Поднятой целины» такой «поэтической действительностью» для М. Шолохова оказывается, видимо, дед Щукарь, фигура тематически второстепенная, которому в диалогической речи отдано здесь приблизительно 1.300 строк (Давыдову, герою романа — 800, Разметнову — 700, по тому же приблизительному подсчету).

Метод, устанавливаемый без наличия обусловливающего его предварительно творческого эквивалента, побеждал, литература хирела. Б. Пастернак в «Автобиографическом очерке», относя этот процесс еще к концу 20-х годов, пишет: «В последние годы жизни Маяковского, когда не стало поэзии ничьей, ни его собственной, ни кого бы то ни было другого, когда повесился Есенин, когда, скажем проще, прекратилась литература, потому что ведь и начало «Тихого Дона» было поэзией, и начало деятельности Пильняка, Бабеля, Федина и Всеволода Иванова»... Приведенные разрядкой строчки были выпущены в тексте очерка, напечатанного в январском номере «Нового мира» за 1967 год.[14] Суждение Пастернака разделяли многие. Илья Эренбург, любивший поручать крамольные свои мысли отрицательным литературным персонажам, вложил в уста Володи Сафонова, героя романа «День второй», писавшегося в 1932-33 годах, такую оценку поэтического творчества того времени: «Мо-

[14] Стр. 231. Ср. Борис Пастернак, Проза 1915-1958, изд. Univ. of Michigan Press, 1961, т. II, стр. 43.

жешь почитать историю русской поэзии: она началась с двух трупов и двумя трупами кончилась».[15]

Период так называемой «оттепели», сменивший годы сталинской унификации художественной литературы, принес с собой оживление и отдельные взлёты творческого слова, связанные с признанием его эстетической ценности. Может быть, пастернаковские же строчки отчетливее всего выражают перемену:

> Смягчается времен суровость,
> Теряют новизну слова.
> Талант — единственная новость,
> Которая всегда нова.[16]

Прикладной, партийно-утилитарный критерий, тем не менее, продолжает утверждать свое первенство в оценке и направленности литературного творчества; «Литературная газета» пишет в передовой из серии «Литературный дневник» от 30 ноября 1963 года: «Главным нашим критерием является не абстрактно понимаемая «талантливость», самоценная «художественность» произведения, а та подлинная мера его идейно-художественной ценности, которая определяет степень воздействия произведения на читателя, количество и качество его «работы» на коммунизм».

Но перейдем теперь непосредственно к проблемам эстетического раскрытия произведения.

4.

Уже на подступах к этим проблемам мы встречаемся с некоторыми терминами-понятиями, точное определение которых оказывается обязательной предпосылкой исследования. Таково, например, понятия с т и л я как объекта литературоведческого анализа и с т и л и с т и к и как литературоведческой науки.

Если отказаться от изложения различных и часто про-

---

[15] И. Эренбург, Собр. соч. в девяти томах. М., 1964, т. 3, стр. 226.

[16] «Актриса», год 1957. См. в указанном выше издании, т. 3, стр. 141.

тиворечивых концепций и формулировок,[17] можно было бы сказать, что чаще всего в процессе литературоведческого разбора стиль понимается как явление искусства слова, как некая творчески целеустремленная и обусловленная система выразительных средств словесного мастерства.

Некоторые исследователи, однако, понятие стиля в литературоведении рассматривают значительно шире, толкуя его как эстетическое единство всех творческих форм и приемов в произведении художественной литературы. «В понятие художественного стиля произведения, — пишет В. Жирмунский, — входят не только языковые средства (составляющие предмет стилистики в точном смысле), но также темы, образы, композиция произведения, его художественное содержание, воплощенное словесными средствами, но не исчерпывающееся словами».[18]

В свете этих различных направленностей стилевого разбора выступают как бы две стилистики:

1. Стилистика языка художественной литературы, изучающая художественное слово, как важнейший структурно-эстетический элемент произведения, во всем богатстве, многообразии и выразительной силе присущих этому слову творческих функциональных форм.

«Творчество писателя, его авторская личность, его герои, темы, идеи и образы, — пишет В. В. Виноградов, — воплощены в его языке и только в нем и через него могут быть постигнуты. Исследование стиля, поэтики писателя, его мировоззрения невозможно без основательного, тонкого знания его языка». «По моему глубокому убеждению, исследование «языка» (или, лучше, стилей) художественной литературы должно составить предмет особой филологической науки, близкой к языкознанию и

---

[17] См., например, книжку А. Н. Соколова, «Теория стиля», где представлена довольно обширная библиография вопроса; см. также сборник “Style in Language” edited by Thomas A. Sebeok, N.Y.-London, 1960.

[18] В. М. Жирмунский, Стихотворения Гёте и Байрона: «Ты знаешь край?».. Сборник «Проблемы международных литературных связей». Изд-во ЛГУ, 1962.

литературоведению, но вместе отличной от того и другого».[19]

2. Стилистика литературоведческая, стилистика творческого целого, изучающая все структурные компоненты произведения в их эстетической взаимообусловленности. Стилистика в этом понимании сближается с поэтикой, изучающей формы и способы словесно-художественного творчества, и с понятием художественного метода как пути творческого воплощения творческих же представлений художника слова.

Нужно отметить, что это деление, важное для теоретического разграничения планов исследования, оказывается часто весьма условным в практической работе литературоведа над конкретным произведением (произведениями). Интеграции способствует прежде всего принадлежность слова как компонента целого к обеим — языковой и литературной — стилистическим сферам. Так, словоотбор в сказовом повествовании Лескова, Зощенко или Солженицына создает не только черты «речевого стиля», но и сказовую, жанровую, структуру целого, определяемую речевым обликом повествователя. «Образ, запечатленный в одном слове или одном предложении, — пишет академик В. В. Виноградов, — иногда определяет всю композицию литературного произведения, выступая как его художественный синтез или обобщающий символ».[20] Заглавие, например, в рассказе Юрия Казакова «Трали-вали» (кстати сказать, не сразу найденное автором) оказывается также и структурным компонентом центрального образа, символическим для внутренней темы произведения в целом.

К слиянию этих двух аспектов стилевого анализа ведет и представление об органическом единстве структурных форм и приемов, свойственных творческой индивидуальности автора. Комплекс этих форм

---

[19] В. В. Виноградов, О языке художественной литературы. М. 1959, стр. 6 и 3-4.

[20] В. В. Виноградов, Стилистика. Теория поэтической речи. Поэтика. М. 1963, стр. 149.

и приемов некоторые исследователи и называют собственно *стилем* (менее точно и поверхностней — творческой *манерой*, творческим *почерком* писателя), рассматривая таким образом стилевой анализ как раскрытие «неповторимого своеобразия»[21] индивидуального писательского мастерства. Понятия «стилистики литературоведческой» и «стилистики поэтического (в расширенном смысле) языка» становятся при такой трактовке лишь подсобными.

5.

Структура, образная система, речевая ткань, образ автора — вот четыре слагаемых прочтенья литературно-художественного целого в процессе его эстетического раскрытия.

Перечень этот необычен для утилитарно-социологической литературоведческой концепции, которая неизменно выдвигает во главу угла «идейное содержание». Всякое содержание в искусстве обязательно проявляет себя как форма — содержания, не воплощенного в форме, в искусстве не бывает. Но утилитарному — прикладному — литературоведению необходимо, помимо эстетической, иметь некую другую, внеэстетическую, конкретность (или псевдоконкретность, так как во многих случаях за тем или иным художественным образом немыслимо без чудовищной натяжки разглядеть какое-либо конкретное идейное содержание), к которой удобно было бы приложить утилитарный же критерий. Поэтому утилитаристы постоянно расчленяют творческое единство, подчеркивая примат «идейного содержания» в системе творческого целого. «Идейное и художественно-образное единство содержания и формы произведения образуется на основе примата содержания»,[22] читаем, например, в одном из позднейших пособий по теории литературы. А проф. А. Н. Соколов, автор упоминавшейся выше книги «Теория сти-

[21] Л. Шпитцер, Словесное искусство и наука о языке. Сборник «Проблемы литературной формы». Л. 1928, стр. 203.

[22] Л. В. Щепилова, Введение в литературоведение. М., 1968, стр. 94.

ля», главу о стилеобразующих факторах начинает так: «Чаще всего, когда обращаются к поискам факторов, определяющих стиль, апеллируют к идее, к мировоззрению. И это закономерно».[23] И далее: «Система образов приобретает в искусстве значение не менее важного (!) стилевого фактора, чем идейная система».[24] В этом тенденциозном противопоставлении «образного» и «идейного» как предпосылки утилитаризма в литературоведении логические противоречия неизбежны. «Говоря об образном факторе стиля, — продолжает свою аргументацию проф. А. Соколов, — мы имеем в виду тот художественный образ, который рождается в творческом воображении художника как отображение созерцаемой им жизни и выражение его идейно-эмоционального отношения к жизни». Но если выражением такого «идейно-эмоционального отношения» оказывается образ, что справедливо, — к чему, казалось бы, понятие «идейного содержания» как некой рассматриваемой наравне с образной системой самостоятельной конкретности?

В приведенной выше цитате встречаем и типичное для утилитарно-социологической концепции понятие «отображения жизни» как предположительно исчерпывающее объяснение существа творческого процесса, в котором художник создает творческие эквиваленты действительности. К «эквиваленту» легче приложить внеэстетический критерий социальности искусства, выступающей, по определению проф. А. Соколова, «в аспектах классовости, народности и партийности». Однако, эстетика объективных критериев, рассматривая произведение художественной литературы, подчеркивает в нем выраженность или невыраженность конкретности эстетической («присутствие» искусства, по выражению Б. Пастернака), считая эту конкретность не обязательно адэкватностью действительности, но чем-то творчески новым.

Уже упоминавшийся выше польский ученый Роман Ингарден в его «Исследованиях по эстетике» делает ин-

---

[23] А. Н. Соколов, Теория стиля, стр. 105.
[24] Там же, стр. 109.

тересные заключения о природе «эстетического» и, в частности, — о взаимоотношении эстетического и реального впечатлений. Восприятие статуи Венеры Милосской есть восприятие эстетическое, — говорит он. Встретив живую красавицу, у которой так же отсечены руки, мы бы, возможно, испытали отвращение (помимо сочувствия и сострадания), то есть обнаружили бы переживания, которых в нашем эстетическом восприятии этой скульптуры нет и следа. «Предмет эстетического чувствования не идентичен никакому реальному предмету».[25]

Подлинности эстетического свершения, по Р. Ингардену, среди других признаков, свойственна «автономия бытия», то есть существование, подобное существованию реалий, но в отличие от последних неизменное и вечное.

Мысль эту повторяет В. В. Кожинов в «Теории литературы», называя такие образы, как Тиль Эйленшпигель, Дон Кихот, Робинзон Крузо, Манон Леско, Вертер и др., «начавшие жить среди людей с неменьшей очевидностью, чем остающиеся в памяти человечества фигуры реальных исторических деятелей XVI-XIX вв. Более того, эти вымышленные «люди» даже как бы превосходят реальных людей неувядаемой жизненностью».[26]

В. В. Кожинов опускает при этом обычные социологического толка обобщения (само собой разумеется, что отнюдь не «идейное содержание», классово или партийно обусловленное, делает «неувядаемо жизненным» образ Манон Леско): теоретики так называемой марксистской эстетики отказываются признать в этой науке главным именно эстетическое, а не какое-либо другое начало; «марксистская эстетика» продолжает оставаться лишь терминологическим понятием, а среди опосредствующего ее многословия понятие «идейного содержания» оказывается одним из самых постоянных. Как творчески выраженное мировоззренческое отношение художника к

---

[25] Р. Ингарден, Исследования по эстетике. Перевод с польского А. Ермилова и Федорова. Изд-во иностранной литературы. М., 1962.

[26] Теория литературы. Основные проблемы в историческом освещении. АН СССР Институт мировой литературы им. А. М. Горького. М., 1964, стр. 126.

жизни понятие это вряд ли может кем-либо отрицаться; отрицается лишь его схоластическая обязательная первичность в процессе эстетического прочтения произведения художественной литературы.

В предложенном выше порядке этого прочтения: «структура», «образная система», «речевая ткань», «образ автора» — вопрос об идейной стороне писательского замысла отнесен естественно к последнему пункту.

6.

Термины структура и композиция употребляются часто как синонимические. Трудно мотивировать предпочтительный выбор какого-либо одного из них, но, может быть, нужно отметить, что «композицией» называют иногда чисто внешнее строение вещи — разделение на части, главы и другие, в зависимости от жанра, единицы целого; иной раз под «композицией» понимают склад и развитие сюжета, выделяя экспозицию и завязку, движение сюжетного конфликта, его кульминацию и исход (развязку). И в той и в другой трактовке термин «композиция» не охватывает той части анализа, которая выясняет взаимоотношение разнородных компонентов целого: форм речевого сообщения (речь от автора, речь диалогическая, внутренний монолог, письма, вводимые в текст, и т.п.), форм образного выражения (пейзаж, портрет, характер, сцена и пр.). Анализ структуры, предлагаемый в данной работе, понимается как выяснение членения, расположения и функциональной связи компонентов художественного целого.

Определение такой эстетически целеустремленной и обусловленной взаимосвязи компонентов в произведении художественной литературы — важнейшее иногда условие раскрытия его творческого существа и прояснения художнического замысла автора, иной раз — потаенного, почти зашифрованного.

Лишь такого рода прочтение первой части «Преступления и наказания», например, раскрывает те черты поэтики Достоевского, которые позволили некоторым исследователям назвать последние его романы «романамимистериями». В самом деле: вся эта первая часть представляет собой по существу некую дискуссию «за» и «против» пролития крови, дискуссию драматическую и страстную, в которой аргументы «за» идут не только от логики, но и от некой «тайны» — расставленные там и здесь автором акценты позволяют приоткрыть природу невысказанного.

Непосредственное столкновение «за» и «против» дано уже в первой главе: «за» — в виде «пробы», предварительного посещения Раскольниковым старухи-процентщицы, которое должно подготовить посещение роковое; «против» — в том «решительном смущении», которое в результате этой пробы он испытывает: «О Боже! как это отвратительно! И неужели, неужели я... нет, это вздор, это нелепость!... — И неужели такой ужас мог придти мне в голову?»...[27]

В дальнейшем «за» и «против» членятся и чередуются в главах 2-6 в разнородных по форме фрагментах. «За» продолжится в сцене встречи Раскольникова с Мармеладовым (глава 2-ая), в двенадцатистраничном монологе несчастного алкоголика, являющем собой «структуру в структуре»; затем — в десятистраничном письме матери Раскольникова (глава 3-я); в его реакции на это письмо, приблизившей его к решительному шагу: «Во что бы то ни стало надо решиться на что-нибудь, или...» Тут же знаменательная перекличка глав: «Понимаете ли, понимаете ли вы, милостивый государь, что значит, когда уже некуда больше идти? — вдруг припомнился ему вчерашний вопрос Мармеладова, — ибо надо, чтобы всякому человеку хоть куда-нибудь можно было пойти».... (стр. 50-51). Направление «за» убийство подсказывает в этой же главе и встреча с растерзанной и пьяной девушкой, кем-то обманутой и вытолкнутой на улицу: «Такой процент, говорят, должен уходить каждый год... куда-то... к черту, должно быть»... ...«А что коль и Дунечка как-нибудь в процент попадет!»

---

[27] Ф. М. Достоевский, Собрание сочинений в десяти томах. М., 1957, т. 5, стр. 12; последующее обозначение страниц в скобках — по этому же изданию.

Ярчайшее «против» выступает в главе пятой в форме нового структурного компонента — сцены сна Раскольникова. Описание зверства над лошадью по выразительности вряд ли имеет какие-либо аналогии в мировой литературе; внутренний нерв его — столь активный в поэтике Достоевского мотив ж а л о с т и, структурная значимость — в символическом предварении того, что должно будет случиться: «Боже! — воскликнул он, — да неужели ж, неужели ж я в самом деле возьму топор, стану бить по голове, размозжу ей череп... Господи, неужели?» (65).

Но в тех «за», которые следуют после этого, казалось бы сокрушительного, отрицания убийства, начинают звучать мотивы неких скрытых внушений и предопределенностей. Раскольников случайно подслушивает разговор Лизаветы с супружеской парой мещан-торговцев, окончательно определяющий его решение. «Во всем этом деле, — подчеркивает автор, — он всегда потом наклонен был видеть некоторую как бы с т р а н н о с т ь, т а и н с т в е н н о с т ь, как будто присутствие к а к и х - т о о с о б ы х в л и я н и й и совпадений» (69).

Таинственные влияния, как мы узнаем после, оказываются истоком поединка добра и зла в душе Раскольникова: последнее звено этого поединка — это воспоминание о том, как месяца полтора назад, впервые побывав у старухи-процентщицы, он услышал в трактире спор незнакомых ему студента и офицера об оправданности убийства «глупой, бессмысленной, злой и больной старушонки» ради «тысячи добрых дел и начинаний», которые можно осуществить на ее деньги. «...Это ничтожный трактирный разговор имел чрезвычайное на него влияние при дальнейшем развитии дела: как будто действительно было тут какое-то п р е д о п р е д е л е н и е, у к а з а н и е»... (72).

Следует многоточие, занимающее целую строку — прием у Достоевского не частый: в романе «Преступление и наказание» такое целострочное многоточие, заключающее главу, встречается еще только раз — в конце шестой части, после слов: «Раскольников повторил показание». Очевидно, однако, что функционально-семантическая природа этих двух многоточий различна. Многоточие последнее входит в ткань фабульного исхода, обрывающего повествование. Многоточие первое, напротив, бессюжетно и воспринимается как некая внутреннего звучания недоговоренность, завязывающая религиозно-философскую тему-мистерию об одержимости человеческой души духом зла. Исход этой темы — в «воскресении» Раскольникова, рассказанном на последних двух страницах эпилога; сама же она при внимательном прочтении выступает вполне отчетливо: «...это ведь дьявол смущал меня? А?» — говорит Раскольников в своем разговоре-признании с Соней. «...я совсем не смеюсь, я ведь и сам знаю, что меня чёрт тащил» (436-7). «...чёрт-то меня тогда потащил, а уж после того мне объяснил, что не имел я права туда ходить» (438). «А старушонку эту чёрт убил, а не я» (438). Тоже и в ранних черновых записях намечены слова Раскольникова: «...из-за чего я это сделал, как решился, тут злой дух».

Структурный анализ раскрывает тайное и в другом романе Достоевского — «Бесы»; именно — центральное место, которое в религиозно-философской теме этого романа занимают первые две главы второй части. Обе называются «Ночь» и оказываются ключевым содержанием мистерии романа, которая собственно в этих главах и совершается: Ставрогин, «великий грешник», «зверь из бездны», по определению Акима Волынского, и главный бес, беседует со своими многочисленными двойниками и полувоплощениями. После первой происходящей вечером беседы с Петром Верховенским Ставрогин выходит из дому в ночь. «Благослови вас Бог, сударь, но при начинании лишь добрых дел», — говорит слуга, провожая барина. Далее идут ночные разговоры: с Кирилловым (7 страниц), с Шатовым (20), с Лебядкиным и Хромоножкой (18) и, наконец, с Федькой Каторжным — 9 страниц на две встречи, из которых последняя и самая знаменательная случается на мосту. Федька Каторжный — тоже полудвойник Ставрогина, воплощение его готовности к пролитию крови. Может быть, ни в одном из предшествующих разговоров не выступает так отчетливо эта готовность:

— Правда, говорят, ты церковь где-то здесь в уезде обокрал? — спрашивает Ставрогин. — ...Сторожа зарезал?

— ...Согрешил, облегчил его маленечко.

— Режь еще, обокради еще.[28]

Сцена на мосту в структуре целого — как бы «мостик» от религиозно-философской темы романа к теме сюжетно-социологической.

***

Анализ структуры целого раскрывает архитектоническую гармонию произведения, которая сама по себе является эстетической категорией, проясняет приемы, которые эту гармонию создают в результате авторской установки на «отточенность» формы.

Среди многих возможных иллюстраций такой отточенности можно бы назвать, например, небольшой рассказ А. Куприна «Анафема». Рассказ этот, впервые напечатанный в 1913 году, — творческое выражение того восхищения Толстым и в частности первой его кавказской повестью, которое Куприн высказывал в разговорах и письмах: «А я на днях опять (в 100-й раз) перечитал «Казаки» Толстого, — писал он Ф. Д. Батюшкову в октябре 1910 года, — и нахожу, что вот она, истинная красота, величие, юмор, пафос, сияние».

Протодиакон Олимпий во время великопостного богослужения должен анафемствовать Льва Толстого, отлученного синодом от церкви. Но протодиакон — поклонник Толстого: накануне ночью он с восторгом перечитывал «Казаков». И к ужасу окружающих, зная, что теряет место и сан, он провозглашает любимому писателю вместо анафемы «многая лета». Такова сюжетная канва рассказа.

Структура его ювелирна — она вся на приеме контраста, внешнего или только ассоциативного, на образ-

---

[28] Т. 7, стр. 295-6.

ных параллелях и чередованиях, словно бы построчно размеренных автором, на визуальном обрамлении (похожем на свет юпитера, сопровождающий актера на сцене) фокусного образа. Этот центральный образ — громадную, девяти с половиной пудов веса фигуру протодиакона — автор, чуть романтик, чуть экспрессионист, помещает в огромном же старинном соборе, который он один умел наполнять «своим звериным голосом». Зримой аналогии сопутствует внутренняя: уныло, с душой, взбудораженной прочтенными накануне «Казаками» (читая, «плакал и смеялся от восторга»), протодиакон произносит слова проклятия Гришке Отрепьеву, Стеньке Разину и другим, и уныло же на каждый возглас отвечает ему хор мальчиков — «нежными стонущими ангельскими голосами: «анафема». И вот отец Олимпий слышит бормотанье архиерея:

> «Протодиаконство твое да благословит Господь Бог наш анафемствовати богохульника и отступника от веры Христовой, блядословно отвергающего святые тайны Господни болярина Льва Толстого. Во имя Отца и Сына и Святого духа».
>
> И вдруг Олимпий почувствовал, что волосы у него на голове топорщатся в разные стороны и стали тяжелыми и жесткими, точно из стальной проволоки. И в тот же момент с необыкновенной ясностью всплыли прекрасные слова вчерашней повести:
>
> «Очнувшись, Ерошка поднял голову и начал пристально всматриваться в ночных бабочек, которые вились над колыхавшимся огнем свечи и попадали в него»...

Следует еще семь строк цитаты, то есть в целом десять толстовских строк, соответствующих десяти же строчкам двух предшествующих абзацев, которые открывают эпизод «протеста». Подсчет строк как прием разбора не всегда убедителен: числовые совпадения могут быть и случайностью, — но в данном случае интересна приблизительная равнострочность чередований, которыми передается драматизм ситуации и все растущее в протодиаконе кипенье обиды и непокорства. Вперемежку с автоматическим чтением из требника дьякону припоминаются еще две цитаты из толстовской повести: девятистрочная — о дяде Ерошке в камышах и шестистрочная — из его жизнеутверждающих пантеистических заключений: «Всё Бог сделал на радость человеку. Ни в чем греха нет»...

> Протодиакон вдруг остановился и с треском захлопнул древний требник. ...Лицо его стало синим, почти черным, пальцы судорожно схватились за перила кафедры. На один момент ему казалось, что он упадет в обморок. Но он справился и, напрягая всю мощь своего громадного голоса, он начал торжественно:
>
> — Земной нашей радости, украшению и цвету жизни, воистину Христа соратнику и слуге болярину Льву...».

Следует одиннадцать строк паузы, которую делает отец Олимпий и использует Куприн, чтобы довести передачу эпизода до высшей степени драматического напряжения. В этой паузе — «ужасный момент тишины» и лицо протодиакона, ставшее на момент прекрасным от вдохновения. И затем:

> — Он еще раз откашлянулся и вдруг, наполнив своим сверхъестественным голосом громадный собор, заревел:
>
> — ...Многая ле-е-е-та-а-а-а.

Параллель: протодиакон — голоса мальчиков из хора — продолжена теперь по-другому: «Радостно, точно серебряные звуки архангельских труб, они кричали на всю церковь: «Многая, многая, многая лета».

Рассказ обрамлен структурным «кольцом», контрастным портретно и тематически. Он открывается коротким диалогом огромного протодиакона с его маленькой, худенькой, «немного истеричной, немного припадочной» диаконицей, которую он боится и которой всегда уступает. Но вот в концовке рассказа, когда диаконица обрушивает на мужа поток упреков, он, победитель, не может и не хочет ей уступить и, «расширяя большие воловьи глаза», произносит тяжело и сурово:

> — Ну?
>
> И дьяконица впервые робко замолкла, отошла от мужа, закрыла лицо носовым платком и заплакала.
>
> А он пошел дальше, необъятно огромный, черный, величественный, как монумент.

7.

Как и понятие стиля, понятие художественного о б р а з а толкуется различно: некоторые литературоведы ограничивают его почти исключительно тропами как средством выразительности и изобразительности художественной речи. Теоретики утилитарно-социологического толка, связанные представлением о художественной литературе как «отображении» жизни, склонны к более масштабным, недифференцированным обобщениям, предполагающим социологические же критерии. «Образ, — пишет Л. И. Тимофеев в книге «Основы теории литературы», — это конкретная и в то же время обобщенная картина человеческой жизни, созданная при помощи художественного вымысла и имеющая эстетическое значение».[29] «Понятие о художественном образе, — продолжает это толкование автор «Введения в литературоведение» Л. В. Щепилова, — ...связано, в первую очередь, с определением главного предмета литературы, которым является человек и его жизнь».[30] Далее следует рассуждение об образах «положительных» и «отрицательных» героев. И пейзаж, и бытовая живопись, и образная выразительность речевого стиля оказываются следовательно как бы в стороне от сферы образности, которую в художественном произведении представляют лишь персонажи. Понятие о б р а з н о й с и с т е м ы повисает в воздухе.

Объективнее и точнее подходят к определению образа исследователи, подчеркивающие разнородность его структуры. «Очень существенно, — писал в «Эстетических фрагментах» проф. Г. Шпет, — расширить понятие образа настолько, чтобы понимать под ним не только «отдельное слово» (семасиологически часто несамостоятельную часть предложения), но и любое синтаксически законченное сочетание их. «Памятник», «Пророк», «Медный всадник», «Евгений Онегин» — образы; строфы, главы, предложения, «отдельные слова» — также об-

---

[29] Изд. 2-ое, М. 1963, стр. 55.
[30] М. 1968, стр. 23.

разы. Композиция в целом есть как бы образ развитой explicite».[31]

То же толкование предлагает и академик В. В. Виноградов. «Словесный образ, — пишет он, — бывает разного строения. Он может состоять из слова, сочетания слов, из абзаца, главы литературного произведения и даже из цельного или целого литературного произведения».[32]

Теорию образа можно было бы изложить так:

Образ (как литературоведческий термин) есть творческое представление мастера языка, воплощенное средствами художественного слова, впечатляющего и зримого.

Поскольку объемность представления, то есть творческой конкретизации предмета, понятия или явления в сознании автора, может быть бесконечно различна, — различна и объемность образа, и он может являться «микрообразом», или «образом-штрихом», заключенным в метафорически использованном слове, «образом-очертанием» (в развернутой метафоре или сравнении, например) или же представлять различную по природе своей и масштабам сложную законченность целого: пейзаж, бытовую сцену, портрет, характер, структурно-обобщенное изображение войны, революции и т.п.

Несколько иллюстраций. Щедро и свежо пользовался образом-штрихом И. Бабель: «Атласные эти руки текли к земле... Черный луч сиял в ее лакированных волосах. Облитые чулком ноги с сильными и нежными икрами расставились по ковру» («Гюи де Мопассан»); «...на двойные подбородки были посажены огненные бородавки, малиновые бородавки, как редиска в мае» («У св. Валента»). «Мглистая луна шаталась по городу, как побирушка» («Вдова»). Вот пример концентрации — иногда кратчайших — сравнений, передающих облики луны, у поэта Ивана Елагина:

[31] Эстетические фрагменты, ч. 3, 1923, стр. 33-34.

[32] Стилистика..., стр. 119.

. . .
Я нанизал, как бусы,
Луны на все вкусы...
Как паутинки,
Тонки и робки
Месяцы-льдинки,
Месяцы-скобки.
Рядом на полке
Месяцы-щёлки.
Месяц-хрусталик,
Месяц-крючок,
Месяц-рогалик,
Месяц-стручок.
Выточен плотно,
Тяжек, упруг,
В тучах-полотнах
Месяц-утюг.
Как о месяце этом
Вспомнить добром,
Он висел над кацетом
Человечьим ребром...[33]

Образ-штирх («зачаточный образ» — по определению Б. Томашевского)[34] в развернутой метафоре или развернутом сравнении вырастает в образ-очертание, импрессионистически иной раз представляющий целое. У Беллы Амхадулиной, например:

И тоненькая, как мензурка,
внутри с водицей голубой,
стояла девочка-мазурка,
покачивая головой

(«Мазурка Шопена»)

Или в таком примере из А. Вознесенского, где структурная по отношению к целому функция тропа особенно ощутима:

Значит, вечер. Вскипает приварок.
Они курят, как тени тихи.
Из из псов, как из зажигалок,
Светят тихие языки

(«Тишины!»)

---

[33] Иван Елагин, Косой полет. Нью-Йорк, 1967, стр. 121-22.

[34] Б. Томашевский, Теория литературы. Поэтика. М.-Л., 1928, стр. 32.

И более сложные образы функциональной законченности «целого». Вечер, например, из «Зависти» Ю. Олеши:

> День сворачивал лавочку. Цыган в синем жилете, с крашеными щеками и бородой, нес, подняв на плечо, медный таз. Диск таза был светел и слеп. Цыган шел медленно, таз легко покачивался, и день поворачивался в диске.
>
> Путники смотрели вслед.
>
> И диск зашел, как солнце. День окончился.[35]

Портрет Кати из «Серебряного голубя» А. Белого:

> Тут Катя тряхнула головкой, и локоны густые ее перекинулись через плечо; но сдвинутая складка между тонких ее бровей, но на минуту сжавшийся поцелуев просящий ротик, но высоко закинутая головка и точно выросший легкий, строгий в легкости стан выразили какое-то странное, не детских лет упорство: так белоствольная березка, вдруг терзаемая порывом, неудержимо сорвется с тишины и тонкие свои сети прострет умоляюще и на миг расплачется...[36]

Образ-картина из миниатюр М. Пришвина «Лесная капель»:

> Вернулось солнце. Гусь запускал свою длинную шею в ведро, доставал себе воду клювом, поплескивал водой на себя, почесывал что-то под каждым пером, шевелил подвижным, как на пружинке, хвостом. А когда всё вымыл, всё вычистил, то поднял вверх к солнцу высоко свой серебряный, мокро-сверкающий клюв и загоготал.[37]

Или малютка-рассказ того же автора «Медуница и можжевельник»:

> Сквозь можжевельник, корявый и неопрятный, проросла роскошная красавица-медуница и на свету расцвела. Можно было подумать, что это сам можжевельник расцвел! Иные прохожие так и думали, очень дивились, говорили: «Бывает же так: такой неопрятный, такой ко-

---

[35] Юрий Олеша, Повести и рассказы. М. 1965, стр. 82.

[36] Андрей Белый, Серебряный голубь. Мюнхен, 1967, стр. 143-4.

[37] М. Пришвин. Собр. сочинений в шести томах. М., 1956. Т. 3, стр. 426-7.

> рявый, а в цветах лучше всех в это время. Бывает же так!» «Бывает, бывает!» — отвечали басами шмели на медунице. Сам можжевельник, конечно, молчал.[38]

Более обширные и сложные структуры несут в себе и большее многообразие форм образного выражения в их функциональной взаимосвязи и внутреннем эстетическом единстве, обусловленном индивидуальными особенностями авторского мастерства. Так рождается понятие образной системы внутри одного произведения или авторского инструментария в целом.

Часто рассмотрение этой образной системы ограничивается «центральными образами», какими в жанрах художественной прозы являются образы персонажей (характеры, типы); реже устанавливаются взаимообусловленности центрального и сопутствующих образов — функция пейзажа, например, который экспозиционно может иногда оказываться «фоном», иногда — как это случается, например, у Льва Толстого — как бы продолжением переживания персонажа; еще реже образ интересует исследователя со стороны своего творческого существа и как «прием». Между тем именно выяснение того, как развертывается автором тот или иной образ, раскрывает природу его творческой зримости и убедительности.

Классический пример «пластического» развертывания образа от авторского «ниоткуда» к читателю-зрителю — появление каравана в пустыне в лермонтовских «Трех пальмах»: вздымающийся на горизонте песок, чуть позже — звуки колокольцев на шеях верблюдов, еще погодя — различимая уже пестрота ковровых покрышек и, наконец, облик подступающего целого — в строчках, передающих и ритм, и даже фигурную «зыбкость» движения:

> И шел, колыхаясь, как в море челнок,
> Верблюд за верблюдом, взрывая песок....

Такую ступенчатую экспозицию образа можно проследить у Бунина, одного из крупнейших мастеров пластически-образного слова. «Ненавижу, как ты пишешь!

---

[38] Собрание сочинений, т. 5, стр. 652.

— говорил Бунину Куприн. — У меня от твоей изобразительности в глазах рябит!»). Вот небольшой, меньше страницы, рассказ «Журавли». Рассказчика на осенней проселочной дороге обгоняет на дрожках соседний мельник, полупьяный, невменяемый от напавшего на него непонятного отчаяния и ярости. Две скупых строчки пейзажа, которым открывается рассказ, передают «...осеннее безмолвное ожидание чего-то». За ожиданием тотчас же и далекий звук — треск колес: кто-то догоняет. Следует совершенно зримая, как в кадре замедленной киноленты, передача движения образа:

> Этот кто-то все ближе и ближе — уже видна хорошо его во весь дух летящая лошадь, затем он сам, то и дело выглядывающий из-за нее и покрывающий ее то кнутом, то вожжами... ...уж вот он, настигает — сквозь треск слышно мощное лошадиное дыхание, слышен отчаянный крик: «Барин, сторонись!» В страхе и недоумении виляю с дороги — и тотчас мимо мелькает сперва чудесная гнедая кобыла, ее глаз, ноздря, новые вожжи сургучного цвета, новая блестящая сбруя, взмыленная под хвостом и на ляжках, потом сам седок — чернобородый красавец мужик, совершенно шальной от скачки и какого-то бессмысленного, на все готового исступления. Он бешено кидает на меня, пролетая, свой яростный взгляд, поражает свежей красной пастью и смолью красивой молодой бороды, новым картузом, желтой шелковой рубахой под распахнувшейся черной поддевкой...

И после всего этого вихря деталей — образ целого и выклик, которым заканчивается рассказ и который дает звучание внутренней теме вещи, лишь весьма глухо подсказанной заглавием:

> ...приближаясь, вижу: лошадь стоит на дороге и тяжко носит боками, а сам седок лежит на дороге, лицом книзу, раскинув полы поддевки.
>
> — Барин! — дико кричит он в землю. — Барин!
>
> И отчаянно взмахивает руками:
>
> — Ах, грустно-о! Ах, улетели журавли, барин!...[39]

---

[39] И. А. Бунин, Весной в Иудее. Роза Иерихона. Нью-Йорк, 1953, стр. 196.

Интересно сравнить творческое назначение «зримой» детали в этой миниатюре, где она часть основного экспонируемого образа, с ее функцией в другом бунинском рассказе «Солнечный удар». Здесь детали образуют как бы движущийся фон, на котором и касанием к которому раскрывается переживаемое персонажами. Вот из начала рассказа:

> Впереди была темнота и огни. Из темноты бил в лицо сильный, мягкий ветер, а огни неслись куда-то в сторону: пароход с волжским щегольством круто описывал широкую дугу, подбегая к небольшой пристани...
>
> — Поручик пробормотал:
>
> — Сойдем...
>
> — Куда? — спросила она удивленно.
>
> ...Над головами пролетел конец каната, потом понесло назад, и с шумом закипела вода, загремели сходни... Поручик кинулся за вещами.[40]

На семи страницах рассказа — пять крохотных пейзажей в три и четыре строки длиной, по-разному оттеняющих видимое и переживаемое персонажами и чередующихся с другими штрихами и зарисовками окружения. Этих штрихов и зарисовок множество. Вот двое по пути с парохода в гостиницу поднимаются «среди редких кривых фонарей по мягкой от пыли дороге». «Вот какая-то площадь, присутственные места, каланча, тепло и запахи ночного летнего уездного города». «Старая деревянная лестница», «старый небритый лакей» «на растоптанных ногах» «в розовой косоворотке и сюртуке»; «страшно душный, горячо накаленный за день солнцем номер с белыми опущенными занавесками на окнах»...

Эти белые занавески повторятся в рассказе еще дважды — каждый раз в новых ассоциациях с переживаниями поручика. Проводив спутницу, он чувствует, что у него нет сил смотреть на освещенную, еще не убранную кровать, и он опускает «белые пузырившиеся занавески». Далее, уже в конце рассказа, эти раздувающиеся занавески как бы ассоциируются с возникшей вокруг него пу-

---

[40] И. А. Бунин, Митина любовь. Солнечный удар. Нью-Йорк, 1953, стр. 7-8.

стотой: «...легкий ветерок от времени до времени надувал их, веял в комнату зноем нагретых железных крыш и всего этого светоносного и совершенно теперь опустевшего мира». Целый поток образных деталей, синтетический по природе, потому что в него входят и звуки, и запахи, сопровождает одиночество поручика, когда он солнечным полднем бродит по базару, среди возов с огурцами, заходит в собор, кружит по жаркому берегу над Волгой, и... «погоны и пуговицы его кителя так нажгло, что к ним нельзя было прикоснуться». Солнечность этих деталей странно созвучна и вместе контрастна его душевному состоянию: «Всё было хорошо, во всем было безмерное счастье, великая радость, даже в этом зное и во всех базарных запахах... а вместе с тем сердце просто разрывалось на части».

Прослеживающему узорную живопись этого рассказа начинает казаться, что образ поручика структурно недвижен, и лишь плывущая мимо кинолента видимых им и переживаемых образных деталей раскрывает читателю душевную его экспрессию.

8.

Речевая ткань — словарь и строй языка художественного произведения — могла бы по праву стать первообъектом литературоведческого прочтения, если бы функциональное познавание творческого слова не было бы так тесно связано с познаванием «целого». Мы начинаем с «целого», но что это целое и сам писатель начинается с языка — об этом нельзя забывать ни на секунду. «Язык не есть только материал поэзии, как мрамор — ваяния, но сама поэзия», — утверждал Потебня. В слове, по его мнению, заключено «соответствие» со «всеми свойствами поэтического произведения».[41] «Материалом поэзии являются не образы, а слово».[42] — писал В. Жирмунский. «Самым значащим вопросом в области изучения поэтического стиля, — вторит ему Ю. Тынянов, — явля-

[41] А. А. Потебня. Из лекций по теории словесности. Харьков, 1894, стр. 126.

[42] «Вопросы теории литературы», стр. 28.

ется вопрос о значении и смысле поэтического слова».[43]

Всё это относится не только к собственно поэзии, о которой говорят авторы цитат, но и к языку художественной литературы вообще, к творческому слову, то есть слову в той его эстетической функции, абсолютную природу и амплитуду которой вряд ли можно уложить в какое-либо исчерпывающее определение.

Высказывания по этому поводу можно найти у многих писателей. У В. Короленко, например:

«Слово — не механический звук. Оно живой, низший организм речи. Кроме его прямого значения, в нем есть какие-то второстепенные, живые подголоски, точно щупальцы у животного. Этими щупальцами оно точно хватается в мозгу за другие, смежные слова, срастается с ними, врастает органически в молодой мозг, пускает в нем крепкие корни. Но для этого нужно, чтоб оно было живое, понятное, родное»...[44]

У Льва Толстого:

«Каждое художественное слово, принадлежит ли оно Гёте или Федьке, тем-то и отличается от нехудожественного, что вызывает бесчисленное множество мыслей, представлений и объяснений».[45]

А. Лежнев в книге «Проза Пушкина», приводя гоголевское: «Какое странное манящее и несущее и чудесное в слове: дорога!» пишет: «Слово несет в себе что-то сверх прямого значения, не до конца выразимое: как звук, как мелодия, как воспоминание»... К. Паустовский находил, что слово аквамарин само по себе «излучает поэзию». Еще индивидуальнее ощущение скрытой природы слова в таком, например, высказывании талантливого прозаика и поэта Сергея Клычкова (загубленного в 1940 году), — высказывании, отражающем весьма характерные для его времени творческие концепции и поиски:

«Материя слова, дающая внешние формы, и — «дух» слова — ангел, стоящий за его плечами с мечом и чашей,

---

[43] Ю. Тынянов, Проблема стихотворного языка. М., 1965, стр. 22.

[44] Сб. «Русские писатели о языке». Л., 1955, стр. 310.

[45] Полн. собр. соч-ий, М.-Л. 1955, т. 3, кн. 2, стр. 213.

— и здесь ведут свою исконную борьбу, взаимно покоряя и покоряясь друг другу. Литургическое слияние духовного и плотского в слове, в пропорции, соответствующей данной творческой индивидуальности, и будет стилем»...[46]

***

Словоотбор, фразеология, синтаксически-стилевая конструкция фразы (в ее обособленности и в связном контексте), ритм и звучание — вот вехи литературоведческого прочтения речевой ткани целого, среди которых и для которых отбор слова оказывается элементом изначального характера. «Для которых» добавлено здесь потому, что словоотбор, не ограничиваясь предпочтением какого-либо одиночного речения, всегда продлевается в сочетании слов. «Красота или скорее доброта языка может быть рассматриваема в двух отношениях, — писал Лев Толстой. — В отношении слов употребляемых и в отношении их сочетания».[47] В частности — в определительных, эпитетных, сочетаниях, которые обычно в первую очередь привлекают внимание исследователей речевого стиля, и в столь стилеобразующих (как в от-авторской, так и в диалогической речи) фразеологических оборотах — «сочетаниях, прочно вошедших в язык», по определению Ш. Балли.[48]

Внимание к слову как искомой самоценности творческого выражения особенно выросло в русской литературе начала текущего столетия — Велемир Хлебников,

---

[46] Сергей Клычков, «Лысая гора». «Красная новь», май 1923, стр. 391.

[47] Русские писатели о языке, стр. 287. Очень интересно — правда, в другом плане, плане структурного анализа стихотворного языка, — говорит о сочетании слов проф. Р. Якобсон: «Сочетание построено на ассоциации по смежности. ...В поэтическом и только поэтическом языке мы видим проекцию оси тождества (выбора слова Л. Р.) на ось смежности, т.е. в плоскость сочетания, в план звукоряда... ...Именно в такой проекции заключается неотъемлемая особенность поэзии». 4-ый Международный съезд славистов. Материалы дискуссии, 1. Проблемы слав. литературоведения, фольклористики и стилистики. М., 1962, стр. 619-20.

[48] Ш. Балли, Французская стилистика. М. 1961.

формальные поиски и находки Маяковского; в прозе — произведения Андрея Белого, А. Ремизова, Е. Замятина — истоки так называемого орнаментализма, которому отдали дань столь многие писатели двадцатых годов. Формальное существо орнаментализма как поиска неоднородно, ориентировано то на народно-архаические речевые стили (ранний Леонов, например), то собственно на «прием» — сгущение эмоциональной и живописной выразительности слова-образа, пластическое — у Замятина, метафорическое («щебетнула стеклянная пробка», «кран тихо сморкался») — у Ю. Олеши, натуралистически экспрессивное — у И. Бабеля.

Взаимоотношение творчески отобранного слова с речевым целым удобнее всего, может быть, прояснить на примере лесковского сказа как формы повествования, в основе которой лежит принцип устности и языковой очерченности облика рассказчика.[49] В рассказе «Тупейный художник», например, можно выделить четыре структурно неоднородных типа речевого сообщения, как бы четыре «этапа» становления сказа, каждый из которых обнаруживает стилевое единство словоотбора и фразового строения: слова от автора, в которых он представляет читателям сказительницу, позднее ведущую повествование (1); слова от автора же, но местами — кавычки, в которых он помещает, как не своё, отдельные выражения сказительницы (2); опять-таки от-авторское сообщение, но почти полностью в форме несобственно прямой речи — слова и выражения, принадлежащие речевой сфере сказительницы, уже не берутся автором в кавычки, а как бы подчиняют в стилевом отношении его собственные (3); речь самой сказительницы, охватывающая более трех четвертей рассказа (4). Текст:

1. Моего младшего брата нянчила высокая, худая, но очень стройная старушка, которую звали Любовь Они-

[49] Иного типа речевой склад у Гоголя — «мимико-декламационный», по определению Б. Эйхенбаума: «...не сказитель, а исполнитель, почти комедиант, скрывается за печатным текстом «Шинели» (Б. Эйхенбаум, Как сделана «Шинель» Гоголя». Сб. «Сквозь литературу», Mouton & Co. 1962, стр. 187).

симовна. Она была из прежних актрис бывшего орловского театра графа Каменского.[50] (298)

2. Аркадий «причесывал и рисовал» одних актрис. Для мужчин был другой парикмахер, а Аркадий если и ходил иногда на «мужскую половину», то только в таком случае, если сам граф приказал «отрисовать кого-нибудь в очень благородном виде». (299)

3. Граф же, по словам Любови Онисимовны, был так страшно нехорош через свое всегдашнее зленье, что на всех зверей сразу походил. Но Аркадий и этому зверству умел дать, хоть на время, такое воображение, что когда граф вечером в ложе сидел, то показывался даже многих важнее. (300)

4. Спектакль хорошо шел, потому что все мы как каменные были, приучены к страху и к мучительству: — что на сердце ни есть, а свое исполнение делали так, что ничего и незаметно... (307)

Тридцатые годы с их обязательностью «актуальной темы» значительно притушили представление о самоценности слова, а среди ряда пишущих создали даже и традицию небрежения к установке на выражение; творческая эта установка вытесняется непременностью того, что требуется заказом; образно-эмоциональное наполнение — чисто коммуникативным. Вот несколько примеров из романа «Во имя молодого» — Федора Панферова, где душевное движение персонажа, несложная повествовательная констатация оставляют в передаче автора впечатление творческой невыраженности, ненайденности слова, просто беспомощности, наконец:

Кораблев (герой романа. Л. Р.) внутренне закричал (67)[51]

Опьянение Кораблева вызвало в ней отвратность к нему, и ей почему-то захотелось, чтобы такая же отвратность возникла и у других гостей (73)

А ведь до этого славный был генерал, но вогнал в душу болт и этим болтом смертельно сам ударил себя по затылку (85)

---

[50] Страницы в скобках указаны по изданию Н. С. Лесков, Повести и рассказы. Изд-во «Московский рабочий», 1954.

[51] Цифры в скобках указывают страницы журнала «Октябрь» № 7 за 1960 год.

«Я, читатель, нахожусь в полном разладе с автором, — писал в «Литературной газете» А. Твардовский по поводу серости многих произведений того времени, — автор хочет меня растрогать — я смеюсь, автор местами пытается меня рассмешить — я остаюсь холоден».[52]

Для языка послеоктябрьской литературы характерна обращенность к народности словаря, связанная как с общей демократизацией речи, так и с поисками творческой ее свежести и выразительности.[53] Также и эти поиски различны по своему характеру, и исследователю всегда важно установить внутреннюю мотивировку необычности словоотбора.

У А. Кузнецова, например, в сборнике рассказов «Селенга»: «Мотор собирался з а б а р а х л и т ь»; «...детей и жены, чтобы ради них г р о б и т ь с я, Алексей не имел»; «Подчиненные были правы, пользуясь всяким случаем п о ф и л о н и т ь, п о т у ф т и т ь, закрыть завышенный наряд»; «Ребята т р а в и л и разные истории». Выделенные разрядкой слова принадлежат речевой сфере рабочей молодежи конца пятидесятых годов, и их творческая оправданность — экспрессия бытового употребления, которую они в себе содержат.

В следующих примерах, взятых из романа К. Федина «Костер», автор, приведя действие в деревню, так передает в своей речи деревенский стилевой колорит: «Всей к о с т о в а т о й некрупной статью своей отец казался... не похожим на самого себя» (6);[54] «...пригладил к у д е р ч а т у ю свою голову..., точно скидывая с нее мешающую т я ж е н ь» (53); «...б е д о в а н ь е без мужа н а п р и м а я л о е е» (8) «Утро с е я л о м ж и ч к о й». (61); «Сквозь частый с и т н и к теплого дождичка» (62). Но вот еще пример, по контексту от деревни вполне далекий: «Где-то прилежно урчал мотор, и, будто стараясь п е р е б р е х а т ь его, я р и л а с ь собачонка». (20)

---

[52] «Литературная газета» № 96 от 10. 8. 1963.

[53] Подробнее об этом см. в моей статье "The New Idiom". Soviet Literature in the Sixties. New York-London, 1964.

[54] Страницы в скобках — по тексту, опубликованному в журнале «Новый мир» № 4 за 1962 год.

В стихотворении Ярослава Смелякова «Вернулся товарищ» читаем:

> Он всё обаянье Фиделя,
> Всю ту атмосферу впитал...
> Он стал как бы выше и шире,
> И даже к р а с и в ш е, чем был.

Здесь и форма «красивше» и стилевой конфликт, в который эта форма вступает с книжным «атмосферу впитал», вряд ли могут найти творческое оправдание.

В основе народности словоотбора как отталкивания от стандартов книжно-литературной речи может лежать внутренняя обращенность авторского «я» к искренности, — обращенность, которой отвечает разговорная непосредственность и простота, внутренне «исповеднический» строй речевой темы. Об этом — ниже.

9.

Представление об о б р а з е а в т о р а встречается уже в одной из заметок Карамзина конца восемнадцатого века. «Творец, — писал Карамзин, — всегда изображается в творении и против воли своей... Ты берешься за перо и хочешь быть автором: спроси же у самого себя, наедине, без свидетелей, искренно: к а к о в я? ибо ты хочешь писать портрет души и сердца своего».[55]

«В художественном произведении главное душа автора»,[56] — говорил Лев Толстой. В «Предисловии к сочинениям Гюи де Мопассана» он высказывается на эту тему подробнее: «В сущности, когда мы читаем или созерцаем художественное произведение нового автора, основной вопрос, возникающий в нашей душе, всегда таков: «Ну-ка, что ты за человек? И чем отличаешься от всех людей, которых я знаю, и что можешь мне сказать нового о том, как надо смотреть на нашу жизнь?»...[57]

В современном литературоведении проблема «образа

---

[55] Н. Карамзин, «Что нужно автору». Хрестоматия по русск. лит-ре 18-го века, составленная проф. Кокоревым. М. 1965, стр. 798.

[56] Лев Толстой о литературе. Собрание Гос. Толстовского музея. М. 1937, стр. 73.

[57] «Литературное наследство» № 37-38, стр. 525.

автора» как новый аспект и критерий литературоведческого прочтения художественного произведения выдвинута академиком В. В. Виноградовым, считавшим ее «центральной проблемой поэтики и стилистики». «То, что говорит Толстой (об образе автора. Л. Р.),[58] — пишет В. В. Виноградов, — одинаково относится и к идеологической позиции писателя и к стилистическим формам его литературного образа». И далее, в последней из своих работ: «В стиле литературного произведения, в его композиции, в объединяющей все его части и пронизывающей систему его образов структуре о б р а з а а в т о р а находит выражение оценка изображаемого мира со стороны писателя, его отношение к действительности, его миропонимание».[59]

Представление об «образе автора» как творческом самораскрытии художника, заключенном непосредственно в самой же творческой данности, в какой-то мере теснит понятие «идейного содержания», так часто основанное на социологического типа привзнесениях извне.

«В образе автора, — продолжает В. Виноградов, — в его речевой структуре объединяются все качества и особенности стиля художественного произведения: распределение света и тени при помощи выразительных речевых средств, переходы от одного стиля к другому, переливы и сочетания словесных красок, характер оценок, выражаемых посредством п о д б о р а и с м е н ы с л о в и ф р а з[60] (разрядка моя. Л.Р.)

Следует, вероятно, припомнить различные ракурсы писательского «я» по отношению к жанрово-стилевой форме целого. Рассказ от первого лица, характерный для романного жанра западной литературы 17 века, переписка и дневник в сентиментализме 18-го — сменились к середине минувшего столетия (Стендаль — Теккерей — Флобер — Достоевский — Толстой) эпическим полотном объективизированного повествования, ведущегося от третьего лица. Автор может временами оказываться участ-

---

[58] См. стр. 157 этого сборника.

[59] Стилистика..., стр. 125.

[60] О языке художественной литературы, стр. 155.

ником действия, обнаруживать себя в отступлениях, но все же остается эпиком и «всеведом», всюду проникающим и раскрывающим нам самые недоступные тайны событий и уголки человеческой души. Достоевский, колеблясь в выборе для «Преступления и наказания» формы рассказа от первого или третьего лица и остановившись на последней, так и записывает: «Предположить нужно автора всеведущим»... — от первоначального замысла «исповеди» в романе осталась лишь обширность внутреннего монолога у Раскольникова. Передача автором слова объективному же рассказчику тоже порой нисколько не меняет эпичности целого, являясь лишь внешним приемом, — таким рассказчиком оказывается, например, Антон Лаврентьевич в «Бесах», который, однако, исчезает в ряде глав и эпизодов, уступая ведение сообщения автору.

В связи с прояснением образа автора как структурного стержня целого остановимся еще немного на отборе слов, затем — на речевой тональности творческого сообщения как непосредственной форме авторского самовыражения.

Именно словоотбор, двоякий по своей творческой направленности, создает стилевой дуализм в романе «Доктор Живаго» Б. Пастернака: традиционно-реалистическую манеру объективной передачи событий, часто книжноневыразительную и сухую, и полные внутреннего движения и экспрессии стили «переживаемого» авторским поэтическим «я» рассказа. В них выступают знакомые черты Пастернака-лирика — смелость лепки художественного образа, неожиданность ассоциативных сближений и их символического, по природе своей, осмысления, иногда выводящего поэтическое сообщение во внереалистический «аут»:

> Веяло чем-то новым, чего не было прежде. Чем-то волшебным, чем-то весенним, черняво-белым, редким, неплотным, таким, как налет снежной бури в мае, когда мокрые, тающие хлопья, упав на землю, не убеляют ее, а делают еще чернее. Чем-то прозрачным, черняво-белым,

пахучим. «Черемуха!» — угадал Юрий Андреевич во сне (241)[61]

Они (цветы. Л. Р.) не просто цвели и благоухали, но как бы хором, может быть ускоряя этим тление, источали свой запах и, оделяя всех своей душистой силой, как бы что-то совершали» (505)

Лирическое существо словоотбора приводит на смену пластическому эпитету — эпитеты интимно-задушевной окраски: «Его выкармливала, выхаживала Лара своими заботами, своей лебедино-белой прелестью, влажно-дышащим горловым шопотом своих вопросов и ответов» (405); «Он клял на чем свет стоит бесталанную свою судьбу и молил Бога сохранить и уберечь жизнь красоты этой писаной, грустной, покорной, простодушной» (456). Ощутимое местами авторское стремление к простоте и непосредственности рассказа отражено в обширности пласта разговорной лексики и своебразной «домашности» словоупотребления.[62]

Упоминавшаяся в предшествующей главе тяга к «исповеднической» доверительности от-авторского сообщения, может быть, в большей мере, чем формальные попытки «освежения» языка, объясняет семантико-речевую структуру вещей Солженицына — народно-архаические и просторечные элементы их словаря, весь подчеркнуто разговорный, с чертами сказово-устной напевности строй его фразосочетаний:

А заболел у Ефрема язык — поворотливый, ладный, незаметный, в глаза никогда не видный и такой полезный в жизни язык. За полста лет много он этим языком поупражнялся... Клялся в том, чего не делал. Распинался чему не верил... И укрючливо матюгался, подцепляя что святей и дороже, и наслаждался коленами многими, как соловей...[63]

---

[61] Цифры указаны по упоминавшемуся уже выше изданию Мичиганского унив-та, 1959-го года.

[62] См. помещенную в этом сборнике работу о языке и стиле романа Пастернака.

[63] А. Солженицын, Раковый корпус. YMCA Press, Париж, 1968, стр. 90.

**
*

Лексико-стилистические особенности отбора слов и сочетаний лежат в основе тональности от-авторского сообщения — лирической, иронической, пафосно-обличительной или какой-либо другой по своему стилевому характеру.

О пафосно-обличительном тоне как идейном замысле автора пишет, например, П. Г. Пустовойт в книге «Слово, стиль, образ», разбирая горьковские антиамериканские памфлеты: «Горьковский пафос гнева против империалистической реакции в Америке, страстное желание писателя обличить классовое неравенство... — всё это вызвало полемическую заостренность, потребность сатирической гиперболичности».[64]

П. Г. Пустовойт не подчеркивает конфликта «идейного» с «эстетическим», возникающего в этом далеко не шедевре горьковского творчества в результате перенасыщенности речевой ткани выбранными «в гневе» тропами. Например, о детях: «Питая свои тела жирными испарениями города, они бледны и желты, кровь их отравлена зловещим криком ржавого металла, угрюмым воем (!) порабощенных молний».[65] О ночи в Нью-Йорке: «Тысячами стрел вонзаются в нее холодные огни — она идет, сострадательно укутывая темными одеждами безобразие домов, мерзость узких улиц, прикрывая грязь лохмотьев нищеты. Дикий вопль жадного безумия несется ей навстречу, разрывая ее тишину, — она идет и медленно гасит нахальный блеск порабощенного огня, закрывая своей мягкой рукой гнойные язвы города» (26).

Иная тональность — в замятинском рассказе «Икс» из послеоктябрьского быта русского провинциального города. Эта ироническая тональность основана, прежде всего, на контрастности изначального семантико-стиле-

---

[64] П. Г. Пустовойт, Слово, стиль, образ. М., 1965, стр. 131.

[65] «Город желтого дьявола». Собр. сочинений, М., 1960, т. 4, стр. 22.

вого облика слова и его авторского употребления, местами каламбурного типа:

> Дьякон Индикоплев, публично покаявшийся, что он в течение десяти лет обманывал народ, естественно пользовался теперь доверием и народа и власти. ...Раскаявшись и обрившись, дьякон Индикоплев напечатал буллу к прежней пастве в «Известиях» УИК'а. Набранная жирным цицеро булла была расклеена на заборах — и из нее все узнали, что дьякон раскаялся после того, как прослушал лекцию заезжего москвича о марксизме. Правда, лекция и вообще произвела большое впечатление — настолько, что следующий клубный доклад, астрономический, был анонсирован так: «Планета Маркс и ее обитатели». Но мне доподлинно известно: то, что в дьяконе произвело переворот и заставило раскаяться — был не марксизм, а марфизм. Родоначальница этого внеклассового учения, до сих пор только чуть-чуть показанная между строк, однажды ранним утром спустилась к реке — искупаться...[66]

***

Яркий облик иронизирующего и обличающего автора возникает за строчками ряда произведений Льва Толстого после переворота в его творческой ориентации, случившегося с началом восьмидесятых годов. В «Смерти Ивана Ильича», например. Ирония начинается здесь с описания реакций друзей и близких Ивана Ильича на его смерть, — описания, из которого выступает их совершенная и по самым разнообразным поводам проявляемая фальшь. Вот, например, как передан разговор Петра Ивановича, друга покойного, с его вдовой:

> После разных разговоров о подробностях действительно ужасных физических страданий, перенесенных Иваном Ильичом (подробности эти узнавал Петр Иванович только по тому, как мучения Ивана Ильича действовали на нервы Прасковьи Федоровны), вдова, очевидно, нашла нужным перейти к делу.
>
> — Ах, Петр Иванович, как тяжело, как ужасно тя-

[66] Евгений Замятин, Повести и рассказы. Мюнхен, 1963, стр. 202-203.

> жело, как ужасно тяжело, — и она опять заплакала.
>
> Петр Иванович вздыхал и ждал, когда она высморкается. Когда она высморкалась, он сказал:
>
> — Поверьте... — и опять она разговорилась и высказала то, что было, очевидно, ее главным делом к нему; дело это состояло в том, как бы по случаю смерти мужа достать денег от казны. Она сделала вид, что спрашивает у Петра Ивановича совета о пенсионе; но он видел, что она знает уже до мельчайших подробностей и то, чего он не знал: всё то, что можно вытянуть от казны по случаю этой смерти, но что ей хотелось узнать, нельзя ли как-нибудь вытянуть еще побольше денег.[67]

Ироническая тональность сгущается, сопровождая всё повествование о жизни Ивана Ильича до болезни. Даже в изображении внешности его звучит иногда почти гоголевская ирония: получив новое, более значительное место, Иван Ильич «...нисколько не изменив элегантности своего туалета, ...в новой должности перестал пробривать подбородок и дал свободу бороде расти, где она хочет», а лейтмотивом характеристики его становятся повторяемые эпитеты «приличный» и «приятный»: Иван Ильич был «живой, приятный и приличный человек»; жизнь его «продолжала идти так, как он считал, что она должна была идти: приятно и прилично»; Ивана Ильича прежде всего и заботило то, чтобы ничто не нарушало «жизни легкой, приятной, веселой и всегда приличной и одобряемой обществом» и т.д.

Иронически рассказано обо всех главных событиях в жизни Ивана Ильича — его успехах по службе, женитьбе, устройстве квартиры (это вешая новые гардины получает Иван Ильич тот ушиб, который впоследствии вызовет смертельную его болезнь!). Внимательный и пытливый читатель в недоумении: перечитывая повесть, он нашел, что Иван Ильич был хорошей души, честный, не совершавший никаких проступков против законов человеческого общежития и морали человек; был счастлив в детстве, бывал счастлив и в юности; как все на свете люди, начавши служить, испытывал радость продвижения

---

[67] Лев Толстой, Собрание соч-ий в двенадцати томах, т. 10, М. 1958, стр. 139.

по службе, которой не знают лишь тунеядцы и неудачники, с удовольствием садился за игру в винт, как и сам Толстой, который много и азартно играл в свое время в карты, — и почему, почему всё это вдруг оказывается как бы преступлением?

Но за беспощадной иронией строк перед читателем возникает не образ автора «Казаков» и «Войны и мира», великого жизнелюбца Толстого, но — Толстого учителя жизни, записавшего за три года до создания повести в «Исповеди»: «Со мной случилось то, что жизнь нашего круга — богатых, ученых — не только опротивела мне, но потеряла всякий смысл»...

Ирония длится до страниц, на которых рассказывается о болезни Ивана Ильича, и этот рассказ, описание смерти — особенно, делают повесть шедевром не только русской литературы. С этих страниц перед читателем поднимается во весь рост облик Толстого-художника, каждое слово которого правдиво и убеждающе.

Только этим сосуществованием в повести д в у х Толстых: Толстого-художника и Толстого-моралиста — можно объяснить внутреннюю творческую ее неоднородность.[68] Утверждение, например, которым начинается вторая глава: «Прошедшая история жизни Ивана Ильича была самая простая и обыкновенная и самая ужасная». Была ли? Ведь от множества рядовых, как и Иван Ильич, людей неестественно и немыслимо было бы ожидать тех моральных самокритических переоценок и программ жизни, к которым пришел ко времени создания повести почти шестидесятилетний Толстой; представления об ужасе этой жизни не вытекает из содержания самой повести, ни из внутреннего сознания Ивана Ильича, которому оно подсказано извне:

---

[68] Непонятно, как мог такой прекрасный знаток толстовского творчества, как Б. Эйхенбаум, в статье о Толстом последнего периода назвать представление о наличии в этом периоде «двух Толстых» наивным? Разве что вынужденно: расчленение этих двух толстовских ипостасей намечается в сущности уже в «Автобиографической трилогии» в виде двух — взрослого и отроческого — «я» повествователя; понимание же природы толстовской поэтики без учета этого расчленения, по-видимому, вообще невозможно.

> И опять он весь предался вниманию такому напряженному, что даже боль не развлекала его.
>
> — Жить? Как жить? — спросил голос души.
>
> — Да, жить, как я жил прежде: хорошо, приятно.
>
> — Как ты жил прежде, хорошо и приятно? — спросил голос...[69]

«Голос» принадлежит конечно же Толстому-учителю жизни, записавшему в «Исповеди»: «Я отрекся от жизни нашего круга, признав, что это не есть жизнь, а только подобие жизни, что условия избытка, в которых мы живем, лишают нас возможности понимать жизнь»...

Великих художников слова не судят и не опровергают: их прочитывают и перечитывают, стремясь постичь творческую природу их неповторимого мастерства.

Сторонники прикладного (утилитарного) литературоведения принимают, разумеется, содержащееся в повести толстовское обличение как иллюстрацию к своим социологическим концепциям и толкованиям. М. Б. Храпченко в книге «Лев Толстой как художник» пишет о «реальном историческом» процессе «разрушения, распада личности в условиях капиталистического общества»,[70] который будто бы показан в «Смерти Ивана Ильича». А В. Шкловский говорит о «бессмысленности» жизни в доме Ивана Ильича, проводя странную параллель: «...бессмысленность этой жизни была очень похожа на бессмысленность жизни в доме № 15 по Долго-Хамовническому переулку» (где жил сам Толстой. Л. Р.)[71] Впрочем, если считать, что Толстой в повести приписал немудрому своему герою черты собственных бытовых и душевных неурядиц и поисков, — эта неожиданная параллель будет, пожалуй, оправдана: передоверивание «своего» не только автобиографическим, но и гетерогенным персонажам — отнюдь не редкий пример самораскрытия авторского образа.

---

[69] Т. 10, стр. 179.

[70] М. Б. Храпченко, Лев Толстой как художник. М. 1965, стр. 215.

[71] В. Шкловский, Лев Толстой. М. 1963, стр. 635.

***

Несколько особняком среди форм творческого целого и авторского самораскрытия стоит тайнопись. Понятие это иной раз не так уж легко отчленить от смежных: символа и аллегории. О них Вячеслав Иванов в одной из своих работ писал: «Символ только тогда истинный символ, когда он неисчерпаем и беспределен в своем значении, когда он, изрекаясь на своем сокровенном (гиератическом и магическом) языке намека и внушения, нечто неизглаголаемое, неадэкватное внешнему слову... Аллегория — учение, символ — ознаменование. Аллегория — иносказание, символ — указание»...[72] Тайнопись в большей мере, чем символ или аллегория, связана с целеустремленностью авторского замысла, потому что и рождается, главным образом, в условиях творческой несвободы: сама необходимость зашифровки оказывается здесь некой дополнительной самостоятельной формой.

Тайнопись имеет уже свою историю в русской послеоктябрьской литературе. Крупицы тайнописного можно найти у Сергея Есенина и некоторых его современников; также и у ряда поэтов наших дней. В прозе это в известной степени — роман Юрия Олеши «Зависть» с его искусственного освещения антитезой: Кавалеров — Андрей Бабичев. «Положение Олеши было весьма щекотливым, — пишет в статье «Поэт и толстяк» Аркадий Белинков, — критики не могли закрывать глаза на то, что писатель с иронией и презрением относится к своему герою, пытаясь выдать его за образец, не для себя, конечно, но для читателей».[73]

Законченным и ярким образцом тайнописи является роман Булгакова «Мастер и Маргарита», в котором осуждение террора, трусости и предательства проведено с

---

[72] Вяч. Иванов, Поэт и чернь. Стр. 13.

[73] Аркадий Белинков, «Поэт и толстяк», журнал «Байкал» № 1 за 1968 г.

удивительной по тому времени силой и смелостью. Тайнописна апология человеческой души и права ее на обращенность к Небу и творческое самовыражение — в романе «Доктор Живаго» Пастернака.

Прочтенью «тайнописного» в обоих романах посвящены две помещенных в этом сборнике статьи.

Бабель-стилист

1.

«Новеллы Бабеля ослепительны», — говорит И. Эренбург в предисловии к книге избранных произведений писателя, вышедшей после почти двадцатилетнего о нем молчания.[1] Отзыв привожу не из склонности к авторитетным цитатам, но потому, что вряд ли сыщешь определение точнее, чем о с л е п и т е л ь н о с т ь, для бабелевского стиля. Это — как взрыв или фейерверк: слова, светящиеся, как маленькие жар-птицы, несутся на тебя смерчем; исследователя, который хотел бы расчленить мастерство на а-б-ц творческого приема, перед этим напором света и красок берет оторопь — как расчленить фейерверк?..

Щедрость красок соединяется с внутренней динамикой образа. Пейзаж у Бабеля никогда не статичен: вечер, горы, небо, море, звуки, свет — всё живет «в себе», напряжено до почти ощутимой вибрации:

> Ночь летела ко мне на розовых лошадях. Вопль обозов заглушал вселенную. На земле, опоясанной визгом, потухали дороги. Звезды выползали из прохладного брюха ночи, и брошенные села воспламенялись за горизонтом. («Иваны»)
>
> Ветер дул с моря — девять баллов, как девять ядер, пущенных из промерзших батарей моря. Белый снег бесился над глыбами льдов. («Ты проморгал, капитан»).

Внутреннее движение образа в пейзаже вторит пульсу повествования, экспрессия мизансцены — экспрессии человеческого переживания:

> Вечер завернул меня в живительную влагу своих простынь, вечер приложил материнские ладони к пылающему моему лбу. («Мой первый гусь»).

---

[1] И. Бабель, Избранное. ГИХЛ, Москва 1957. Выдержки в очерке взяты из этой книги.

> Ночь, пронзенная отблеском канонады, выгнулась над умирающим. («Вдова»).

Структура бабелевского пейзажа лишена классической перспективы — у нее свой, бабелевский ракурс:

> ...за окном в саду под черной страстью неба переливается аллея. Жаждущие розы колышутся во тьме. Зеленые молнии пылают в куполах. Раздетый труп валяется под откосом. И лунный блеск струится по мертвым ногам, торчащим врозь. («Костел в Новограде»).

Фон и передний план обычно причудливо перемежаются, средства изобразительности, я бы сказал, синхронны — в красочную мозаику природы врывается звук, мгновенная жанровая зарисовка, человеческие голоса:

> Дым Костромы поднимался кверху, пробивая снега... Рыжие битюги, обвешанные инеем и паром, шумно дышали на реке, розовые молнии летали в соснах, и толпы, неведомые толпы, ползли вверх по обледенелым склонам. Зажигательный ветер дул на них с Волги, множество баб проваливалось в сугробы, но бабы шли все выше и выше и стягивались к монастырю, как осаждающие колонны. Женский хохот гремел над горой, самоварные трубы и лохани въезжали на подъем, мальчишеские коньки стенали на поворотах. («Конец св. Ипатия»).

Так же синхронна и стремительна структура собственно жанровых описаний, часто переходящая в «монолог» персонажа:

> Машины, гремевшие в поездной типографии, заскрипели и умолкли, рассвет провел черту у края земли, дверь в кухне свистнула и приоткрылась. Четыре ноги с толстыми пятками высунулись в прохладу, и мы увидели любящие икры Ирины и большой палец Василия с кривым и черным ногтем. — Василек, — прошептала баба тесным замирающим голосом, — уйдите с моей лежанки, баламут... («Вечер»).

Богатство бабелевской палитры и стилевых приемов делает трудными обобщающие определения, которыми привыкли пользоваться критики. Стоит, может быть, в связи с этим, привести одно обобщение из «Литературной энциклопедии» 1962 года, посвятившей Бабелю полтора столбца. «Бабель, — читаем мы там, — стремился к лаконизму и точности, сочетая в образах своих персонажей, в сюжетных коллизиях и описаниях огромный темперамент с внешним бесстрастием. Цветистый, перегруженный метафорами язык ранних рассказов сменяется в последующих строгой и вместе сдержанной повествовательной манерой (Пробуждение, Карл-Янкель, Улица Данте, Нефть)».

Здесь много неточного. Цветистость (если уж употреблять этот термин вместо более нейтрального «красочность») и метафоричность языка в более поздних новеллах Бабеля действительно идут на убыль, но лишь количественно, а не как прием, будто бы сменяющийся «строгой и сдержанной манерой», — яркость и метафорическое напряжение образа у позднего Бабеля те же, что и у раннего. Вот, например, пейзаж города из рассказа «Дорога», опубликованного в 1932 году:

> Невский млечным путем тек вдаль. Трупы лошадей отмечали его, как верстовые столбы. Поднятыми ногами лошади поддерживали небо, упавшее низко. Раскрытые животы их были чисты и блестели.

Того же типа пейзаж в рассказе «Гюи де Мопассан» (1932):

> В туннелях улиц, обведенных цепью фонарей, валами ходили пары тумана. Чудовища ревели за кипящими стенами. Мостовые отсекали ноги идущим по ним.

Из рассказа «В подвале» (1931 г.):

> Картежницы и лакомки, неряшливые щеголихи и тайные распутницы с надушенным бельем и большими боками — женщины хлопали черными веерами и ставили золотые. Сквозь изгородь дикого винограда к ним проникало солнце. Огненный круг его был огромен. Отблески меди тяжелили черные волосы женщин. Искры заката входили в бриллианты — бриллианты, навешанные всюду: в углублениях разъехавшихся грудей, в подкрашенных ушах и на голубоватых припухлых самочьих пальцах.

Или, наконец, из рассказа «Улица Данте», на который

в качестве доказательства ссылается составитель статьи в «Литературной энциклопедии»:

> В конторке собрались уже старухи с нашей улицы, с улицы Данте: зеленщицы и консьержки, торговки каштанами и жареным картофелем, груды зобатого, перекошенного мяса, усатые, тяжело дышащие, в бельмах и багровых пятнах... Старухи сбились вместе и бормотали все разом. Оспенный пламень зажег их щеки, глаза вышли из орбит...

Сомнительно и утверждение насчет «бесстрастия»: ирония — почти постоянный спутник бабелевской речевой манеры; именно ирония чаще всего определяет отношение субъекта повествования к объекту, то есть собственно с т и л ь, сопровождая внутреннее движение бабелевского рассказа в жанровых описаниях, в диалоге, даже в пейзаже:

> На небе гаснет косоглазый фонарь провинциального солнца, огни типографии, разлетаясь, пылают неудержимо, как страсть машины. И тогда, к полуночи, из вагона выходит Галин для того, чтобы содрогнуться от укусов неразделенной любви к нашей прачке Ирине. («Вечер»).

Ирония, едва уловимая между строк, спасает такую, например, пышность экспозиции в уже цитированном выше рассказе «Гюи де Мопассан» — вряд ли какой-либо другой «бесстрастный» художник, кроме Бабеля, мог бы себе такое позволить:

> Раиса вышла ко мне в бальном платье с голой спиной. Ноги в колеблющихся лаковых туфельках ступали неловко.
>
> — Я пьяна, голубчик. — И она протянула мне руки, унизанные цепями платины и звездами изумрудов. Тело ее качалось, как тело змеи, встающей под музыку к потолку. Она мотала завитой головой, бренча перстнями, и упала вдруг в кресло с древнерусской резьбой. На пудреной ее спине тлели рубцы...

Ослепительность новелл Бабеля — это не только лишь щедрость и свечение красок. Патетика красочности заставляет иной раз вспомнить раннего Гоголя, но структура ее всегда и непререкаемо своя. Присмотримся к композиции хотя бы такой бабелевской зарисовки, как присматриваются к картине, вывешенной на стене:

> Жалкая коровенка шла за галичанином на поводу: он вел ее с важностью и виселицей своих длинных костей пересекал горячий блеск неба. («Эскадронный Трунов»).

Иными словами: экспрессия образности у Бабеля — всегда в своеобразии, неожиданности подобра и размещения красок. Вся система бабелевских троп проникнута этой неожиданностью, неподражаемо «своим» творческого приема. Эпитеты! Их притягательность не только в красочной меткости найденного: «Храм был полон... пыльного золота закатов и палевых коровьих сосцов» («В подвале»); «...на двойные подбородки были посажены огненные бородавки, малиновые бородавки, как редиска в мае» («У св. Валента»), — но и в неожиданности метафорического переосмысления слова, выступающего в функции эпитета: «Толстая ее, добрая грудь лежала во все стороны» («В подвале»); «...мы увидели любящие икры Ирины («Вечер»); «Писаря, отсыревшие от бессонницы» («У св. Валента»); «Беспечная серьга колыхалась в ухе Суровцева» («Поцелуй») и т.д.

Концентрация эпитетов как живописный прием встречается довольно часто и в ранних и в поздних рассказах. В «Гюи де Мопассан», например:

> Атласные эти руки текли к земле... Черный луч сиял в лакированных ее волосах, гладко прижатых и разделенных пробором. Облитые чулком ноги с сильными и нежными икрами расставились по ковру...

Также и эпитетные ряды, связанные в пейзаже внутренним пафосом созерцания, в характеристиках, иногда, — иронией субъективной оценки. Например:

> Попутчик мой... Прищепа — молодой кубанец, неутомительный хам, вычищенный коммунист, будущий барахольщик, неторопливый враль («Прищепа»).

Самобытность бабелевской системы образного выражения нагляднее всего, пожалуй, раскрывается в сравнениях:

> Живот его, как большой кот, лежал на луке, окованной серебром. («Афонька Бида»), ...новые сапоги скрипели, как поросята в мешке. («Как это делалось в Одессе»), Ветер прыгал между ветвями, как обезумевший заяц. («Чесники»). Она подошла к начдиву, неся грудь... шевелившуюся, как животное в мешке («История одной лошади»).
>
> Или:
>
> Старик упал, повел ногами, из горла его вылился пенистый коралловый ручей... («Эскадронный Трунов»).

Вот небольшой подбор стилевых приемов метафоризации — луна, солнце, вечер:

> ...луна, обхватив синими руками свою круглую блещущую голову, бродяжит под окном. («Переход через Збруч»),
> Над прудом взошла луна, зеленая, как ящерица. («Берестечко»),
> Мглистая луна шаталась по городу, как побирушка. («Вдова»),
> Умирающее солнце испускало на небе свой розовый дух. («Мой первый гусь»),
> Солнце свисало с неба, как розовый язык жаждущей собаки. («Любка Казак»),
> Вечер шатался мимо лавочки, сияющий глаз заката падал за Пересыпью, и небо было красно, как красное число в календаре («Отец»),
> Юная суббота кралась вдоль заката, придавливая звезды красным каблучком («Сын рабби»).
>
> И целое:
>
> Голубые дороги текли мимо меня, как струи молока, брызнувшие из многих грудей... По счастью, в эту ночь, растерзанную молоком луны, Сидоров не проронил ни слова. Обложившись книгами, он писал. На столе дымилась горбатая свеча — зловещий костер мечтателей. Я сидел в стороне, дремал, сны прыгали вокруг меня, как котята. («Солнце Италии»).

Слишком много, быть может, примеров! Но о живописи бабелевских новелл трудно рассказывать — ее надо показывать, как звуковой, в красках, фильм, в переплетенности или обособленности композиционных деталей.

Одной из таких деталей, например, является з а п а х, — Бабель с чрезвычайной охотой вводит запах в мозаику своих пейзажей и жанра:

> Небо меняет цвета. Нежная кровь льется из опрокинутой бутылки, там, вверху, и меня обволакивает легкий запах тления. («Гедали»),
> Зеленая поросль прошивала землю хитрой строкой. И от земли пахло кисло, как от солдатки на рассвете. («Сашка Христос»),
> Запах вчерашней крови и убитых лошадей каплет в вечернюю прохладу. («Переход через Збруч»),
> В его дымных лучах пеклись старушечьи лица, бабьи тряские подбородки, замусоленные груди. Пот, розовый, как кровь, розовый, как пена бешеной собаки, обтекал эти груды разросшегося сладко воняющего человечьего мяса. («Король»),
> Тело Сашки, цветущее и вонючее, как мясо только что зарезанной коровы, заголилось... (У св. Валента).

В связи с этими последними примерами — о так называемом н а т у р а л и з м е Бабеля. Именно за натурализм, а также за «подчеркивание стихийного начала» в «Конармии» и за то, что не показал монолитности коллектива бойцов и роли коммунистической партии (слава Богу, что не показал!), обрушивалась в свое время на него критика во главе с Буденным (см. «Красную газету» от 26. 10. 1928). Мне представляется, однако, что натурализм у Бабеля не был раз навсегда облюбованным «приемом для себя», каким был он иногда у некоторых из его современников (у Б. Пильняка, например). Натуралистический гротеск в некоторых бабелевских описаниях (...«полуденное чистое солнце освещало длинный труп и рот его, набитый разломанными зубами»... «...бледная сталь мерцала в сукровице осеннего солнца») — лишь одно из средств передачи в п е ч а т л е н и я, его внутреннего напряжения и вибрации, то есть нечто вполне органичное для всей системы бабелевской образной экспрессии.

Экспрессивна у Бабеля и портретность, структурная природа которой очень разнообразна — здесь и обычное для него напряжение красок, и отточенная до гротеска подробность, и развернутое описание, включающее оценку самого рассказчика. Вот примеры:

> В дыму и золоте парижского вечера двигалось перед нами сильное и тонкое тело Жермен; смеясь, она откидывала голову и прижимала к груди розовые ловкие пальцы. («Улица Данте»),
> Трясущиеся его зрачки были выпущены на них. Они неслись на помертвевшее, застонавшее стадо, как лучи прожекторов, как языки пламени. («Конец богадельни»),
> Горничная с высокой грудью торжественно двигалась по комнате. Она была стройна, близорука, надменна. В серых раскрытых ее глазах окаменело распутство. Девушка двигалась медленно. Я подумал, что в любви она, должно быть, ворочается с неистовым проворством. («Гюи де Мопассан»).

Натуралистическая по природе своей экспрессия портретной образности часто по-видимому подвергалась контролю авторского чувства меры. В книге «О литературе. Статьи. Заметки. Воспоминания»[2] Лидия Сейфуллина рассказывает об этом так:

> «Бабель пишет очень мало. Но в смысле формы, в смысле фразы, в смысле культурности, знания языков, искусства — это самый большой писатель... он однажды пришел к нам и говорит: «Я пришел в ужас, я сдал рукопись в набор и расписал труп: синий, багровый, ужасный, жуткий и т.п. Потом открыл книгу Франса: «Благочестивые и жирные прелаты». Тогда я пришел в ужас, почему так расписал труп, на читателя не подействует, я исправил: «На столе лежит длинный труп». Стало сразу выразительно и жутко».

Внутренняя динамика образа сочетается часто с поразительной сжатостью слога. Ограничусь лишь одной иллюстрацией. Вот, например, Бабелю надо передать ощущение ожидания смертельного выстрела в спину. Это — собственно целый повествовательный эпизод — занимает две строчки:

> Я пошел, ставя босые ноги в снег. Мишень зажглась

---

[2] Москва. 1961, стр. 93.

на моей спине, точка мишени проходила сквозь ребра. Мужик не выстрелил... («Дорога»).

И последняя примета образной стилистики Бабеля из тех, которые успеваю отметить. Идет она, вероятно, от символизма — французов, Рильке и Блока, непременна в поэтике Пастернака (тоже и в прозе, особенно ранней). Я имею в виду введение абстрактного в образные реалии — введение, порой неожиданное и контрастное, раздвигающее пространственность и объемность образа:

Солнце танцующими пальцами трогало корешки книг — прекрасную могилу человеческого сердца. («Гюи де Мопассан»),

Толстые его руки были влажны, покрыты рыбьей чешуей и воняли холодными прекрасными мирами. («История моей голубятни»),

Тяжелые волны у дамбы отделяли меня все больше от нашего дома, пропахшего луком и еврейской судьбой. («Пробуждение»),

Или:

Сидоров, тоскующий убийца, изорвал в мелкие клочья розовую вату моего воображения и потащил меня в коридоры здравомыслящего своего безумия. («Солнце Италии»).

2.

Ближе — о языке Бабеля. Прежде всего языке от-авторского повествования, который мы отграничиваем от речи диалогической (персонажей). Если отвлечься от образности как живописной функции слова, своеобразие бабелевского словотбора, его речевая тональность почти всегда определяется одним и тем же «ключом» — отношением повествовательного «я» к объекту повествования. Как уже говорилось выше, отношение это у Бабеля очень часто — ирония, выраженная отчетливо или только угадываемая, как брошенный искоса взгляд, полунасмешливый-полусочувственный, как шутка, не слетевшая с губ. Попробую проиллюстрировать это хотя бы таким отрывком из рассказа «Пробуждение» (1932):

Нагруженный футляром и нотами, я три раза в не-

> делю тащился на улицу Витте, бывшую Дворянскую, к Загурскому. Там, вдоль стен, дожидаясь очереди, сидели еврейки, истерически воспламененные. Они прижимали к слабым своим коленям скрипки, превосходившие размерами тех, кому предстояло играть в Букингэмском дворце. Дверь в святилище открывалась. Из кабинета Загурского, шатаясь, выходили головастые, веснущатые дети с тонкими шеями, как стебли цветов, и припадочным румянцем на щеках. Дверь захлопывалась, поглотив следующего карлика. За стеной, надрываясь, пел, дирижировал учитель, с бантом, в рыжих кудрях, с жидкими ногами. Управитель чудовищной лотереи, он населял Молдаванку и черные тупики Старого рынка призраками пиччикато и... кантилены...

Позже я попытаюсь показать, что насмешливо-ироническая тональность бабелевской манеры в какой-то мере составляет стилевую направленность целой группы (не хочу сказать «школы») некоторых современных ему прозаиков, но это — потом. Пока же интересно отметить, что сам по себе с л о в а р ь бабелевского от-авторского повествования весьма нейтрален, т.е. не содержит ни изысков словотворчества, ни увлечения архаическими либо народными элементами речи, частыми, например, в ранней пастернаковской прозе, ни пристрастия к местному колориту, столь характерного, например, для Шолохова. Лексика и фразеология этого повествования целиком в рамках нормативного разговорно-литературного языка. Элементы просторечия редки («Мать смотрела на меня с горькой жалостью, как на к а л е ч к у...» «П е ш к а (пехота — Л. Р.) окопалась в трех местах от местечка»); черты типично разговорного словоупотребления всегда функционально обусловлены, равно как и черты разговорного синтаксиса: «Отец п о с у л и л дать им денег на покупку тесу»...; «Все, в ком еще к в а р т и р о в а л а совесть, покраснели»...; «Мне оставалось и с х и т р и т ь с я»; «По утрам я о к о л а ч и в а л с я в моргах и полицейских участках»; «Фамилия э т о м у к а з а к у была Селиверстов» и т.п. (см. также, например, заголовок одной из новелл: «Ты п р о м о р г а л, капитан).

Разговорно-фразеологическая подчеркнутость, там,

где она встречается, часто опять-таки связана с авторской субъективной оценкой: «Лизуны из штабов удили жареных куриц в улыбках командарма и, холопствуя, они отвернулись от прославленного начдива» («История одной лошади»). Своеобразен в языке бабелевского повествования его синтаксически-стилевой строй — сжатость, динамика, ритмы... Повествовательная фраза, как правило, не длинна и разговорна по облику. Приведу в виде иллюстрации некоторые зачины новелл, объективно- или субъективно-повествовательные, спокойные или стремительные в смысле приема введения в фабулу:

> На деревне стон стоит. Конница травит хлеб и меняет лошадей. («Начальник конзапаса»),
> На санитарной линейке умирает Шевелев, полковой командир. Женщина сидит у его ног. («Вдова»),
> Прекрасная и мудрая жизнь пана Аполека ударила мне в голову, как старое вино. («Пан Аполек»),
> В субботние кануны меня томит грустная печаль воспоминаний. («Гедали»),
> Я был лживый мальчик. Это происходило от чтения. Воображение мое всегда было воспламенено. («В подвале»),
> Начал я. — Реб Арье-Лейб, — сказал я старику, — поговорим о Бене Крике. («Как это делалось в Одессе»),
> От пяти до семи гостиница наша "Hôtel Danton" поднималась в воздух от стонов любви. («Улица Данте»).

Этот тип повествовательной фразы — основной; отклонения редки: назову, например, миниатюру «Кладбище в Козине», входящую в «Конармию», почти целиком построенную из номинативных предложений и напоминающую некоторые бунинские зарисовки («Скарабеи», например, или «Ущелье»), всю — в настоящем времени. Отмечу кстати вообще так называемый «исторический презенс» как прием разговорно-повествовательной подачи, — рассказы «Начальник конзапаса» и «Вдова», из которых взяты выше первые две цитаты, более чем на треть в настоящем времени.

Но все-таки — об отклонениях. Каковы они и чем обусловлены?

Обусловлены иногда внутренней задачей образного выражения и экспрессии, красочностью и метафоричностью, которые могут нагружать фразовый строй до предела и примеры которых уже приводились выше. Также — патетикой отдельных повествовательных фрагментов, которой иногда сопутствует все та же ирония, расшифровывающая эту патетику как прием. Вот начало рассказа «Вечер»:

> О устав РКП! Сквозь кислое тесто русских повестей ты проложил стремительные рельсы. Три холостых сердца со страстями рязанских Иисусов ты обратил в сотрудников «Красного кавалериста», ты обратил их для того, чтобы каждый день они могли сочинять залихватскую газету, полную мужества и грубого веселья...

Но вот пример патетического нажима и другого характера, осложняющего фразовую структуру многочисленностью определений, ритмико-интонационным напряжением и повторами:

> Поповская, заседательская ординарнейшая бричка по капризу гражданской распри вошла в случай, сделалась грозным и подвижным боевым средством, создала новую стратегию и новую тактику, исказила привычное лицо войны, родила героев и гениев от тачанки. Таков Махно, сделавший тачанку осью своей таинственной и лукавой стратегии, упразднивший пехоту и артиллерию и даже конницу и взамен этих неуклюжих громад привинтивший к бричкам триста пулеметов. Таков Махно, многообразный, как природа... («Учение о тачанке»).

Слог от-авторского повествования в ранних новеллах Бабеля обнаруживает иной раз некоторую литературную «сложность». Вот, если обратиться к тексту из «Конармии»:

> Я скорблю о пчелах. Они истерзаны враждующими армиями. На Волыни нет больше пчел.
> Мы осквернили ульи. Мы морили их серой и взрывали порохом. Чадившее тряпье издавало зловонье в священных республиках пчел. Умирая, они летели медленно и жужжали чуть слышно. На Волыни нет больше пчел. («Путь в Броды»).

Сложность этого типа почти исчезает в более поздних новеллах. О стремлении Бабеля тридцатых годов к простоте упоминают некоторые авторы воспоминаний. Эренбург, например, в предисловии к «Избранному»: «Он (Бабель) часто говорил, что писал прежде чересчур цветисто, что нужна большая простота. По прекрасному рассказу «Нефть», — пишет Эренбург далее, — мы можем догадываться, какими бы были последующие произведения Бабеля». Пример с «Нефтью» вряд ли показателен, потому что рассказ этот представляет собою письмо женщины и, значит, слог его стилизован вокруг иного, не бабелевского, повествовательного «я». Однако в ряде других поздних рассказов («Поцелуй», например) нетрудно обнаружить черты этой утверждаемой «большей простоты»: красочность утрачивает «сквозной» свой характер, словоотбор, по крайней мере в стилях нейтрального, эпического сообщения, менее напряжен и неожиданен.

***

Но, может быть, с особенным блеском мастерство Бабеля-стилиста выступает в передаче диалогической речи — языка персонажей. Яркость ее инструментовки удивительна. Бабель виртуозно владеет искусством речевого портретирования героя — искусством, вообще говоря, у многих художников слова значительно отстающим от достоинств так называемой монологической речи. Бойцы и командиры «Конармии», биндюжники и прочие обыватели в «Одесских рассказах», интеллигенты и бывшие люди поздних новелл или пьесы «Мария» — говорят языком, *своим* не только по словарю, но и по внутреннему, психологическому складу и темпераменту речевой манеры. Приемы речевой характеристики у Бабеля свежи и разнообразны: это не одно лишь вкрапливание в язык говорящего диалектных словечек, не монотонность зощенковской стилизации, — это вообще даже и не «стилизация», намеренность которой всегда более или менее ощутима, но как бы моментальная запись на пленку, находчивая и динамическая. Комплексность средств, психологическая и бытовая точность колорита в речи, например, бабелевских конноармейцев позже встречается только разве у Шолохова — так она жива и непосредственна:

— Набили нам ряжку. Дважды два. Есть думка за начдива, смещают. Сомневаются бойцы... Не переводи ты с места на рыся, Тарас Григорьевич, до его пять верст бежать,. Как будешь рубать, когда у нас лошади заморенные... Хапать нечего — поспеешь к богородице груши околачивать. (Афонька из «Смерти Долгушева»).

Богата фразеологическая орнаментация речи, ее афористичность, пословичность:

...вы, толстая женщина, сидите, как камень в лесу, и не можете дать ему соску... (Цудечкис в рассказе «Любка Казак»),
«Джентльмены, — говорил нам мистер Троттбэрн, — помяните мое слово, детей надо делать собственноручно... Курить фабричную трубку — это то же, что вставлять себе в рот клистир». («Пробуждение»),
Если у русского человека попадается хороший характер, так это действительно роскошь (мадам Криворучка в рассказе «Конец богадельни»),
...в ухо себя не поцелуешь, это и Богу ведомо. («Иисусов грех»),
У кости, милая, мясо слаще (Потаповна в пьесе «Закат»),
Делай ночь, Нехама. Спи! (Мендель, там же).

Также — и метафоричность языка персонажей; причем надо, пожалуй, отметить, что иной раз она словно бы перекочевывает сюда из образно-речевой сферы самого автора, подобно тому, как в речь некоторых второстепенных грибоедовских персонажей проникали блестки авторского острословия. Например:

Но мои слова отскочили от геройской пехоты, как овечий помет от полкового барабана...
Измена ходит разувшись в нашем дому, измена закинула за спину штиблеты, чтобы не скрипели половицы в обворовываемом дому... (из письма Никиты Балмашова, «Измена»).

Рассказ, из которого взята эта последняя цитата, целиком стилизован в форме эпистолярного сказа. Ту же форму находим в новелле «Письмо», представляющую собой смелое композиционное решение трагической темы вражды между кровными в годы гражданской войны.

Письмо якобы продиктовано автору «мальчиком нашей экспедиции Курдюковым»:

> ...всех нас побрали в плен и брат Федор Тимофеич попались папаше на глаза. И папаша начали Федю резать, говоря — шкура, красная собака, сукин сын и разно, и резали до темноты, пока брат Федор Тимофеич не кончился...

И немного повыше:

> Просю вас заколоть рябого кабанчика и сделат мне посылку в Политотдел товарища Буденного, получить Василию Курдюкову. Каждые сутки я ложусь отдыхать не евши и без всякой одежды, так что даже холодно.

К повествованию-сказу Бабель прибегает охотно и часто. Так написаны «Жизнеописание Павличенки, Матвея Родионовича», «Конкин», великолепный рассказ «Соль», рассказ «Иисусов грех». Среди приемов речевого портретирования этого стиля отмечу один, который представляется мне новаторским в творческом арсенале литературы начала двадцатых годов. Я имею в виду прием намеренно контрастного смешения живых и просторечных речевых форм со стилями газетно-ораторских революционных шаблонов, — как прием речевой характеристики и раскрытия образа. Вот, например, из рассказа «Соль» (1923):

> И сняв со стенки верного винта, я смыл этот позор с лица трудовой земли и республики.

Средства создания речевого портрета иногда столь же ярки, сколь и экономны. Незначительное на первый взгляд нарушение литературно-разговорной нормы — и, кажется, одна лишь выговоренная фраза уже определила облик говорящего: «Это цельный месяц я от нее вытерпляю несказанно што» (Дуплищев, «Чесники»). Великолепной сочности язык Бени Крика создается именно таким легким смещением нормативной формы, в большей, пожалуй, мере, чем словоотбором:

> Маня, вы не на работе... — холоднокровнее, Маня... («Король»).

И наконец — о бабелевском д и а л о г е, очень частом в его новеллах и очень своеборазном по структуре. Это не щедрый диалог Хемингуэя с постепенной концентрацией психологического подтекста. Это, как правило, лишь обмен репликами, сжатый и динамический, — репликами иногда огромного внутреннего напряжения, натянутыми, как тетива:

— Я вот что, — сказал Долгушов, когда мы подъехали, — кончусь... Понятно?

— Понятно, — ответил Грищук, останавливая лошадей.

— Патрон на меня надо стратить, — сказал Долгушов. («Смерть Долгушова»).

3.

Говоря о стиле писателя, естественно попытаться установить связанность этого стиля со стилевыми чертами целого литературного направления либо отдельной творческой группы современников. Речь идет не об отыскании «влияний» (задача, часто кончающаяся притягиванием за волосы различных случайностей), но — взаимовлияний, или, точнее, взаимопринадлежности. Уникальны ли, например, по своей природе, две названные выше стилеобразующие особенности бабелевского письма: 1) щедрость и патетика красок, 2) то отношение самого автора к объекту повествования — ирония, полуулыбка, реже пафос, — которое так часто определяет стилевую тональность?

Обе эти черты, как мне кажется, — южные. Бабель — одессит; Одесса дала советской литературе двадцатых-тридцатых годов целую плеяду мастеров слова — Э. Багрицкого и В. Инбер, Илью Ильфа, Евгения Петрова и Валентина Катаева. В их произведениях, особенно ранних, есть нечто несомненно единое с бабелевской поэтикой. Разумеется, щедрая до избыточности образность и метафоризация отнюдь не является, если говорить о поэзии, исключительно «южным» явлением, но мне, например, именно у Багрицкого слышится бабелевский напор и звучание красок:

Свежак надрывается. Прет на рожон
Азовского моря корыто.
Арбуз на арбузе — и трюм нагружен,
Арбузами пристань покрыта...

В густой бородач ударяет бурун,
Чтоб брызгами вдруг разлететься,
Я выберу звонкий, как бубен, кавун —
И ножиком вырежу сердце...
Пустынное солнце садится в рассол,
И выпихнут месяц волнами...
....

Сквозь волны — навылет!
Сквозь дождь — наугад!
В свистящем гонимые мыле,
Мы рыщем на ощупь...
Навзрыд и не в лад
Храпят полотняные крылья.
Мы втянуты в дикую карусель.
И море топочет, как рынок... («Арбуз»).

Но оставим стихи. Вот несколько примеров из ранней прозы Веры Инбер, повести «Место под солнцем» (1928). Экспрессия сравнений, вся внутренняя динамика образного выражения здесь местами совершенно бабелевские:

«...эвакуация окончательно дозрела. На второй день на приморском бульваре из окон лучшей гостиницы летели желтые, как дыни, чемоданы и с треском лопались на мостовой... Добровольческие деньги, деникинские «колокольчики», звенели все тише и тише, едва слышно»... (стр. 223)[3]

«Море цвета бешеного аметиста, все в пенных сугробах, рвущее и ревущее, обрушилось на мол и пыталось сокрушить маяк. И тогда население города, ужаленное холодом, заметалось по улицам в поисках труб» (227).

И еще — о том, чем и как топилась буржуйка:

«Творения великого англичанина, как им и подобало, наполнились жаром и блеском страстей, пеплом раскаянья

---

[3] Вера Инбер, Избранное. ГИХЛ. М., 1950.

и пурпуром преступлений. Леди Макбет вставала в пламени, король Лир плакал в трубе. Горящий кусок буфета бушевал, как мавр в огненном плаще»... (229)

В последнем отрывке уже не только красочность, но и шутливо-ироническая тональность бабелевского стиля. Она же напоминает Бабеля и в ранней катаевской прозе. Вот отрывок из рассказа Катаева «Ножи» (1926). Проследим за тем авторским взглядом «со стороны», которым сопровождается повествование о Пашке, «слесаре по шестому разряду плюс нагрузка»:

— «Интересно, сука, брешет, — сказал Пашка, подмигнул и, захохотав, отправился дальше.

По дороге он изведал по очереди все наслаждения, какие предлагала ему жизнь: сначала взвесился на шатких весах — вышло четыре пуда пятнадцать фунтов; через некоторое время, присев от натуги на корточки, попробовал силу и дожал дрожащую стрелку силомера до «сильного мужчины»; погуляв еще немного, испытал нервы электричеством — взялся руками за медные палочки, по суставам брызнули и застреляли мурашки, суставы наполнились зельтерской водой, ладони прилипли к меди — однако, нервы оказались крепкими...»[4]

Сравним этот отрывок — опять-таки исключительно в части тональности, создаваемой критическим «прищуром» автора, — с бабелевским повествованием о казаке, у которого рассказчик испортил лошадь, по случайности — тоже Пашке:

«Амнистии Пашке объявлено не было, но мы знали, что он придет. Он пришел в калошах на босу ногу. Пальцы его были обрублены, с них свисали ленты черной марли. Ленты за ним волочились, как мантия. Пашка пришел в село Будятичи на площадь перед костелом, где у коновязи были поставлены наши кони... волоча рваную свою мантию, прошел к коновязи. Калоши его шлепали. Аргамак вытянул шею и заржал навстречу хозяину, заржал негромко и визгливо, как конь в пустыне. Пашка стал рядом с конем. Грязные ленты лежали на земле не-

---

[4] Цит. по книге «Юмор и сатира». ГИХЛ, Москва 1957, стр. 272-273.

подвижно. — Знатьця так, произнес казак едва слышно»... («Аргамак»).

Также и в творческих стилях Ильфа-Петрова находим «южную» бурность красок и, конечно же, прежде всего, иронию — у них она всегда акцентирована, образует местами яркий гротеск и в целом — свою оригинальную, композиционно-речевую систему сатиры. Но стилевой «ключ» повествования, его колорит, некоторые приметы словоотбора — все это где-то совсем неподалеку от Бабеля, и великолепный Остап Бендер стилистически состоит в несомненном свойстве с Беней Криком. Иллюстраций, за их всем известностью, приведу лишь одну, из «Золотого теленка»:

> «Такой звон и пенье стояли на главной улице, будто возчик в рыбачьей брезентовой прозодежде вез не рельсу, а оглушительную музыкальную ноту. Солнце ломилось в стеклянную витрину магазина наглядных пособий, где над глобусами, черепами и картонной, весело раскрашенной печенью пьяницы дружески обнимались два скелета... На дверях столовой «Бывший друг желудка» висел большой замок, покрытый не то ржавчиной, не то гречневой кашей. — Конечно, — с горечью сказал Остап, — по случаю учета шницелей столовая закрыта навсегда».

***

Повторяю еще раз: я не устанавливаю в л и я н и й, ни, тем менее, заимствований, но лишь стилевую о б щ н о с т ь некоего литературного направления. В этой связи надо назвать также и К. Паустовского. Паустовский, как он рассказывает в своей автобиографии, а позднее — в автобиографической повести «Бросок на юг», некоторое время работал в Одессе, в газете «Моряк», среди сотрудников которой были Катаев, Ильф, Багрицкий, Шенгели, Лев Славин, Бабель, Андрей Соболь, Юшкевич. С Бабелем были у него дружеские отношения. Нельзя не обратить внимания на некоторые черты стилевого сходства у обоих писателей. Вот примеры из «Броска на юг», впервые напечатанного в журнале «Октябрь» № 10 за 1960 г.

«...на город начал надвигаться норд-ост. Появился первый признак этого бесноватого ветра: по горам потянулось облако, похожее на жгут грязной ваты. Сами же горы напоминали мертвых верблюдов с выпершими из-под пыльной шкуры ребрами». (стр. 7).

Или:

«Кроме курносого, с нами ехала волосатая тучная девица в тугом черном платье. На каждом ухабе это платье издавало зловещий треск. При этом девица каждый раз испуганно вскрикивала «Уй-мэ!» и натягивала платье на коленные чашки величиной со средние желтые тыквы» (стр. 21).

В той же повести рассказывается между прочим о встрече с Бабелем на Новом Афоне, передается разговор с ним, а за разговором следует описание, словно бы продолжающее характерный слог Бабеля. Привожу этот отрывок также и как яркую страничку воспоминаний о писателе:

— «Апофеоз женщины! — неожиданно сказал Бабель, — пошлое слово — «апофеоз», но если бы у меня хватило остроты нервов, я написал бы такую вещь для прославления женщины, что Черное море от Нового Афона и до самых Очемчир покрылось бы розовой пеной. И из нее вышла бы вторая русская Афродита. А мы с вами — глупые, нищие, пыльные, изъеденные проказой цивилизации — встретили бы ее приход слезами. И испытали бы счастье прикоснуться с благоговением даже к холодному маленькому ногтю на ее ноге. К холодному маленькому ногтю.

— Бред! — сказал я Бабелю. — Вы же еще не пили маджарки.

— Конечно, бред! — ответил он и распахнул окно. — Идите-ка лучше сюда!

С треснувшей рамы посыпались засохшие мухи и ночные бабочки. ...И тотчас в окно вошел величавый голос моря, порожденный тысячами набегающих волн. Они как будто колыхали золотой жар заходящего солнца. Они несли сохранившиеся среди этих необъятных вод в течение столетий запахи мрамора и олив, горных склонов с высохшей до пепла травой, островов, где шелестят крупными листьями смоковницы, и просыхающей парусины». (стр. 25).

Стиль некоторых жанровых эпизодов у Паустовского с острым, локальной окраски диалогом, относящихся (не по времени написания, но по времени действия), примерно, к периоду «Конармии», чрезвычайно близок бабелевскому. Вот отрывок из повести «Начало неведомого века»:

— «Эй вы, пентюхи! — крикнула Люсьена ксендзам. — Подайте же руку женщине. Вы же видите, что я сама не влезу.

Ксендзы вскочили и, толкаясь, устремились к двери. Они были смущены своей оплошностью и общими силами втащили Люсьену в вагон.

— Фу-у, — вздохнула она и осмотрела теплушку. — У вас тут, оказывается, не очень стильная обстановка.

Ксендзы смущенно молчали.

— Ладно, аббаты! — сказала Люсьена, кончив осмотр теплушки, и потянула сплошь заштопанный шелковый чулок. — Беру тот темный угол на нарах. Чтобы вы не подумали, будто я покушаюсь на вашу девственность. Кстати, нужна она вам, как мертвому припарки.

Один из ксендзов радостно хихикнул, а Виктор Хват развязно сказал:

— Я убежден, что при вашем содействии, дорогая, мы пропадем. Но зато с весельем и треском.

— Заткнись, пискун, — ответила наигранным басом Люсьена. — Или я не одесситка и не видела фрайеров почище, чем вы?»[5]

Хоть я зарекся от разбора «влияний», но, все же , разве приведенные выше отрывки не дают основания говорить именно о влиянии (в данном случае влиянии «южных», в частности бабелевских, стилей на Паустовского)? В конце концов, как пишет автор упоминавшейся выше статьи в «Литературной энциклопедии»: «Выдающееся изобразительное мастерство Б(абеля) определило место писателя среди зачинателей советской литературы и роль в формировании ее стиля». В связи с «зачинателями» и

[5] К. Паустовский, Начало неведомого века. Сов. писатель. М. 1958, стр. 180-181.

их ролью — последний сопоставительный экскурс. Я называл уже один из частых у Бабеля приемов создания речевого портрета — прием намеренно контрастного смешения просторечия и газетно-революционных шаблонов. Интересно отметить, как широко использовал этот прием Шолохов в языковой характеристике своих героев. Особенно, пожалуй, в «Поднятой целине», первая книга которой вышла в 1932 году. Вот язык Нагульнова:

> «Не снимая пальца со спуска нагана, Нагульнов раздельно диктовал:
> ...хотя я и есть контра скрытая, но советской власти, которая дорогая всем трудящимся и добытая большой кровью трудового народа, я вредить не буду ни устно, ни письменно, ни делами. Не буду ее обругивать и досаждать ей, а буду терпеливо дожидаться мировой революции, которая всех нас — ее врагов мирового масштабу — подведет под точку замерзания. А еще обязываюсь не ложиться поперек пути советской власти и не скрывать посев и завтра, 3 марта 1930 года, отвезть в общественный амбар»...

***

Кончу мотивом, с которого начал, — о трудности стилистического анализа. Она несомненно сказалась и в этой работе: кое-что затронуто лишь отчасти, кое-что вовсе опущено. Очерк мой, впрочем, и не предназначен быть руководством для изучения. Да и мыслимо ли вообще исчерпывающее, без остатка, изучение стиля большого писателя, расчленение мастерства? Что-то непременно останется за скобками, за найденными а-б-ц творческого приема. И это «что-то» и будет, вероятно, искусством, неподражаемо «своим» каждого художника, — можно пытаться его разгадать, но нельзя выложить, как зерно, на ладонь для наглядности и «общего пользования»: оно не раскрывается до конца и неповторимо.

Роман «Доктор Живаго» Б. Пастернака. Стиль и замысел

ГЛАВА 1

РОМАН «ДОКТОР ЖИВАГО» В ОБЩЕЙ ПОЭТИКО-РЕЧЕВОЙ СИСТЕМЕ ПРОЗЫ Б. Л. ПАСТЕРНАКА

Б. Л. Пастернак писал в своем «Автобиографическом очерке»:

«Я не люблю своего стиля до 1940 года... Мне чужд общий тогдашний распад формы, оскудение мысли, засоренный и неровный слог»...[1]

Исследователь пастернаковской прозы законно мог бы поставить это высказывание эпиграфом к наблюдениям и выводам, касающимся эволюции поэтико-речевых приемов писателя, от ранних рассказов до «Доктора Живаго». Может быть, и не эволюции только, но революции, выразившейся в столь решительном перенесении творческого акцента в романе с формы на существо поэтического выражения.

В отличие от генезиса этого перенесения, сам факт эволюции устанавливается довольно легко. В какой-то мере способствует этому и то обстоятельство, что некоторые предшествующие «Доктору Живаго» прозаические произведения Пастернака связаны с романом, если не единством замысла, то во всяком случае общностью отдельных сюжетных линий и характеристик, — «Детство Люверс» например, «Повесть» или «Уезд в тылу» — отрывок, опубликованный в декабре 1938 г. в «Литературной газете».

Повесть «Детство Люверс», как сообщается в том же

[1] Цит. по копии, снятой с манускрипта в 1958 г.

«Автобиографическом очерке», представляет собой отделанное начало чернового «романа в нескольких листового формата тетрадях», который впоследствии у автора затерялся. Она помещена в сборнике «Рассказы», вышедшем в 1925 г.,[2] и в подзаголовке помечена датой «1918».

Главное лицо этой повести, Женя, формирующаяся в девушку девочка-подросток, отец которой «вел дела Луньевских копей и имел широкую клиентуру среди заводчиков с Чусовой»,[3] — как бы биографический набросок к облику будущей героини романа.[4] Уже при беглом чтении повести отчетливо выступают те стилевые приметы, которые в обобщенной терминологии критиков получат затем название «формалистских». Исследователю, однако, говоря об этих приметах, необходимо различать среди них постоянные по отношению к творчеству Пастернака в целом и временные. Так, например, особая независимость лексического отбора или приемов пользования ассоциативными тропами органичны, как известно, и для раннего, и для позднего Пастернака. Напротив, неорганичен и преходящ ряд других черт, которые сам Пастернак позже в «Автобиографическом очерке» (правда, имея в виду не только свою прозу) назовет «футуристическими» и которые можно определить как самодовлеющий в своей обнаженности и нарушительный по отношению к традиции п о и с к новых поэтико-стилевых форм речевого выражения (см., например, экспрессионистские акценты пейзажа, нарочитость синтаксических конструкций и лексико-фразеологического отбора с его обилием просторечно-областных и импровизированных элементов). Вот несколько примеров из «Детства Люверс»:

> «Облака облезлые и грязные, как плешивая полсть. День тычется рылом в стекло, как теленок в парном стойле.

---

[2] Изд-во «Круг», Москва-Ленинград, стр. 7-58.

[3] Детство Люверс, стр. 7.

[4] Ср. в «Докторе Живаго»: «В это время в Москву с Урала приехала вдова инженера-бельгийца и сама обрусевшая француженка Амалия Карловна Гишар с двумя детьми, сыном Родионом и дочерью Ларисою», стр. 21; цитаты здесь и в дальнейшем — по изданию Мичиганского университета, second printing, February, 1959.

Чем бы не весна? Но с обеда воздух как обручем перехватывает сизою стужей, небо вбирается и впадает, слышно, как с присвистом дышат облака...» (стр. 42); «С домов и заборов слетали их очертания, как обечайки с решет, и зыбились и трепались в рытом воздухе... Ульяша что-то громко кричала барыне с возу, но гогот колес ее покрывал, и она тряслась и подскакивала, и подскакивал ее голос» (41); «...за хохотом последовало голошение, и бросилось в руки поденщице и Галиму, и загорелось под руками у них, и забрякало, проворно и с задором, будто бы с побранок бросились драться...» (42).

См. также: дерзословить («Дети никогда не дерзословили ему в ответ», 9), урывни («...несмотря ни на холод, ни на урывни», 9), «Лошадь... понеслась скачью» (30), «Бабушка колтыхнулась в кресло» (5 0) и т. п.,

Те же стилевые черты встречаем в «Воздушных путях» и других рассказах этого первого сборника (см., например, «Зрелище пустой кроватки спустило с их голов кожу», 98, «Море лежало, холодея, как нартученный испод зеркала», 100, и др.).

Характер поиска несколько меняется в «Охранной грамоте», следующем крупном произведении Пастернака. Здесь новизна формы представлена, главным образом, самой ритмико-синтаксической структурой повествования. Сжатость и афористичность иных мест напоминает черты блоковской прозы, их мелодика — прозу А. Белого, но композиционно-стилевой строй целого, организуемый стремительным лирическим «я» рассказчика, вполне по-пастернаковски самобытен. Примеры нарочитости лексико-фразеологического употребления находим и здесь: «колышливая и ослушная стопа» (книг. — Л. Р., 77);[5] «отвычная вещь» (146); «Война была еще нова и в тряс страшна этой новостью» (145); «На дворе еще было вдрызг дрожко» (162); «...не то в партии, не то ярый ее сочувственник» (120) и т. п.[6]

---

[5] Ср. в отрывке «Безлюбье» отдышливый: «...хозяин, плотный и отдышливый коротыш», «Новый журнал» 62, стр. 17.

[6] Опальные повести, Изд-во им. Чехова, Нью-Йорк 1955. Сочувственник, образование устаревшего типа (см. Л. Булаховский,

В «Повести» (1934) уже довольно явственно складываются структурные признаки тех стилей выражения душевных переживаний героев, которые позже так широко будут представлены в романе «Доктор Живаго». Например:

— Они (Сережа и Анна Арильд. — Л. Р.) то брались за руки, то растерянно их опускали. Временами их оставляла уверенность в собственном голосе. Им казалось, что их бросает то в громкий шепот, то в далекий, далью надломленный крик. По временам она становилась легче и прозрачнее лепестка тюльпана, в нем же открывался грудной жар лампового стекла. Тогда она видела, как он борется с горячей, коптящей тягой, чтобы ее не притянуло».[7]

Или:

«Господи Господи!» — громче лошадиного топота толклось у него в груди, тем временем как, вглядываясь в ослепительную бледность ее глухих, полновесных век, он точно куда-то стремительно и без достижения падал, увлекаемый тяжестью ее затылка» (62).

В роман, однако, стили эти войдут со значительным ограничением формального поиска. Будут пересмотрены и отвергнуты, как правило, и такие, например, приметы нарочитости синтаксическо-стилевых конструкций и словоотбора, встречающиеся в «Повести»:

«Это сказала самая матерая и запудренная из всех, самая рассамая, та самая, что уже до скончания дней была со всем светом на «ты», поторапливала извозчика такими жалобами на свою знобкость, которых нельзя привесть, и всеми выпадами своей хриплой красоты уравнивала все, до чего ни касалась» (44).

См. также: «з а в ь я л ы е ямины», «г у т о р окружной тишины» (17), «п р о р е ш л и в ы е палисадники»

Русский литературный язык первой половины XIX века, Морфология), встречается, например, и у Б. Зайцева в книге «Жуковский»: «Давний сочувственник его и покровитель...», YMCA PRESS, Париж 1951, стр. 80.

[7] Б. П а с т е р н а к, Повесть, Изд-во писателей в Ленинграде, 1934, стр. 42.

(6), «паровые пышки́» (от пыхать. — Л. Р., 14), «срывчатая низина» (14), «...полногорло прокартавила... на лестнице» (55), «первопричинник» (50) и др.[8]

Стилистико-языковых примет такого типа почти нет в отрывке «Уезд в тылу» (1938), которого Пастернак, видимо, не принимает в расчет, устанавливая в приведенном выше замечании 1940 год как поворотный в стилевом отношении. Отрывок, однако, интересен для исследователя тем, что отчетливо обнаруживает признаки переходности к новым, «живаговским», стилевым формам. «Будто перед тем, как выпить море и закусить небом, природа вздумала перевести дыхание, и его вдруг захватило»...[9] — стилевые черты этого типа в изображении пейзажа здесь единичны; зато вполне в духе утверждаемого в романе отказа от «формалистического» оснащения языка такие, например, конструкции:

> «Он торчал в главном зале счетного отдела, разгороженного надвое решеткою со стойками, и, заставляя сторониться молодых людей в развевающихся пиджаках, кидавшихся с ворохами бумаг из дверей кабинета правления, рассказывал всему помещению анекдоты и давился горячим чаем, который стакан за стаканом, ни одного не допивая, брал с подноса у стряпухи, в несколько приемов разносившей его по конторе» (13).

Характер «Отрывка» как некоего чернового наброска к роману без труда устанавливается сопоставлением — приведем хотя бы портретную характеристику героини (Истоминой): «Она была вызывающе хороша, почти до оскорбительности» (14) или такую, например, параллель:

> «Я ехал шагом и, хлопая комаров на руках у себя, на лбу и шее, думал о своих, о жене и сыне, к которым возвращался» («Уезд в тылу», 16);
>
> «В воздухе... недвижно распластались висячие рои комаров... Юрий Андреевич без числа хлопал их на лбу

---

[8] В романе Л. Леонова «Вор», ГИХЛ, 1959, стр. 400, находим сходное образование: «уединенник», но в речи персонажа.

[9] Цит. по тексту, приведенному в альманахе «Мосты» 1, Мюнхен 1958, стр. 16.

и шее, и звучным шлепкам ладони по потному телу удивительно отвечали остальные звуки верховой езды...» («Доктор Живаго», 313).

В последнем примере отметим и различие организационно-речевой структуры наброска и завершения: повествование в «Отрывке» ведется еще от первого лица — факт весьма существенный для исследователя, пытающегося установить творческие этапы авторского перехода к «большой» прозе.[10]

***

Проблемам далеко не сложившейся методологии изучения и описания языка художественного произведения посвящена вышедшая в 1959 г. книга академика В. В. Виноградова «О языке художественной литературы».[11] «По моему глубокому убеждению, — пишет автор в предисловии, — исследование «языка» (или, лучше, стилей) художественной литературы должно составить предмет особой филологической науки, близкой к языкознанию и литературоведению, но вместе с тем отличной от того и другого».

В. В. Виноградов развертывает целый спектр возможных направлений такого рода исследования в их близости и взаимообусловленности: язык и стиль художественного произведения — и литературный язык эпохи; индивидуальный стиль автора — и стили литературного «направления»; стиль — идеология, и т.д. Книга в целом (по существу, впервые в истории вопроса) широко раскрывает методологическую проблематику новой науки и возможности разносторонне-комплексного изучения предмета.

И, тем не менее, пишущие о языке и стиле отдельного

---

[10] М. Пришвин в повести «Журавлиная родина», «Новый мир» 4, 1929, стр. 8-9, пишет: «Ловкому беллетристу едва ли встречается затруднение писать от третьего лица. Но я до сих пор с трудом могу перейти от первого лица к третьему, вначале непременно чувствую утрату силы и только мало-помалу сживаюсь со своим «героем».

[11] ГИХЛ, Москва 1959.

литературного произведения, по-разному впечатленные художественным целым, по-разному же, вероятно, будут расставлять акценты значимого и второстепенного и грешить односторонностью своего исследовательского аспекта и смешением языковых и собственно литературоведческих наблюдений.

Заранее отказывается от притязаний на полноту и разносторонность анализа и автор предлагаемой работы. В основе ее лежит попытка путем непосредственных констатаций отдельных фактов языка и стиля романа Пастернака придти к толкованию целого — его формы, его замысла, его эстетического существа.

Констатация идет по пути выяснения некоторых особенностей авторского словаря и словоупотребления, равно как и основных типов синтаксическо-стилевых конструкций в их соотношении с субъектом монологической (от-авторской) речи; выяснения типовых черт речи диалогической (персонажей) — в том же соотношении; выяснения черт различия стилей и приемов образно-поэтического выражения в романе и их природы и, наконец, выяснения приема тайнописи (с его творческой кульминацией в последней, стихотворной, части романа) как авторского самораскрытия, обусловившего в конечном счете всю композиционно-речевую структуру романа в целом.

Намеченный план наблюдений поможет, вероятно, прояснению и таких двух существенных для исследователя вопросов:

1. Язык романиста и язык лирика несходны по своей стилевой и семантической структуре; в какой мере это несходство сказалось в языке Пастернака при переходе к полотну большого романа?

2. Как отразился на языке романа декларированный автором («Я не люблю своего стиля до 1940 года...») переход к новым по сравнению с более ранними произведениями стилевым формам?

ГЛАВА II

ЯЗЫК АВТОРА: НЕКОТОРЫЕ ОСОБЕННОСТИ СЛОВАРЯ И ЛЕКСИКО-ФРАЗЕОЛОГИЧЕСКОГО ОТБОРА

Словарь романа (в той мере, в какой можно говорить о словаре на основании не картотечных, но общих и выборочных наблюдений) богат многообразием лексико-семантических и лексико-стилистических пластов, представленных в языке собственно авторского повествования с его системой изобразительных и выразительных средств и в языке персонажей — языке весьма разнородной социальной принадлежности и окраски, включающем и диалектную лексику.

Лексическое многообразие связано прежде всего с сюжетной многопланностью этого романа-хроники, охватывающего целое сорокалетие (1903—1943) и содержащего свыше сотни говорящих лиц; но и — с особенностями его композиционно-стилевой структуры, обусловленными внутренней целеустремленностью авторского замысла. Примечательно, например, обилие в романе элементов церковнославянской лексики, книжно-архаических и литературно-книжных речений и форм, иногда как бы предпочтенных их современным синонимическим собратьям. Наряду с этим, лексико-фразеологических черт нового, пореволюционного словоупотребления и в языке героев («Эпилога», например, относящегося по времени действия к началу сороковых годов), и в от-авторском тексте романа сравнительно немного. Словарные неологизмы послеоктябрьской эпохи встречаются, главным образом, в номинативной функции (концлагери, ГУЛАГ, домком, военспец, горсовет, трудармия и т.п.), иногда тут же, в тексте, поясняются, как, например, неологизм-переосмысление заготовщик («Таким именем, вместе с концессионерами и уполномоченными, назывались мелкие частные предприниматели, которым государственная власть, уничтожив частную торговлю, делала в моменты хозяйственных обострений маленькие послабления, заключая с ними договоры и сделки на разные поставки»[12]), или оговариваются: «Юрий Андреевич не выносил политического мистицизма советской интеллигенции, того, что было ее высшим достижением, или, как тогда бы сказали, — духовным потолком эпохи» (494).

В отличие от ранней прозы Пастернака введение диалектной лексики везде строго мотивировано. В языке некоторых, главным образом эпизодических, персонажей она выступает в функции речевой характеристики; в повествовательном от-авторском тексте диалектизмы стилистически обычно нейтральны, иногда в строке же подтолковываются («В середине леса была вытоптанная прогалина, род кургана или городища, носившая местное название буйвища», 352; «Шурочка обижался и квелился, как говорят няни», 282) или же достаточно ясны из контекста, например:

> «К бегущим выезжали навстречу... и направляли в сторону к мельнице в Чилимской росчисти, на речке Чилимке. Это место на кулиге, образовавшееся из разросшихся при мельнице усадьб, называлось Дворы» (369); «...лагерь партизан стоял... на высоком бугре, под которым неслась, ...подрывая берега водороинами, стремительная пенистая речка» (346);[13] «...судя по запаху рыбы и керосина, это была подызбица потребиловки» (334).

Тех экспрессионистски-декоративных акцентов, примеры которых приводились в вводной главе, употребление диалектных элементов в романе лишено почти полностью и воспринимается как нечто вполне органичное для народной струи авторского индивидуального языка. Таковы, например, голизна («... бросающиеся в глаза голизною трупы», 65; «зимняя голизна лесов», 440); кваситься («Кучер остановил лошадей..., потпрукивая на них тоненьким бабьим голоском, как няньки на квасящихся младенцев», 28); отдало («В этот день отдало после сильных морозов», 90), формы вроде ды-

---

[12] «Доктор Живаго», стр. 202.

[13] Ср. в «Автобиографическом очерке»: «Под парком вилась небольшая речка, вся в крутых водороинах».

шельный («Парою лошадей в дышельной упряжке правил военнослужащий», 524) и некоторые другие.[14]

Народно-просторечная струя (лексика, фразеология, формы) в языке монологического текста романа широка и весьма разнородна по своей творческой, функциональной нагрузке.

Просторечие в от-авторском сообщении может создавать некий эквивалент языковой характеристики персонажа или являться своего рода ассимилятивной стилизацией по смежности с прямой речью и на подступах к ней:

> «Устинья знала множество народных заговоров и не ступала шагу, не зачуравшись от огня в печи и не зашептав замочной скважины от нечистой силы при уходе из дому» (137). «— Как ты напильник держишь, азиат! — орал Худолеев, таская Юсупку за волосы и костыляя по шее» (30). «Свирид хотел уйти от партизан, чтобы жить своей волей на особицу, по-прежнему» (370).

Просторечный вариант восполняет аллитерацию: «...сад..., теперь не защищавший здания своей узорной заиндевелой редизной» (234).

Просторечный отбор выдвигает наиболее точный в синонимическом ряду вариант, экспрессивная окраска которого усиливает выразительность контекста:

> «Наколупанной яичной скорлупой, голубой, розовой и с изнанки — белой, было намусорено на траве около столов» (331); «Больше всего говорил, поминутно матерясь, хриплым сорванным голосом, пьяница Захар Гораздых» (357); «Жилица Зевороткина, обычная застрельщица всех дружных действий миром и навалом, обежала спящих квартирантов, стуча в дверь и крича...» (218).

Иной раз, однако, просторечная экспрессия стилистически как бы выпадает из фразового контекста, ощущаясь в той или иной мере неожиданной; например:

> «Антонине Александровне было стыдно так нечестно

---

[14] См. в стихотворной части романа: «чащоба» («Весенняя распутица»), «распогодь» («На страстной»).

объегоривать бедную крестьянку» (224); «Это было то самое, о чем они так горячо продолдонили с Мишей и Тоней под ничего не значащим именем пошлости...» (62);[15] «Пока порядок вещей позволял обеспеченным блажить и чудесить на счет необеспеченных, как легко было принять за настоящее лицо эту блажь и право на праздность, которыми пользовалось меньшинство, пока большинство терпело!» (177).

См. также просторечно-неодобрительные «глазеть», «сдуру», «благим матом» в таком контексте:

«Левый тротуар Никитской, на котором находится Консерватория, был все время на виду у него (Юрия Живаго. — Л. Р.). Волей-неволей, с притупленным вниманием думающего о другом человека, он глазел на идущих и едущих по этой стороне и никого не пропускал» (502); «...жалость не позволяла ему целиться в молодых людей, которыми он любовался и которым сочувствовал. А стрелять сдуру в воздух было слишком глупым и праздным занятием, противоречившим его намерениям» (343); «Первые часы Тоня кричала благим матом, билась в судорогах и никого не узнавала» (87).

Столкновение лексики различной стилистической окраски как литературный прием имеет весьма давнюю традицию.[16] Подчеркнутое пользование им довольно часто у раннего Пастернака, прозаика и поэта. В поэме «Спекторский», например:

И солнца диск, едва проспавшись, сразу
Бросался к жженке и, круша сервиз,
Растягивался тут же возле вазы,
Нарезавшись до положенья риз.[17]

Или:

Сырое утро ежилось и дрыхло (191).

---

[15] Неясно в этом примере также и употребление формы совершенного вида.

[16] См., например, об этом в книге В. Шкловского Художественная проза, «Советский писатель», Москва 1959, стр. 412, где приводятся примеры из «Жития протопопа Аввакума».

[17] Б. Пастернак, Поэзия, «Посев», 1960, стр. 170.

Однако в приведенных выше примерах из романа употребление просторечия ощущается не как прием, но скорее как проникновение в ткань повествования экспрессии повествовательного «я»; вообще же, как увидим далее, некоторая собода смешения во фразовом контексте лексических элементов неоднородной стилистической окраски составляет одну из примет авторского словоотбора.[18]

Функционально нейтрально употребление просторечной лексики в таких, например, случаях: «Он слышал, как искали, кликали его в других комнатах, удивляясь его пропаже» (17); «снег у порога был затоптан и замусорен позавчерашнею таскою дров» (455) и др.

Отметим также некоторые просторечные и просторечно-разговорные формы: угольев (480), стойком («...салфетки, стойком увенчивавшие каждый прибор...», 56), «отцову работу» (63), «в Сивцевом доме» (= доме на Сивцевом Вражке, 497), «докторов масштаб» (497), — последние встречаются и в языке более ранней пастернаковской прозы (см. «сторожев удар в колотушку» — «Детство Люверс», 28) и относятся скорее к разговорно-бытовому пласту авторской речи.

Пласт этот наиболее индивидуален в языке автора. В нем можно было бы выделить лексическую группу, принадлежащую близкому автору социальному кругу и, повидимому, постепенно исчезающую из современного речевого обихода, такую как: рабочелюбец («...революционер и рабочелюбец от младых ногтей», 328), черносошный («...черносошная сущность проглядывала сквозь разрез темной суконной рубахи», 328); пассия («Говорили, что в Швейцарии у него осталась новая молодая пассия...», 182), шелапут (16), амикошон-

---

[18] Особняком стоит использование Пастернаком просторечия в диалогической речи с целью создания речевого облика персонажа (об этом — в 4-й главе); смелость просторечного отбора лучше всего проследить на пастернаковских переводах, где «контрастность» просторечной экспрессии иной раз невольно бросается в глаза. См., например, в репликах Мефистофеля: «Лишь глянула — и на пол чуть не бах» (162) или: «Она заметь, физьономистка / И раскумекала меня», Фауст, ГИХЛ, 1960, стр. 199.

ство (417), фланировать (44), очарователь («Ему льстила роль политического краснобая и очарователя», 181), птифуры (мн. ч. «...пили чай с птифурами», 85), франц. «toute transportée» («Шура Шлезингер ...так превосходно знала ход православного богослужения, что даже toute transportée, в состоянии полного экстаза не могла утерпеть, чтобы не подсказывать священнослужителям...», 55) и др.

Индивидуальна также разговорно-бытовая лексика экспрессивной окраски, содержащая некоторый оттенок домашности употребления. Поскольку она представлена не в речи персонажа, но в от-авторском повествовании, отнюдь не стилизованном в смысле какого-либо сказового единства, она может производить впечатление некоторой неожиданности. В отдельных случаях такое употребление мотивировано переходом к несобственно-прямой речи, включающей в себя черты речевой сферы самого персонажа. Например:

> «Но нынешняя буря в официантской началась задолго до этой суматохи, когда еще ничего не было в помине и не посылали Терешку на извозчике за доктором и за этою несчастною пиликалкой...» (далее следуют размышления горничной Глаши, стр. 59); «Он (Шурочка. — Л. Р.) разревелся, опасаясь, как бы его... не отправили назад в детишный магазин, откуда, по его представлениям, его при появлении на свет доставили на дом родителям» (282).

Но вот другие примеры:

> «Из застенчивого, похожего на девушку и смешливого чистюли-шалуна вышел нервный, все на свете знающий, презрительный ипохондрик» (116); «Жильцы Мучного городка ходили неумытыми замарашками, страдали фурункулезом, зябли, простужались» (488).[19]

Ощущение некоторой неожиданности может вызвать также фамильярно-разговорная экспрессия субъективной

---

[19] Ср. из поэмы «Спекторский»: «Кобылкины старались корчить злюк», стр. 184.

оценки в силу стилевого контраста с повествовательной объективностью целого:

> «Скоро у супругов родился сын. Из поклонения идее свободы д у р а к отец окрестил мальчика редким именем Ливерий» (270).

***

К пласту разговорной лексики близка группа авторских новообразований (условно «новообразований», так как первоначальность их не всегда удается проверить). Эти новообразования, главным образом лексико-морфологического типа, как известно, обычны у Пастернака. Однако в отличие от языка его стихотворений и ранней прозы, где они выступают в отчетливо эстетической функции[20] или с не менее отчетливым акцентом на формальном поиске,[21] в «Докторе Живаго» их роль обычно коммуникативна, окраска разговорна и само количество относительно невелико.

Таковы, например: к о л о ш м а т и н а и ч е л о в е к о у б о и н а («Доктор вспомнил недавно, минувшую осень, расстрел мятежников, детоубийство и женоубийство Палых, кровавую колошматину и человекоубоину, которой не предвиделось конца», (382); д и ч л и в ы й («Он с дичливою растерянностью смотрел на доктора», 197); б е з в р е м е н щ и н а (в дактилических стихах с рифмой «женщина», 549), префиксальные: з а ю р к н у т ь («Подросток..., по совершению нужды заюркнувший обратно в сугроб...», 388); н е д о с т р е л и т ь («Это был мнимо насмерть расстрелянный Терентий Галузин. Его недострелили, он пролежал в долгом обмороке...», 396); о п л а м е н и в ш и й с я («Опламенившийся чистый жар он задвинул в самый зад топки...», 402); п е р е о п р е д е л и т ь с я («Он мечтал... переопределиться по какой-ни-

---

[20] Например, в сборнике «Второе рождение», 1930-1931: «Перегородок т о н к о р е б р о с т ь»; «Только белых мокрых комьев /Быстрый п р о м е л ь к маховой».

[21] «В гнилом п р о д а в е мшаника чернела вода», «Письма из Тулы», 1918; «низкие н а ш п а л ь н ы е огоньки», там же; «одышлый дым», «Воздушные пути», 1924.

будь математической специальности...», 108); переблагородничать (108); подкартавливание (183); бесколодезные (438); беспоследственные («Но бездеятельные и беспоследственные вздохи по этому поводу казались ему ничуть не более нравственными», 119).

Отметим и некоторые другие особенности слово- и формоупотребления также в значительной части своей разговорного характера: расчеркивание в значении «писание»: «За этим расчеркиванием разных разностей он снова проверил и отметил, что искусство всегда служит красоте...» (466), предприимчивость = «предпринимательство»: «Были сняты запреты с частной предприимчивости» (485), отличительный = «особый»: «Бог знает в какую деревенскую глушь и прелесть переносило это отличительное, ни с чем не сравнимое конское кованное переступание» (100). Затем создающие лексическую омонимию: трехтонный = «в три тона»: «Каждую минуту слышался чистый трехтонный высвист иволг» (11); взрывной = «образованный взрывом»: «его считали... засыпанным землею во взрывной воронке» (114), надворный = «выходящий на двор»: «...вдоль задних, надворных стен строения» (203). Далее: «свет Деминского фонарика» (= фонарика Деминой, 209); брызга, ед. ч.: «...брызгой присохшей грязи (14), «только две-три брызги» (206); довольно редкое теперь в ед. ч. сведение = «известие»: «Вдруг пришло сведение, что...» (6).

Отметим также разговорной окраски удвоения: «Тракт пролегал через них, старый-престарый...» (316), «Дама в лиловом была... мадемуазель Флери, старая-престарая...» (503); «Был ветренный день..., темный-претемный» (192), «...петербургский выговор, отчетливый-преотчетливый» (139), «...сидя мокры-мокрешеньки вдвоем...» (16); тавтологического типа соединения: «...врозь растопыренных ветвей» (373), «миром и навалом», «впопад и кстати»,[22] («...все, что она чувствовала и дела-

[22] Ср. в отрывке «Безлюбье» спроста и сдуру: «...раз-

ла..., было впопад и кстати», 513); разговорное переиначение некоторых устойчивых фразеологических сочетаний: «...понимали, что всего в жизни им придется д о б и в а т ь с я своими боками» (24), «Он был Л а р и н о г о д е с я т к а — прямой, гордый и независимый» (50), «Они разговаривали уже давно, н е с к о л ь к о б и т ы х ч а с о в» (468).

Выпуклым лексическим пластом от-авторской (монологической) речи является лексика книжного и книжно-архаического характера. Рассмотрим ее в следующей главе, преимущественно в связи с типовыми синтаксическо-стилевыми конструкциями повествования: взятые отдельно, некоторые черты книжности стилеобразующи лишь в той мере, в какой соседство их с лексикой разговорной окраски может создавать впечатление некой стилистической пестроты. например:

> «...им (Ларе и ее брату. — Л. Р.) некогда было предаваться преждевременному пронырству и теоретически разнюхивать вещи, практически их еще не касавшиеся» (24);
> «В следующий же утренний обход, восполняя упущенное и заглаживая след своей неблагодарности, она расспросила обо всем этом Галиуллина и заохала и заахала» (130).

ГЛАВА III

ЯЗЫК АВТОРА: ЧЕРТЫ КНИЖНОСТИ; ТИПЫ СИНТАКСИЧЕСКО-СТИЛЕВЫХ КОНСТРУКЦИЙ

> «Мамочка!» — в душераздирающей тоске звал он ее с неба, как н о в о п р и ч т е н н у ю у г о д н и ц у» (12);
> «Он (город. — Л. Р.) ярусами лепился на возвышенности, как гора Афон или скит п у с т ы н н о ж и т е л е й на дешевой лубочной картинке» (253).

Церковнославянизмы (отдельные речения, устойчивые сочетания и цитаты), широко представленные в сем-

---

вески изюму, которой занялись, опростав стол, спроста и сдуру...», «Новый журнал» 62, стр. 12.

надцатой, стихотворной, части романа и в языке некоторых его персонажей (Юрия Живаго, Симы Тунцевой и др.), в монологическом повествовании не часты. Однако группа книжно-архаических элементов языка, исчезающих из современного литературного употребления, довольно значительна. См., например: сыновство (105), проникать в значении «пронизывать», «наполнять» («Счастливое, умиленное спокойствие... проникало их», 531), ристалище («Он считал жизнь огромным ристалищем, на котором, честно соблюдая правила, люди состязаются в достижении совершенства», 257; «Нечто вроде принципа относительности на житейском ристалище представилось ему...», 502) и многие другие.[23] Также и фразеологические сочетания: «Если бы там разверзлась земля и поглотила здание...» (248); «Так очутился он ни в тех, ни в сих, от одного отстал, к другому не пристал» (187).

Функциональная сторона архаического употребления — ирония, например, — может отчетливо выступать из контекста:

> «Чтобы не отдалять желаемого мига вкушения земной пищи, поторопились как можно скорее обратиться к духовной» (56); «Это был один из тех последователей Льва Николаевича Толстого, в головах которых мысли гения, никогда не знавшего покоя, улеглись вкушать долгий и неомраченный отдых и непоправимо мельчали» (41); «Каждую минуту дребезжали звонки и вылетали номерки в длинном стеклянном ящике на стене, указуя, где и под каким номером сходят с ума...» (58).

В ряде случаев, однако, творческая нагрузка «устаревшего» или «книжного» неощутима и оно представляется результатом некоего предпочтительного отбора. На стр. 121, например, встречаем «ездовой» в значении «солдат, правящий конной упряжкой»: «Ездовой, которому все это показалось уморительными, повел лошадей шагом...» На стр. 524, однако, читаем: «Парою лошадей в дышельной упряжке правил военнослужащий, по ста-

---

[23] См. в стихотворной части: помавать, 543; затрапез, 538 и др.

ринной терминологии ф у р л е й т, солдат конного обоза».

Попытаемся сопоставить в духе этого примера два лексических ряда, из которых в романе представлены менее современные синонимические параллели:

> «ложно», «неверно», «наоборот» = п р е в р а т н о: «...Лариса Федоровна поняла его превратно» (313), «...он..., понимая все превратно, принимал противные мнения за свои собственные...» (328), «Ложный», «неверный» = п р е в р а т н ы й: «О нем ходили превратные слухи. Его считали погибшим...» (114); «взятие в плен» = п л е н е н и е: «Это повело к ее пленению» (114); «пребывание в плену» = п л е н е н и е: «Место пленения Юрия Андреевича не было обнесено оградой» (338); «подрубка» = п о д р у б а н и е: «...подсовывая подогнутые для подрубания полы под пробивные иглы швейных машин, швеилюбительницы еле справлялись...» (394); «шелест» = ш е л е с т е н и е: «...шелестение деревьев в станционном палисаднике» (159).

Сюда же — и некоторые другие отглагольные существительные с тем оттенком книжности, который обычно сообщают они синтаксической конструкции в целом: т о п т а н и е: «...она в минуту топтания перед крыльцом еще охватила мысленным взором много всякой всячины» (322); у к о р о ч е н и е: «В укорочении, получившемся при взгляде с высоких полатей, казалось, что плавно идущий поезд скользит прямо по воде» (242); о б н а р у ж е н и е (121), х р у с т е н и е (467), г о л о ш е н и е — областное,[24] но характерное для Пастернака образование, встречающееся и в некоторых других его произведениях.[25]

Продолжим ряд параллелей:

> «ехать» = с л е д о в а т ь: «В четырнадцатой теплушке следовало несколько набранных в трудармию» (224);

---

[24] В. Д а л ь, Толковый словарь 2-е изд., т. I, стр. 370.

[25] См. уже приводившийся выше пример из «Детства Люверс», стр. 42; также в стихотворении «Заплети этот ливень...», 1918: «Голошенье лесов, захлебнувшихся эхом охот в Калидоне». Ср. в «Детстве Люверс»: «...ломит голову от тоскливого в п е р е н ь я глаз», 42; в «Охранной грамоте»: «...вероятный налет в м е н е н и я, заключающийся в его просьбе», 128.

> «проехать» = проследовать: «Антонина Александровна убеждала мужа не возвращаться в Москву, а проследовать... на Урал...» (133); «выйти замуж» = вступить в брак: «Родители ...были против того, чтобы она вступала в брак так рано...» (75); «пойти», «уйти» = удалиться: «Мадемуазель удалилась в глубь дома, а доктор вышел наружу...» (152).[26]

Ср. также: учинять: «Об изуверствах, учиняемых наиболее слабою, изверившеюся частью женских скопищ» (370); являть: «Другие, наиболее сильные, являли образцы выдержки и храбрости, неведомые мужчинам» (371); чаяние: «Временно, в чаянии предполагаемого отъезда в Москву, он поступил на три места» (415); таковой, названный: «Испрашивали под таковую помещение» (485), «...всевозможные случайности преследовали доктора в названном месте» (начало главы, стр. 191).

Последние примеры содержат налет как бы книжно-канцелярских стилей. Он становится отчетливей в конструкциях с «вследствие», «ввиду», с предлогами «по» с дательным падежом в значении причины и с предложным в значении «после»:

> «Доктор не мог подойти к окну вследствие давки» (159); Памфил Палых был здоровенный мужик с... шишковатым лбом, производившим впечатление двойного вследствие утолщения лобной кости...» (359); «...этот силач казался не совсем нормальным выродком вследствие общего своего бездушия...» (359); «Напрягая слух вследствие сдержанного гула, Евграф... давал ответы по телефону» (507); «Опять было сыро в комнатах, в которых было темно вследствие хмурости серого пасмурного дня» (453); «Ей навстречу шел... муж..., предполагавший тотчас же заняться прочисткой задымленных стволов, ввиду замеченных при разрядке недочетов» (279); «Ввиду приближения родных мест, Притульев припоминал способ сообщения с ними...» (229); «В нижние комнаты... он (гардероб. — Л. Р.) не годился по несоответствию назначения, а навер-

---

[26] «Удалиться», «вступить в брак» не относятся, разумеется, к книжному лексико-фразеологическому ряду, но по стилистическому контрасту могут ощущаться как более книжные варианты отбора.

ху не помещался вследствие тесноты» (63); «Эти горы убрали по завершении расчистки на всем требующемся протяжении» (234).

Приведем несколько примеров, представляющих различные по своей природе оттенки повествовательной книжности фразы:

«Ножницы, если бы таковые нашлись у Лары, могли бы вывести его из затруднения. Но в беспокойной торопливости, с какой он перерыл все у нее на туалетном столике, ножниц он не обнаружил» (393); «Он лежал на излечении в Красноярском госпитале, куда для встречи с ним и принятия его на руки выехала его жена...» (33); «Происходивший переполох и его дружное обсуждение послужили сигналом к общему вставанию» (102); «По продолжительности молчания можно было вообразить обстоятельность сказанного» (357); «Общее переполнение городских больниц начало сказываться на состоянии женских отделений» (103); «Он углубился в лес в нескольких направлениях с целью его обследования...» (362); «Он подошел к парадному и позвонил в него. Звонок не произвел действия» (170); «Совершив свой туалет с довоенным удобством, доктор вернулся в купе» (164).

Впечатление книжности могут усиливать:

причастные формы, встречающиеся на месте их более живых грамматических параллелей или подчеркнуто «неразговорные» по своему облику:

«Большую часть пути возница и е д у щ и й молчали» (113), «После этого хлопнула дверь и ранее с п у с к а в ш и й с я стал сбегать вниз гораздо решительнее» (187), «Б о л е ю щ а я Лара, лежа в постели, предавалась на досуге далеким воспоминаниям» (94), «Эти сгоревшие селения были сразу о б з р и м ы...» (113), «Перед рассветом путник с возницею приехали в селение, носившее т р е б у е м о е название... Скоро выяснилось, что в округе две одноименные деревни, эта и р а з ы с к и в а е м а я» (113);

синтаксические конструкции с однородными обособленными причастными группами вместо придаточных определительных:

«Дно разорвавшегося стакана, разворотившего ему лицо, превратившего в кровавую кашу его язык и зубы, но не убившего его, засело у него в раме челюстных костей, на месте вырванной щеки» (120), «Утверждали, будто это глухонемой от рождения, под влиянием вдохновения обретающий дар слова и по истечении озарения его снова теряющий» (135);

скопления субстантивированных и атрибутивных причастий:

«Они (поезда. — Л. Р.) служили крепостями шайкам вооруженных, грабившим по дорогам, пристанищем скрывающимся уголовным и политическим беглецам, невольным бродягам того времени, но более всего братскими могилами... умершим от мороза и сыпняка, свирепствовавшего по линии и выкашивавшего в окрестностях целые деревни» (388), «Вездесущее веяние этого запаха как бы опережало шедший к северу поезд, точно это был какой-то все разъезды, сторожки и полустанки облетевший слух, который едущие везде заставали на месте, распространившимся и подтвержденным» (160).

⁂

В зарубежных статьях, посвященных «Доктору Живаго» (правда, написанных не лингвистами), можно встретить утверждение о сходстве поздней прозы Пастернака с прозою Льва Толстого.[27] Не вдаваясь в обсуждение обоснованности этого утверждения, воспользуемся все же им для некоторых сопоставлений, которые помогут, быть может, выяснению особенностей пастернаковской повествовательной манеры. Одно из таких возможных сопоставлений касается элементов книжности в языке и стиле обоих писателей. Выборочное сличение тематически близких повествовательных фрагментов из «Доктора Живаго» и «Войны и мира» позволяет, например, предположить, что функционально не обусловленных лексико-фразеологических и синтаксически-стилевых черт книж-

---

[27] См., например, редакционный комментарий к отрывкам «Уезд в тылу», напечатанным в альманахе «Мосты» 1, Мюнхен 1958, стр. 20.

ности (т.е. черт, которые ощущались книжными в языке художественной литературы 60-х годов прошлого столетия) в романе Толстого меньше, чем элементов книжного, по отношению к современному литературному языку, в романе Пастернака.[28]

Другое возможное сопоставление касается семантико-стилевой структуры толстовской и пастернаковской повествовательной фразы. О внешнем сходстве некоторых синтаксических фразовых конструкций также доводилось читать в зарубежных разборах романа Пастернака. Указывалось в частности на конструкции сложного предложения с двумя придаточными, замкнутыми в главном и соединенными союзом «и». То есть, если подыскать иллюстрацию, речь шла, повидимому, о такого типа построениях:

> «Госпиталь, в котором лежал, а потом служил и который собирался теперь покинуть доктор, помещался в особняке графини Жабринской, с начала войны пожертвованном владелицей в пользу раненых» (135).

Ср. у Толстого:

> «В балагане, в который поступил Пьер и в котором он пробыл четыре недели, было 23 человека пленных солдат, три офицера и два чиновника» («Война и мир», ГИХЛ, 1949, т. 3, стр. 440).

Сходные конструкции можно, однако, найти и у дру-

---

[28] В частности — о скоплении причастных форм: при правке (правда, не окончательной) корректуры «Севастополь в августе 1855 года» Толстой делает следующие сокращения в тексте (вычеркнутое взято в скобки):

> «Офицерская повозка должна была остановиться (в густом, неподвижном облаке пыли, поднятом обозом), и офицер, щурясь и морщась от пыли, набивавшейся ему в глаза и уши (и липнувшей на потное лицо), с озлобленным равнодушием смотрел на лица больных и раненых, (двигавшихся мимо него).
> — А это с вашей роты солдатик слабый, — сказал денщик, оборачиваясь к барину и указывая на повозку, (наполненную ранеными) в это время поравнявшуюся с ними».

(Взято с фотокопии, помещенной в «Истории русской литературы», Академия наук СССР, Москва-Ленинград 1956, т. IX, ч. 2, стр. 452).

гих советских писателей.[29] В романе же «Доктор Живаго», особенно в отступлениях философского характера (см., например, последний абзац на стр. 12: «Все движения на свете были рассчитанно-трезвы...» и далее), встречаются и более близкие аналогии. Внимательное сопоставление, тем не менее, легко обнаруживает неоднородность самих внутренних семантических структур этих стилей отвлеченного рассуждения у обоих писателей: ровной логической целеустремленности толстовского изложения противостоит порывистая ассоциативно-абстрагирующая манера Пастернака:

> «Он (отец Николай. — Л. Р.) жаждал мысли, окрыленно вещественной, которая прочерчивала бы нелицемерно различный путь в своем движении и что-то меняла на свете к лучшему и которая даже ребенку и невежде была бы заметна, как вспышка молнии или след прокатившегося грома. Он жаждал нового» (7).

Неоднородна и семантико-стилевая структура повествовательной фразы у Л. Толстого и у Пастернака. Структура эта связана с отношением авторского монологического «я» к речевой теме. Стиль как «строй мыслей», как отношение слов к мысли определял в свое время Стендаль: «Style, ordre des idées». «Style. Ces mots, pour un instant, sont un repos pour l'esprit»...[30] Природа этого отношения у Пастернака лишена толстовского единства. Пастернаковское монологическое «я» как бы раскалывается: оно то неощутимо вполне, то вдруг выступает из контекста в той или иной форме речевого саморазоблачения; эпически нейтральное «я» *сообщения* сменяется вдруг «я» *субъективного выражения* («я» лирическим, «я» личной экспрессии, «я» зашифрованного подтекста), и оба эти «я» по-разному конструируют и переконструируют стилевые формы повествования.

---

[29] См., например, у А. Фадеева: «Во всей той части табора, куда вышли Ваня и Жора и где властвовала жесткая рука директора шахты № 1 бис Валько, был уже порядок...», «Молодая гвардия», ч. I, начало 11-й главы.

[30] «Стиль, порядок идей». «Стиль. Слова, на которых в данный момент успокаивается мысль». — Заметки Стендаля на полях. — "Vie de Henri Brulard, Introduction, Paris 1913, p. XXXVI.

Роман «Доктор Живаго» состоит из шестнадцати (не считая стихотворной) частей, разбитых на главы; общее число глав — 231; поделив на него количество страниц прозаического текста (531), получим в среднем 2,3 страницы (по 43 строки каждая) на главу. Главы различны по величине: самая крупная глава второго тома, в которой описывается прощание с Юрием Живаго в гробу, содержит восемь страниц; но иные главы состоят всего из 40-50, тридцати, двадцати с небольшим и даже двенадцати (гл. 7 пятнадцатой части) строк. Это обстоятельство уже само по себе в какой-то мере определяет преимущественный структурный тип повествовательной фразы в романе: субъектно-предикатная синтагма, простое предложение со скупыми и энергическими формами синтаксического распространения.[31]

Сжатые фразовые конструкции часто «открывают» главку:

> «Погода перемогалась» (45); «Отпевание кончилось» (89); «Городок назывался Мелюзеевым. Он стоял на черноземе» (132); «История Васи была иная. Его отца убили на войне» (226); «Бабье лето прошло» (350); «Воспоминания его не обманули» (394); «Комната была обращена на юг» (499) и т. д. (см. стр. 114, 141, 209, 218, 233, 243, 266, 281, 316, 331, 352, 372, 380, 415 и др.).

Также и заканчивают ее:

> «Вдруг все разлетелось. Они обеднели» (5); «Народу все прибывало. Железная дорога забастовала» (32); «Все засмеялись. Председатель призывал собрание к порядку. Доктор пошел спать» (145) и т. д. (см. стр. 25, 268, 305, 450, 471, 524 и др.).

Сжатые фразовые конструкции ложатся, как правило, в основу синтаксически-стилевого строя монологического повествования, нейтрального по отношению к «я» субъективного выражения. Его прерывистость, «рубленность», его речевая «сухость» обусловлены смысловыми категориями сообщения. «Рубленность», особенно в зачинах глав, может восприниматься как заданная ком-

[31] Номинативные предложения редки.

позиционно-сюжетным целым стремительность повествовательного движения:

> «Война с Россией еще не кончилась. Неожиданно ее заслонили другие события. По России прокатывались волны революции, одна другой выше и невиданней» (21); «Прошел август, кончался сентябрь. Нависало неотвратимое» (186); «Были дни Пресни. Они оказались в полосе восстания. В нескольких шагах от них на Тверской строили баррикаду. Ее было видно из окна гостиной» (50).

Также и — как внутренняя локальная динамика экспозиции:

> «Вдруг кругом все задвигалось. По другому пути к поезду подошла дрезина. С нее соскочили следователь в фуражке с кокардой, врач, двое городовых. Послышались холодные деловые голоса. Задавали вопросы, что-то записывали. Вверх по насыпи, все время обрываясь и съезжая по песку, кондуктора и городовые волокли тело. Завыла какая-то баба. Публику попросили в вагоны и дали свисток. Поезд тронулся» (16).

Однако во многих случаях эта «рубленность» возникает вне связи с каким-либо внутренним движением речевой темы, ощущаясь как некое формально-стилевое самозадание:

> «Было воскресенье. Доктор был свободен. Ему не надо было на службу» (192); «На другой день вечером он увиделся с Антиповой. Он ее нашел в буфетной. Перед Ларисой Федоровной лежала груда катанного белья. Она гладила» (145); «Дом был последним на улице. За ним начиналось поле. Его пересекала железная дорога. Близ линии стояла сторожка. Через рельсы был проложен переезд» (109) и т.п.

Самозадание это иногда, как кажется, разоблачается самой необычностью форм «сжатия»:

> «Юра, Миша Гордон и Тоня весной следующего года должны были кончить университет и Высшие женские курсы. Юра кончал медиком, Тоня — юристкой, а Миша — филологом по философскому отделению» (64); «Лара мечтала через год, когда они сдадут государствен-

ный экзамен, обвенчаться с Пашею и уехать учителем мужской и учительницей женской гимназии на службу в какой-нибудь из губернских городов Урала» (75); «Это была вдова и мать двух машинистов, старуха Тиверзина» (15).

По-иному организует синтаксическо-стилевые конструкции образно-поэтическая и эмоционально-экспрессивная речевая сфера монологического «я». Это «я» ощущается как бы вторым «я» от-авторского сообщения: вторгающиеся в эпически-сухую ткань повествования образно-экспрессивные фрагменты содержат иной раз трудно определимый, но отчетливый оттенок субъективной окраски — это внутренне, конструктивно иная форма речевого выражения, как бы заимствованная Пастернаком-повествователем из заветного, на время оставленного инструментария Пастернака-поэта:

> «Спустя несколько минут улица была почти пуста. Люди разбегались по переулкам. Снег шел реже. Вечер был сух, как рисунок углем. Вдруг садящееся где-то за домом солнце стало словно пальцем тыкать во все красное на улице: в красноверхие шапки драгун, в полотнище упавшего красного флага, в следы крови, протянувшиеся по снегу красненькими ниточками и точками» (37).

Экспрессивно-эмоциональные акценты создают концентрированную многочленность выражения признака:

> «...эта сила (пошлости. — Л. Р.) находилась теперь перед Юриными глазами, досконально вещественная и смутная и снящаяся, безжалостно-разрушительная и жалующаяся и зовущая на помощь» (62).

Лирическое «я», с той или иной степенью отчетливости стоящее за некоторыми описаниями, меняет структурный облик речи. Повествование обретает новый ритм; появляются инверсии:

> «Тракт пролегал через них, старый-престарый, самый старый в Сибири, старинный почтовый тракт. Он, как хлеб, разрезал города пополам ножом главной улицы, а села

> пролетал не оборачиваясь, раскидав далеко позади шпалерами выстроившиеся избы, или выгнул их дугой или крюком внезапного поворота. В далеком прошлом, до прокладки железной дороги через Ходатское, проносились по тракту почтовые тройки. Тянулись в одну сторону обозы с чаями, хлебом и железом фабричной выделки, а в другую прогоняли под конвоем по этапу пешие партии арестантов. Шагали в ногу, все разом позвякивали железом накандальников, пропащие, отчаянные головушки, страшные, как молнии небесные. И леса шумели кругом, темные, непроходимые» (316).

Близкие по стилю конструкции могут возникать и в случаях так называемой несобственно-прямой речи, — лиризм, их организующий, принадлежит при этом речевой сфере персонажа. Вот, например, размышления купчихи Галузиной о жизни в доме отца до революции:

> «И все, бывало, радовало густотой и стройностью, церковная служба, танцы, люди, манеры, даром что из простых была семья, мещане, из крестьянского и рабочего звания. И Россия тоже была в девушках, и были у нее настоящие поклонники, настоящие защитники, не чета нынешним. А теперь сошел со всего лоск, одна штатская шваль адвокатская, да жидова день и ночь без устали слова жует, словами давится. Власушка со приятели думает заманить назад золотое старое времячко шампанскими и добрыми пожеланиями. Да разве так потерянной любви добиваются? Камни надо ворочать для этого, горы сдвигать, землю рыть» (319-320).

Смежное, уже собственно от-авторское, описание может сближаться с приведенным выше в стилевом отношении:

> «Здесь молодая хозяйка (Галузина же. — Л. Р.) охотно и часто сиживала за кассой. Любимый ее цвет был лиловый, фиолетовый, цвет церковного, особо торжественного облачения, цвет нераспустившейся сирени, цвет лучшего бархатного ее платья, цвет ее столового винного стекла. Цвет счастья, цвет воспоминаний, цвет закатившегося дореволюционного девичества России казался ей тоже светлосиреневым. И она любила сидеть в лавке за кассой, потому что благоухавший крахмалом, сахаром и темнолило-

вой черносмородинной карамелью в стеклянной банке фиолетовый сумрак помещения подходил под ее излюбленный цвет» (321).

Жанрами прямой и несобственно-прямой речи Пастернак пользуется широко. Раскрытие душевных состояний двух основных персонажей романа совершается наполовину с помощью их «мысленного монолога». Соответствующие стилевые формы весьма своеобразны по эмоционально-экспрессивному напряжению, носящему иной раз несколько риторически-суперлативный характер, и по своему ритмико-синтаксическому строю. Вот, например, конструкции с повторами в размышлениях доктора:

«Таким новым была война, ее кровь и ужасы, ее бездомность и одичание. Таким новым были ее испытания и житейская мудрость, которой война учила. ...Таким новым была революция, не по-университетски идеализированная под девятьсот пятый год, а эта, нынешняя, из войны родившаяся, кровавая, ни с чем не считающаяся солдатская революция, направляемая знатоками этой стихии, большевиками. Таким новым была сестра Антипова, войной заброшенная Бог знает куда, с совершенно неведомой жизнью, никого ни в чем не укоряющая, и почти жалующаяся своей безгласностью, загадочно немногословная и такая сильная своим молчанием. Таким новым было честное старание Юрия Андреевича изо всех сил не любить ее...» (163).

Вот экспрессивно-лирическое ви́дение зимнего пейзажа глазами героя романа:

«А солнце зажигало снежную гладь таким белым блеском, что от белизны снега можно было ослепнуть. Какими правильными кусками взрезала лопата его поверхность! Какими сухими алмазными искрами рассыпался он на срезах! Как напоминало это дни далекого детства, когда в светлом, галуном обшитом башлыке и тулупчике на крючках, туго вшитых в курчавую, черными колечками завивавшуюся овчину, маленький Юра кроил на дворе из такого же ослепительного снега пирамиды и кубы, сливочные торты, крепости и пещерные города! Ах, как вкусно было тогда жить на свете, какое все кругом было загляденье и объяденье!» (235).

Верно ли сказано выше: «глазами героя»? Может быть, одновременно и глазами автора?

Здесь мы подходим к одной из особенностей пользования «мысленным» («внутренним» — по другой терминологии) монологом в романе Пастернака, — слиянию сфер речевого выражения «я» автора и «я» персонажа. Слияние это, продлеваясь уже как собственно творчески-композиционный прием, находит свое высшее завершение в последней части романа — цикле стихотворений Живаго-Пастернака; но и с внешней, формально-стилистической стороны оно отчетливо выступает в прозаическом тексте. Вот несколько сопоставлений и примеров:

> «Теперь она, — как это называется, — теперь она падшая. Она — женщина из французского романа и завтра пойдет в гимназию сидеть за одной партой с этими девочками, которые по сравнению с ней еще грудные дети. Господи, Господи, как это могло случиться!»

Это — размышления Лары (стр. 45). Но вот, несколько ниже, уже от автора:

> «О, какой это был заколдованный круг! Если бы вторжение Комаровского в Ларину жизнь возбуждало только ее отвращение, Лара взбунтовалась бы и вырвалась. Но дело было не так просто. Девочке льстило, что...» и т.д. (47).

В ряде случаев стилеобразующую экспрессию высказывания так же легко отнести к субъекту повествования, как и к субъекту действия:

> «О, как он любил ее! Как она была хороша! Как раз так, как ему всегда думалось и мечталось, как ему было надо! Но чем, какой стороной своей? Чем-нибудь таким, что можно было назвать или выделить в разборе? О нет, о нет! Но той бесподобно простой и стремительной линией, какою вся она одним махом была обведена кругом сверху донизу Творцом, и в этом божественном очертании сдана на руки его душе, как закутывают в плотно накинутую простыню выкупанного ребенка» (377).

То же иногда и при обобщающих оценках и высказываниях по поводу описываемого. Не так уж ясно, например, автору, герою или обоим принадлежит выделенное разрядкой в следующем отрывке:

> «Юрий Андреевич все время порывался встать и уйти. Наивность комиссара конфузила его. Но немногим выше была и лукавая искушенность уездного и его помощника... Эта глупость и эта хитрость друг друга стоили. И все это извергалось потоком слов, лишнее, несуществующее, неяркое, без чего сама жизнь так жаждет обойтись» (141).

***

«Объективные» стили повествования также могут содержать более сложные типы синтаксическо-стилевых конструкций. Последние складываются иной раз под влиянием различного рода аналогий, смысловой и по смежности. Вот, например, описание событий на фронте, напоминающее язык газетных реляций:

> «К югу от местности, в которую заехал Гордон, одно из наших соединений удачной атакой отдельных составляющих его частей прорвало укрепленные позиции противника. Развивая свой удар, группа наступающих все глубже врезалась в его расположение. За нею следовали вспомогательные части, расширявшие прорыв. Постепенно отставая, они оторвались от головной группы. Это повело к ее пленению. В этой обстановке взят был в плен прапорщик Антипов, вынужденный к этому сдачею своей полуроты» (114).

Близостью к предположительной речевой сфере персонажа (мальчика Миши Гордона) объясняется, повидимому, такая слегка смещенная к разговорной конструкция:

> «Вот и сейчас, никто не решился бы сказать, что его отец поступил неправильно, пустившись за этим сумасшедшим вдогонку, когда он выбежал на площадку, и что не надо было останавливать поезд, когда, с силой оттолкнув Григория Осиповича и распахнувши дверцу вагона, он бросился на всем ходу со скорого вниз головой на насыпь, как бросаются с мостков купальни под воду, когда ныряют» (13).

В этих объективно-повествовательных стилях, лишенных образно-поэтической и экспрессивной окраски, чаще встречаются черты книжной сухости и просто неловкости некоторых фразовых построений, уже отчасти отмечавшиеся в начале этой главы. Вот примеры:

> «Кивком головы он подал знак, чтобы Тягунова поднялась немного вверх по улице, к месту, где ее переходили по выступающим из грязи камням, сам достиг этого места, переправился к Тягуновой и поздоровался с ней» (340); «Он обвел взглядом все окна в помещении, одно за другим, и сказал: «Жарко будет сегодня», точно получил этот вывод из обзора всех окон и это не было одинаково ясно из каждого» (251); «В это военное время ходовой их патриотизм, казенный и немного квасной, не соответствовал более сложным формам того же чувства, которое питал Антипов» (108); «Их движения сразу были отличимы от расторопности действительных портних» (394); «Ускоренная подвижность не разогревала его» (456); «Имелся приказ... стрелять с коротких дистанций и винтовок, равных числу видимых мишеней» (342); «Было против правил оставаться к этому в безучастии» (343); «Вылезший из-под обрыва водонос оказался молодым подростком» (481).

То же в построениях с деепричастными обособлениями: «Здесь, оглянувшись еще раз, он отворил тяжелую, расшатанную дверь и, с лязгом ее захлопнув, вышел на улицу» (197). И несколькими строками выше: «Чтобы положить конец недоразумению, Юрий Андреевич смерил его взглядом и о б д а л х о л о д о м, отбивающим охоту к сближению», — где фразеологическое сочетание «обдать холодом» неловко разбивается последующим причастным атрибутом.

Отметим также ненормативность иных конструкций:

> «Он оказался держателем продовольственной карточки четвертой категории, установленной для нетрудового элемента и по которой никогда ничего не выдавали» (225); «Евграф Живаго вышел в коридор, переполненный незнакомыми сослуживцами доктора, его школьными товарищами, низшими больничными служащими и книжными работниками и где Марина с детьми, охватив

их руками и накрыв полами накинутого пальто (день был холодный и с парадного задувало), сидела на краю скамьи...» (507); «Он... слышал через полуоткрытую по нечаянности дверь душераздирающие крики Тони, как кричат задавленные с отрезанными конечностями, извлеченные из-под колес вагона» (105); «Развалины станции полюбили, как можно привязаться к кратковременному пристанищу...» (235); «После войны хотелось обратно к этим веяниям для их возобновления и продолжения, как тянуло из отлучки назад домой» (163).

Трудно решить, следует ли все эти примеры рассматривать как своего рода небрежение формой,[32] ее «самоупрощение» вследствие авторского перехода к новой стилевой манере и отказа от формально-стилевых акцентов в языке повествования. Можно, однако, предположить, что многие функционально не обусловленные черты книжности словоотбора и конструкций, равно как и сухость некоторых объективно-повествовательных стилей, контрастирующая со стилями субъективной окраски, есть результат этого отказа и, следовательно, в той или иной мере замысел автора.

ГЛАВА IV

ЯЗЫК ПЕРСОНАЖЕЙ. РЕЧЕВАЯ ХАРАКТЕРИСТИКА

При знакомстве с диалогической речью в романе и приемами речевой характеристики отчетливо обособляется круг персонажей, который, если использовать терминологию одного из советских литературоведов двадцатых годов, удобнее всего было бы назвать г о м о г е н-

[32] Кое-какие из них, вероятно, надо отнести просто к случайным погрешностям, неизбежным в столь крупном произведении, корректурные оттиски которого автор к тому же вряд ли имел возможность править. Есть и в издании, по которому даются цитаты, некоторое (правда, незначительное) количество искажающих ошибок набора. Так, например, в фразе: «Юра стоял, закрыв глаза и губы в ладонь с платком и дыша им», стр. 85, вместо «закрыв», надо читать «зарыв», и т.п.

ным. Это в первую очередь сам герой романа Юрий Живаго, Лара, Николай Николаевич Веденяпин, Сима Тунцева; далее — профессор Александр Громеко, Антонина Александровна, Гордон и Дудоров. Язык персонажей этого круга со стороны лексики, стилевых и структурно-семантических черт содержит много общего и весьма близок стилям собственно авторской, монологической речи.

Значительно более индивидуализирован язык другого, гетерогенного, круга, круга «второго плана» по отношению к идейно-тематическому стержню романа. Сюда относятся такие, более или менее длительной экспозиции, образы, как образ главаря партизан Зауралья Ливерия Микулицына, его отца и мачехи, эсера Костоеда-Амурского, комиссара Гинца, некоторых прочих функционеров периода революции и гражданской войны, толстовца Выволочнова, дельца Самдевятова, купеческой четы Галузиных, дворника Маркела и многих, многих других персонажей, жизненные прототипы которых разнохарактерны, но несомненно хорошо автору знакомы.

Наконец, третий, «дальний», круг составляют уже вполне эпизодические лица жанрового фона романа — городские обыватели, поездные пассажиры, деревенские подростки, партизаны и прочие говорящие, бегло очерченные, речевая характеристика которых, однако, дается, как правило, весьма выпукло, хотя и в плане несколько условной стилизации. Остановимся на первом, основном, круге.

***

Язык героя романа в основном повторяет стилевые черты монологической речи: здесь те же словарные пласты, те же типы лексико-фразеологического отбора, те же формы синтаксическо-стилевых конструкций. Так же скупо и бережно, иногда с толкованием в самом тексте, используются, например, диалектные элементы (см. в записях доктора: «На них ставят капканы, слопцы, как их тут называют», 289), столь же отчетливо выступают и прихотливо чередуются струи разговорной и литературно-книжной лексики с предпочтительным иной раз отбором более архаических синонимических вариантов; встречается и ряд более или менее ярких совпадений словоупотребления (см., например, в языке Юрия Живаго разговорно-экспрессивное содом (126), дважды (на стр. 309 и 403) повторяющееся в от-авторском тексте, и некоторые типы словообразования).

Церковнославянские элементы (словарные, фразеологические и цитаты), встречавшиеся в монологической речи, в языке доктора множатся, сообщая ей местами стилеобразующую архаическую окраску:

> «...Господи! (молится мальчик Юра Живаго. — Л. Р.) — учини мамочку в раи, идеже лицы святых и праведницы сияют яко светила. Мамочка была такая хорошая, не может быть, чтобы она была грешница, помилуй ее, Господи...» (11-12); «О, как трудно и больно, Господи!.. Вскую отринул мя еси от лица Твоего, Свете незаходимый?» (400); «Это тетка Ливерия, местная притча во языцех и свояченица Микулицына...» (398); «Варыкино ведь это какая-то глушь богоспасаемая?» (398).

Как и в от-авторском тексте, в языке доктора часты смешения разнородной по стилистической окраске лексики, обычно в функции усиления экспрессии («А тут — нате пожалуйста! Это небывалое, это чудо истории, это откровение ахнуто в самую гущу продолжающейся обыденщины», 199); сближение в одном и том же тематическом высказывании разговорных (иной раз с оттенком вульгарной экспрессии) и книжных стилей (см., например, разговор с Ларой, стр. 417-418, или с Ливерием, стр. 348-349); неожиданность вторжения в протокольно-сухую ткань сообщения образных форм выражения («Наша нервная система не пустой звук, не выдумка. Она — состоящее из волокон физическое тело. Наша душа занимает место в пространстве и помещается в нас, как зубы во рту», 495).

Близка авторскому изложению афористичность живаговского языка и литературно-книжный, отличный от разговорного, строй реплик-рассуждений, даже и эмоциональной окраски, например:

«Часто потом в жизни я пробовал определить и назвать тот свет очарования, который ты заронила в меня тогда, тот постепенно тускнеющий луч и замирающий звук, которые с тех пор растеклись по всему моему существованию и стали ключом проникновения во все остальное на свете, благодаря тебе» (437).

Оттенок книжно-литературной сухости и декларативности носит такое, например, высказывание:

«Я потрясен известием о расстреле Павла Павловича и не могу прийти в себя. Я с трудом слежу за вашими словами...» (460), и дальше: «Сообщенная вами новость ошеломила меня. Я раздавлен страданием, которое отнимает у меня способность думать и рассуждать. Может быть, покоряясь вам, я совершаю роковую, непоправимую ошибку, которой буду ужасаться всю жизнь, но в тумане обессиливающей меня боли единственное, что я могу сейчас, это машинально поддакивать вам и слепо, безвольно вам повиноваться» (461).

Черты книжности выступают также и в формах живого диалога:

Лара: «Вот уговорю дядю к обеду остаться, выну кашу из духовой и позову тебя».
Доктор: «Спасибо, но вынужден отказаться. У нас вследствие моих наездов в город стали в шесть обедать. Я привык не опаздывать» (308).

Или в разговоре с Самдевятовым, где книжный облик живаговских вопросов особенно отчетлив по контрасту с колоритно-живой речью собеседника:

Доктор: «Здешние места вы, верно, знаете основательно?»
Самдевятов: «До умопомрачения. На сто верст в окружности. Я ведь юрист. Двадцать лет практики. Дела. Разъезды.
— И до настоящего времени?
— А как же.
— Какого порядка дела могут совершаться сейчас?
— А какие пожелаете. Старых незавершенных сделок, операций, невыполненных обязательств — по горло, до ужаса.
— Разве отношения такого рода не аннулированы?

> — По имени, разумеется... Особенности переходного периода, когда теория еще не сходится с практикой. Тут и нужны люди сообразительные, оборотистые, с характером, вроде моего. Блажен муж иже не иде, возьму куш, ничего не видя. А часом и по мордасам, как отец говорил...
> — Если таковы ожидающие нас вероятия, то зачем нам ехать?» (268-270).

Налет риторичности ощутим иногда в приподнятости некоторых реплик, в обилии восклицаний, в экспрессии внутренних монологов:

> «Это ужасно, — начал в виду их собственной деревни Юрий Андреевич. — Ты едва ли представляешь себе, какую чашу страданий испило в ту войну несчастное еврейское население!» (122); «О, как забилось его сердце, о, как забилось его сердце, ноги подкосились у него, он от волнения стал весь мягкий, войлочный, как сползающая с плеч шуба!» «О Боже, Ты, кажется, положил вернуть ее мне?..» (462); «О Тоня, бедная девочка моя. Жива ли ты? Где ты? Господи...» (350); «О, не думать, не думать! Как путаются мысли!» (400).

В романе можно найти косвенные указания самого автора на некоторые особенности речевой манеры героя. Так, например, на стр. 401, читаем: «И почему Лара должна предпочитать его бесхарактерность и т е м н ы й, н е р е а л ь н ы й язык его обожания?» И далее, на стр. 487: «Н е в п о л н е п о н я т н а я, о б р а з н а я речь доктора казалась ему (Васе Брыкину. — Л. Р.) голосом неправоты».

Однако, «образность» и черты «непонятности», «нереальности» (в таких возможных их толкованиях, как «абстрактность», «книжность») принадлежат не только языковой сфере Юрия Живаго, но и сфере монологической речи. Насколько обе эти сферы могут совпадать, например, в стилях изобразительных, можно проиллюстрировать хотя бы такими отрывками из «Записи Юрия Живаго»:

> «Земля, воздух, месяц, звезды скованы вместе, склепаны морозом. В парке поперек аллей лежат отчетливые тени деревьев, кажущихся выточенными и выпуклыми. Все вре-

мя кажется, будто какие-то черные фигуры в разных местах без конца переходят через дорогу. Крупные звезды синими слюдяными фонарями висят в лесу между ветвями. Мелкими, как летние луга ромашками, усеяно все небо» (292-293).

Или:

«Первые предвестники весны, оттепель. Воздух пахнет блинами и водкой, как на масляной, когда сам календарь как бы каламбурит. Сонно, масляными глазками жмурится солнце в лесу, сонно, ресницами игл щурится лес, маслянисто блещут в полдень лужи. Природа зевает, потягивается, переворачивается на другой бок и снова засыпает» (295).

Трудно, таким образом, приписать все эти особенности и приметы собственно языку героя романа, составив на основании их некую иллюстративную картотеку. Трудно еще и потому, что черты речевого облика Юрия Живаго в значительной мере повторяются и у прочих персонажей «ближнего» круга. Так, например, церковнославянская струя в языке доктора с полным тождеством семантической и стилевой структуры продлевается в речи Симы Тунцевой (стр. 421-425). В языке ряда других гомогенных персонажей дублируется афористичность докторских высказываний. У Веденяпина:

«Всякая стадность — прибежище неодаренности, все равно, верность ли это Соловьеву, или Канту, или Марксу. Истину ищут только одиночки и порывают со всеми, кто любит ее недостаточно» (9).

У Лары:

«Каким непоправимым ничтожеством надо быть, чтобы играть в жизни только одну роль, занимать одно лишь место в обществе, значить всегда только одно и то же!» (308); «По-моему, философия должна быть скупою приправой к искусству и жизни. Заниматься ею одною так же странно, как есть один хрен» (418).

Даже в репликах Антонины Александровны встречаются черты афористичности:

«Мое сердце скрыло бы это от меня, потому что нелюбовь — почти как убийство, и я никому не в силах была бы нанести этого удара» (427).

Язык Лары особенно близок к живаговскому. Вряд ли случайно вложенное автором в ее уста признание: «Может быть, в меня запали твои выражения... Помимо общности наших чувств, я ведь так много от тебя перенимаю!» (412).

В самом деле, и словарь и стили диалогических реплик двух главных персонажей романа содержат очень много общего. Речевой спектр автор — Юрий Живаго — Лара во многом тождественен. В языке Лары те же типы разговорно-просторечной и разговорно-бытовой лексики («О той поре мы уже были ученые, привычные. Не впервой было», 307; «Наперед можно было сказать, что штука пропащая, отказ», 311), те же вкрапления книжно-архаического характера («Мне показалось, что он отмечен и что это перст обречения», 412; «Юрочка, ты моя крепость и прибежище и утверждение, да простит Господь мое кощунство», 438). Приведем несколько выборочных совпадений:

В от-авторском тексте:	У Лары:
«Он слышал, как искали, кликали его в других комнатах» (17).	«Я не долго протомлю вас, скоро кликну» (304).
«Говорили, что в Швейцарии у него осталась новая молодая пассия» (182).	«Я была его детской пассией» (412).

У Юрия Живаго:	У Лары:
«Мужчина до такой степени не у дел сейчас..., что точно его и в заводе не было...» (29).	«И сам прекрасно знает, что без его участия в поездке Ларисы Федоровны и в заводе нет...» (459).

В языке Лары находим то же, что и у Юрия Живаго, сведéние вместе контрастных по стилистическому облику книжных и разговорных лексических элементов («Понимаешь ли ты, о чем просишь, вник ли в то, что он предлагает тебе? Год за годом, сизифовыми трудами строй, возводи, не досыпай, а этот пришел, и ему все равно, что он дунет, плюнет, и все разлетится вдребезги. Да ну тебя к черту. Стреляйся, пожалуйста. Какое мне дело?» 74); те же «письменные» по складу типы речи-рассказа (I), речи-рассуждения (II), речи экспрессивного, вполне живаговского по отвлеченности, высказывания (III):

> (I) «Теперь он в Сибири, на одном из сильно продвинувшихся наших участков, наносит поражение своему дворовому дружку и впоследствии фронтовому товарищу, бедняжке Галиуллину, от которого не скрыт секрет его имени и моего супружества и который по неоценимой тонкости никогда не давал мне этого почувствовать, хотя при имени Стрельникова рвет и мечет и выходит из себя» (309);
>
> (II) «Люди, когда-то освободившие человечество от ига идолопоклонства и теперь в таком множестве посвятившие себя освобождению его от социального зла, бессильны освободиться от самих себя, от верности отжившему допотопному наименованию, потерявшему значение, не могут подняться над собою и бесследно раствориться среди остальных, религиозные основы которых они сами заложили и которые были бы им так близки, если бы они их лучше знали» (310);
>
> (III) «Какой-то венец совместности, ни сторон, ни степеней, ни высокого, ни низкого, равноценность всего существа, все доставляет радость, все стало душою. Но в этой дикой ежеминутно подстерегающей нежности есть что-то по-детски неукрощенное, недозволенное. Это своевольная, разрушительная стихия, враждебная покою в доме» (445).

Как и у Юрия Живаго, в разговорных репликах Лары находим черты книжной сухости («Мы последние ночи недосыпаем вследствие разных забот», 421; «Я взяла бы на себя труд перезимовать там», 419; «Вечером, когда уберемся и уясним ближайшие виды, все перед сном помоемся» 442); встречаем ту же манеру обозначения состояния, как бы заимствованную из рассказа о третьем лице: «Я лишаюсь рассудка при этой мысли» (419), «Я ведь сказала тебе, я едва сдерживаю слезы» (408); те же формы выражения душевной экспрессии — восклицания, ласкательные обращения, «суперлативность»: «О, как я счастлива!» (438), «О, я не могу! И, Господи, реву и реву!» (514), «О, что я наделала, Юра, что я наделала!» (514), «Спасибо, родной, спасибо. О, как я рада» (436),[33] «Я кровью сердца, каждой жилкою чувствую все повороты его почерка» (511) и т.д.

Взволнованные ритмы плача-прощания у обоих главных персонажей сходны вполне:

> Юрий Живаго: «Прощай, Лара, до свидания на том свете, прощай, краса моя, прощай, радость моя, бездонная, неисчерпаемая, вечная...» (462-463);
> Лара: «Прощай, большой и родной мой, прощай, моя гордость, прощай, моя быстрая глубокая реченька, как я любила целодневный плеск твой...» (514).

Сближает язык персонажей гомогенного круга — особенно в части монологического типа рассуждений — его условный, по отношению к живым, разговорным формам, книжно-литературный облик (ср., например, историко-философские высказывания Веденяпина и Симы Тунцевой; приведенные выше суждения о проблеме еврейства у Лары и (на стр. 124-125) у Гордона). Это не произносимый и слышимый, но лишь зрительно воспринимаемый, читаемый язык, — трудно представить себе иные из этих высказываний выговоренными, например, на сцене, в живом диалоге действующих лиц.

Помимо общей стилевой близости, в репликах некоторых персонажей можно обнаружить прямые «кальки» с живаговской речевой манеры. Вот говорит Сима Тунцева:

> «Мне всегда кажется, что эти грубые, плоские моления, без присущей другим духовным текстам поэзии, сочиняли толстопузые лоснящиеся монахи» (424),

[33] Ср. у доктора: «Знаешь что, моя радость?», 436; «Но давай и безумствовать, сердце мое...»; «Поедем, сердце мое», 436.

> «Здесь она (Магдалина. — Л. Р.) со страшной осязательностью сокрушается о прошлом» (425).

Или:

> «Разреши долг, якоже и аз власы». То есть: «отпусти мою вину, как я распускаю волосы». Как вещественно выражена жажда прощения, раскаяния! Можно руками дотронуться» (424-425).

Говорит Гордон:

> «...Как это могло случиться? Этот праздник, это избавление от чертовщины посредственности, этот взлет над скудоумием будней, все это родилось на их земле, говорило на их языке и принадлежало к их племени» (125).

Одинаков у большинства персонажей синтаксический строй разговорных реплик — отрывисто-динамический, из коротких, словно бы обрубленных предложений:

У Юрия Живаго:

> «Повальная эпидемия. Общее истощение ослабляет сопротивляемость. На тебя и папу страшно смотреть. Надо что-то предпринять. Да, но что именно? Мы недостаточно бережемся. Надо быть осторожнее...» (200); «— Что с тобою, ангел мой? Успокойся. Что ты делаешь? Не бросайся на колени. Встань. Развеселись. Прогони преследующее тебя наваждение. Он на всю жизнь запугал тебя. Я с тобою. Если нужно, если ты мне прикажешь, я убью его» (429-430);

У Лары:

> «...Да хорошо, если по шапке, а не под обух, чтобы не оставлять следов. Среди них Паша в первом ряду. Он в большой опасности. Он был на Дальнем Востоке. Я слышала, он бежал, скрывается. Говорят, его разыскивают. Но довольно о нем...» (407);

У Антонины Александровны:

> «Странный гонорар предлагают. Ты видел? Ты все-таки прочти. Бутылку германского коньяку или пару дамских чулок за визит. Чем заманивают. Кто это может быть? Какой-то дурной тон и полное неведение о нашей современной жизни. Нувориши какие-нибудь» (202);

У Александра Громеко:

> «— Господа! Трио придется приостановить. Выразим сочувствие Фадею Казимировичу. У него огорчение. Он вынужден нас покинуть. В такую минуту мне не хотелось бы оставлять его одного. Мое присутствие может быть будет ему необходимо. Я поеду с ним... Господа, я не прощаюсь. Всех прошу оставаться. Отсутствие мое будет кратковременно» (57);

У Гордона:

> «Нужда научит. Нам не повезло. Из штрафных лагерей я попал в самый ужасный. Редкие выживали. Начиная с прибытия. Партию вывели из вагона. Снежная пустыня. Вдалеке лес. Охрана, опущенные дула винтовок, собаки овчарки...» (518).

Этот строй в приложении к отдельному персонажу мог бы являться средством речевой характеристики (ср., например, язык Кириллова в «Бесах»), в данном случае, однако, он этого назначения не имеет; не отражает, как правило, и душевного состояния говорящего. Тот же строй находим у Комаровского и в языке ряда персонажей «второго» и «третьего» круга.[34] Повидимому, это лишь формальный прием инструментовки живого диалога по контрасту с монологического типа высказываниями персонажей. Как бы то ни было, в отношении говорящих «гомогенного круга» он чрезвычайно способствует нивелировке их индивидуального речевого облика.

Эта нивелировка, отсутствие отчетливо-индивидуальных речевых черт в языке, например Веденяпина или Симы Тунцевой, Громеко, Дудорова или Гордона, весьма примечательна. Многие из принадлежащих им высказы-

---

[34] Например, у Шуры Шлезингер, 184: «Что ты выпучил глаза? Я тебя, кажется, удивляю? Разве ты не знаешь, что я старый боевой конь, старая бестужевка, Юрочка. С предварилкой знакомилась, сражалась на баррикадах. Конечно! А ты что думал? О, мы не знаем народа! Я только что оттуда, из их гущи. Я им библиотеку налаживаю»; у Самдевятова, 267: «Знаю. Мне жена ваша говорила. Все равно. По делам будете в город ездить. Я с первого взгляда догадался, кто она. Глаза. Нос. Лоб. Вылитый Крюгер. Вся в дедушку. В этих краях все Крюгера помнят»; ср. то же в языке Васи Брыкина, 229, прозектора больницы, 190, начальника станции, 232 и многих-многих других.

ваний настолько в стилевом отношении близки друг другу и в целом живаговским, что кажется все их можно было бы вложить в уста главного героя, не опасаясь возникновения какого-либо стилистического разнобоя. Некоторые встречающиеся в их речевом обиходе элементы личного словаря («Зачем нетерпячку поднимать...» — говорит, например, возвратившийся из ссылки Дудоров) настолько единичны, что лишь подтверждают наблюдение.

Пастернак не пользуется в отношении персонажей «ближнего» круга и тем приемом речевой характеристики, который состоит в наделении говорящего какими-либо повторяющимися приметами лексико-фразеологического употребления. Исключением является лишь «не правда ли» — в языке Лары — черта, подчеркнутая самим автором: «Чудеса в решете, не правда ли? «Не правда ли» было любимое выражение моей жены, вы наверное заметили», — говорит Стрельников (469).

Это «не правда ли» находим и в языке героя романа; у Лары же оно встречается до страницы 455 всего один раз (стр. 100), на стр. 455 — три раза и затем девять раз на страницах 508-510 в одном и том же разговоре с Евграфом Живаго.

* * *

Иную картину представляет собой язык персонажей второго и третьего круга, почти совершенно лишенный условности «письменного звучания» и ярко индивидуализированный. Промежуточное (точнее, переходное) положение занимает речь Антипова — Стрельникова: от ближнего круга в ней — литературная книжность построений и сколки с живаговской речевой манеры. Например:

> «...весь этот девятнадцатый век со всеми его революциями в Париже, несколько поколений русской эмиграции, начиная с Герцена, все задуманные цареубийства, неисполненные и приведенные в исполнение, все рабочее движение мира, весь марксизм в парламентах и университетах Европы, всю новую систему идей, новизну и быстроту умозаключений, насмешливость, всю, во имя жалости вы-

> работанную, вспомогательную безжалостность, все это впитал в себя и обобщенно выразил собою Ленин, чтобы олицетворенным возмездием за все содеянное обрушиться на старое. Рядом с ним поднялся неизгладимый образ России, на глазах у всего мира вдруг запылавшей свечой искупления за все безделье и невзгоды человечества...» (473); Все темы времени, все его слезы и обиды, все его побуждения, вся его накопленная месть и гордость были написаны на ее (Лары. — Л. Р.) лице и в ее осанке, в смеси ее девической стыдливости и ее смелой стройности» (472); «Когда она входила в комнату, точно окно распахивалось...» (473).

И уже вполне реалистически-разговорен и личен язык Ливерия Микулицына: смешение семинарского и просторечно-блатного типа лексики, поговорочных вставок, стилей командных и стилей пропагандно-революционного поучения хорошо рисует облик развязного юноши, бывшего гимназиста, убежавшего на фронт и из безусого прапорщика с тремя георгиевскими крестами превратившегося в командующего целой партизанской армией:

> «...Погоди, Лидочка (кличка докладчика из центра. — Л. Р.), дуй тебя в хвост, помолчи минуту. Надо выяснить обстановку...» (325); «А что же мне делать, распрекрасная моя Лидочка, когда, дуй тебя в хвост, силы мои в составе трех полков, в том числе артиллерии и конницы, давно на походе и великолепно бьют противника» (330); «Дела наши в наивеликолепнейшем состоянии» (381); «Хотел бы я знать, что теперь поделывает мой достопочтенный родитель, уважаемый фатер-папахен мой» (346); «Опять вы не были на вчерашних занятиях. У вас атрофия общественной жилки, как у неграмотных баб и у заматерелого косного обывателя» (347).

В живых, реалистически точных тонах выдержаны речевые стили других революционеров — ораторская скороговорка докладчика из центра, Костоеда-Амурского («Существующая в Сибири буржуазно-военная власть политикой грабежа, насилия, расстрелов и пыток должна открыть глаза заблуждающимся. Она враждебна не только рабочему классу, но по сути вещей и всему трудовому крестьянству. Сибирское и уральское трудовое крестьянство должно понять...» и т.д., стр. 325-326), митинговогазетная патетика комиссара Гинца: «В то время как родина, истекая кровью, последним усилием старается сбросить с себя гидрою обвившегося вокруг нее врага, вы дали одурманить себя шайке безвестных проходимцев и превратились в несознательный сброд, в скопище разнузданных негодяев...» (140-141); высказывания анархиста Вдовиченко-Черное знамя (330, 365), язык лесного охотника партизана Свирида («...Теперь наше дело воевать да переть напролом. Кряхти да гнись. А то что же это будет, размахались да и на попят? Сам сварил, сам и кушай. Сам полез в воду, не кричи — утоп», 330) и других.

Свой, «портретный» язык у Самдевятова (см. приведенный выше его разговор с Живаго), свой (не без налета пародирования) у толстовца Выволочнова (41-42), мастера Худолеева, четы Тиверзиных и многих, многих других. Выступление купца Галузина перед «белыми» новобранцами содержит нечастые в романе штрихи юмористической инструментовки:

> «— Этот стакан народного самогона я заместо шампанского опустошаю за вас, ребятушки. Исполать вам и многая лета! Господа новобранцы! Я желаю поздравить вас еще во многих других моментах и отношениях. Прошу внимания. Крестный путь, который расстилается перед вами дальнею дорогой, грудью стать за защиту родины от насильников, заливших поля родины братоубийственной кровью. Народ лелеял бескровно обсудить завоевания революции, но как партия большевиков будучи слуги иностранного капитала, его заветная мечта, Учредительное собрание, разогнано грубою силою штыка, и кровь льется беззащитною рекою...» и т.д. (332).

В языке эпизодических персонажей с небольшой речевой нагрузкой элементы речевой характеристики даже в самых коротких репликах тщательно отбираются в целях создания зрительно-речевого образа. Вот, например, описание рабочей забастовки:

> «Выбегали, спрашивали: — Куда народ свищут? — Из темноты отвечали: — Небось и сам не глухой. Слышишь

— тревога. Пожар тушить. — А где горит? — Стало быть, горит, коли свищут.

Хлопали двери, выходили новые. Раздавались другие голоса. — Толкуй тоже, — пожар! Деревня! Не слушайте дурака. Это называется зашабашили, понял? Вот хомут, вот дуга, я те больше не слуга. По домам, ребята!» (32).

Вот язык кучера Вакха:

«— Эй, Федор Нефедыч!.. Инно жара кака анафемска! Яко во пещи авраамсти отроци персидстей! Но, чорт напасеный! Тебе говорят, мазопа...»

«— Эй, кобыла, Бога забыла! Поглядите, люди, кака падаль, бестия! Ты ее хлесь, а она тебе: слезь! Но, Федя-Нефедя, когда поедя? Энтот лес, прозвище ему тайга, ему конца нет. Тама сила народу крестьянского, у, у! Тама лесная братия. Эй, Федя-Нефедя, опять стала, чорт, шиликун... Анделы в Китаях, тебе говорят аль нет? ...Про лесного товарища не слыхали? Анделы в Китаях, тады на что Москве уши?» (277-278).

Большой концентрации речевая характеристика достигает в сказовых стилях речи персонажей (см., например, рассказ Васи Брыкина, стр. 482-484, или бельевщицы Тани, стр. 524-529), где элементам просторечья, диалектным и поговорочным вставкам отчасти сопутствует и ритмико-синтаксический разговорно-сказовый строй. Зримость речевого облика в этих случаях, однако, не всегда создается — мешает ощущение некоторой литературной искусственности реконструкции (см. хотя бы такие построения в рассказе Васи Брыкина: «Обрадовались злодейству на хуторе деревенские кулаки-заводилы. Давай деревню мутить...» 483). Стилизация как литературный прием, противопоставляемый художественной точности и непосредственности воплощения (ср., например, язык казаков-станичников у Шолохова), в пастернаковской инструментовке речи второстепенных персонажей довольно ощутима. «Локальная» речевая окраска может иной раз представляться несколько нарочитой: «Кабы сейчас не эта гидра гражданская, мировая контра, нешто я стал бы в такую пору на чужой стороне пропадать? Черной кошкой классовою она пром е ж н а с п р о б е ж а л а, и вишь, что делает!» — говорит, например, часовой из отряда Стрельникова (стр. 264). Иногда в эту локальную окраску высказывания проникают фразеологические черты иной социальной принадлежности, как бы нарушая единство индивидуализирующего отбора. В мысленном монологе купчихи Галузиной читаем: «Воспитанница Ксюша не в счет. Да и кто она? Чужая душа потемки... Перешла она в наследство от первого мужнина брака. Власушкина приемная дочь. А может, и вовсе не дочь, а с о в с е м и з д р у г о й о п е р ы!» (319).[35]

Подчеркнуто-чудаковатый язык дворника Маркела («Терпеть не могу его дурацкого тона», — говорит Антонина Александровна, стр. 171) также отчасти обнаруживает смешение стилистически разнородных фразеологических черт. Частота этих черт делает иной раз локальный колорит речи чрезмерно сгущенным (см. стр. 171, 489-490). В языке же еще более эпизодических лиц — партизан, железнодорожников, поездных пассажиров, жильцов коммунальных квартир и т.д. — «нейтральная» лексика наполовину вытесняется приметами экспрессивно-просторечного и полублатного употребления. Вот, например, отрывки из разговора деревенских подростков:

> «— Я, мать твою, в анархисты запишусь. Сила, говорит, внутри нас. Пол, говорит, и характер это пробуждение животного электричества. А? Такой вундеркинд. Но я здорово наклюкался... Терешка, замолчи. Я говорю, сучье вымя, маменькин передник, заткнись... — Тише ори, сука, всех погубишь, чорт сопливый. Слышишь, Штрезенские рыщут-шастают. С околицы свернули, идут по ряду, скоро тут будут. Вот они. Замри, не дхни, удавлю! — Ну, твое счастье, — далеко. Прошли мимо. Кой чорт тебя сю-

[35] Еще пример случайной стилизации: размышления гувернантки-француженки мадемуазель Флери на стр. 150 облечены в такие просторечно-разговорные формы: «Куда, интересно знать, провалились санитары?... И чертовка Устинья ушла куда-то в гости. Видит, дура, что гроза собирается, нет понесла нелегкая...» Но мадемуазель Флери по-русски знает плохо, и вряд ли для нее типичен этот речевой колорит. На следующей странице читаем: «Живаго! Живаго! Стучат в наружную дверь, я боюсь отпереть одна, — кричала она по-французски и по-русски добавила: Вы увийт, это Лар или поручик Гайуль».

да понес? И он, балда, туда же прятаться. Кто бы тебя пальцем тронул?

— Слышу я, Гошка орет, — хоронись, лахудра. Я и залез.

...— Как, Коська, все это подеялось? С чего началось?» (333-335).

В некоторых диалогах стилизация выступает иной раз в виде частых элементов бранной экспрессии, обозначений и кличек, производящих впечатление надуманности. Этот характер их подчеркивает однажды и сам автор:

«— Всели! Посмотрим, как ты меня выселишь, продавленная кушетка! Десять должностей! — выкрикивала Храпугина бессмысленные прозвища, которые она давала делегатке в разгаре спора.

— Какая змея! Какая шайтанка! Стыда в тебе нет! — возмущалась дворничиха...»[36] (207).

Те же типы речевой характеристики встречаются, однако, и в ряде других мест. Вот разговор двух пассажирок поезда, в котором доктор с семьей едут на Урал:

«— Ах ты шлюха, ах ты задрёпа, — кричала Тягунова. — Шагу ступить некуда, тут как тут она, юбкой пол метет, глазолупничает! Мало тебе, суке, колпака моего, раззевалась на детскую душеньку, распустила хвост, малолетнего ей надо испортить.

— А ты, знать, и Васеньке законная?

— Я те покажу законную, хайло, зараза! Ты живой от меня не уйдешь, не доводи меня до греха!

— Но, но, размахалась! Убери руки-то, бешеная! Чего тебе от меня надо?

— А надо, чтобы сдохла ты, гнида-шеламура, кошка шелудивая, бесстыжие глаза!

— Обо мне какой разговор. Я, конечно, сука и кошка, дело известное. Ты вот у нас титулованная. Из канавы рожденная, в подворотне венчанная, крысой забрюхатила, ежом разродилась... Караул, караул, люди добрые! Ай, убьет меня до смерти лиходейка-пагуба...» (237).

[36] Татарка по национальности. Ср. сходное образование в пьесе Горького «На дне» в языке Татарина: «Зачем посуда бить, болванка!»

То же — в языке Марфы Гавриловны Тиверзиной:

«— Злые аспиды! Что им, оглашенным, надо? Только бы лаяться да вздорить. А этот, речистый, как ты его, Пашенька? Покажи, милый, покажи... Ах ты з у д а - ж у ж е л и ц а, к о н с к а я с т р о к а» (38).

Как видим, структура диалогической речи со стороны ее организационно-творческих принципов и прежде всего индивидуализации речевого облика говорящего р а з л и ч н а для ближнего круга и персонажей второстепенного характера. Выраженность речевой характеристики как бы обратно пропорциональна степени близости персонажа центральному, гомогенному, образу, центральной сюжетно-композиционной теме. Налицо, таким образом, известная двойственность творческого выражения, о природе которой — в следующей главе.

ГЛАВА V

ЧЕРТЫ СТИЛЕВОГО ДУАЛИЗМА В РОМАНЕ

(Портрет, пейзаж, стили эмоционально-экспрессивного выражения)

Выше, при разборе типов синтаксическо-стилевых конструкций повествования, отмечалась уже некоторая неоднородность структуры монологической речи в романе, обусловленная чередованием «я» объективного сообщения и «я» субъективной окраски. Это своеобразное расщепление монологического «я» проходит, как увидим далее, через всю ткань произведения, определяя творческие формы его компонентов и композицию в целом. Образуются как бы д в е с ф е р ы творческого выражения: сфера центростремительная, г о м о г е н н а я, и сфера центробежная, выступающая по отношению к первой к а к ф о н. В главе о языке персонажей мы видели, насколько по-разному организуют эти две сферы черты речевого облика персонажей ближнего и дальнего круга.

То же наблюдение можно сделать и относительно

стилей и поэтики портретной экспозиции в романе.

Портретна, собственно говоря, в «Докторе Живаго» лишь обширная галерея персонажей дальнего круга. Приемы и формы портретной характеристики здесь чаще всего традиционны:

> «Это (кухарка в доме Жабринских. — Л. Р.) была женщина с нескладно суживающейся кверху фигурой, которая придавала ей сходство с наседкой» (136); «Шура Шлезингер была высокая худощавая женщина с правильными чертами немного мужского лица, которым она несколько напоминала государя, особенно в своей серой каракулевой шапке набекрень, в которой она оставалась в гостях, лишь слегка приподнимая приколотую к ней вуальку» (55); «Памфил Палых был здоровенный мужик с черными всклокоченными волосами и бородой и шишковатым лбом, производившим впечатление двойного, вследствие утолщения лобной кости, подобием кольца или медного обруча, обжимавшего его виски. Это придавало Памфилу недобрый и зловещий вид человека, всегда косящегося и глядящего исподлобья» (359);

Или:

> «Седая и румяная старуха мадемуазель Флери, шаркая туфлями, в просторной поношенной кофте, неряхой и растрепой расхаживала по всему госпиталю, с которым была теперь на короткой ноге, как когда-то с семейством Жабринских, и ломаным языком что-нибудь рассказывала, проглатывая окончания русских слов на французский лад...» (136); «Тягунова, полнотелая осанистая мещанка с красивыми руками и толстой косой, которую она с глубокими вздохами перебрасывала то через одно, то через другое плечо себе на грудь, сопровождала по доброй воле Притульева в эшелоне» (226).[37]

Портретная характеристика может содержать некоторые, различно выраженные, оттенки авторского отношения и оценки («Амалия Карловна была полная женщина лет тридцати, у которой сердечные припадки сменялись

---

[37] См. также близкие по творческим приемам портреты Воскобойникова, 9, закройщицы Фаины, 23, Храпугиной, 206, Притульева, 225, Вдовиченко-Черное знамя, 327, Костоеда-Амурского, 326, и другие.

припадками глупости...», стр. 22; «Он (толстовец Выволочнов. — Л. Р.) производил впечатление добряка, витающего в облаках. На носу у него злобно подпрыгивало маленькое пенснэ на широкой черной ленте», стр. 41; «Он (мещанин Притульев. — Л. Р.) был молчалив, как истукан, и, часами о чем-то раздумывая, расковыривал до крови бородавки на своих веснушчатых руках, так что они начинали гноиться», стр. 225), черты отличительно пастернаковской изобразительно-стилевой манеры — «накладывающиеся» сравнения, абстрагирующе-образные сближения и др., например:

> «...тоненький и стройный, совсем еще неоперившийся юноша, который, как свечечка, горел самыми высшими идеалами... он запускал руки в карманы галифе и подымал углами плечи в новых негнущихся погонах, отчего его фигура становилась действительно по-кавалерийски упрощенной, так что от плеч к ногам ее можно было вычертить с помощью двух к низу сходящихся линий» (139); «За перегородкой... громко плача и свесив над тазом голову с прядями слипшихся волос, лежала мокрая от воды, слез и пота женщина... Юру успело поразить, как в некоторых неудобных, вздыбленных позах, под влиянием напряжения и усилий, женщина перестает быть тем, чем ее изображает скульптура, и становится похожа на обнаженного борца с шарообразными мускулами в коротких штанах для состязания» (60).

Однако в целом поэтические приемы создания портрета второстепенных персонажей разнообразятся мало, оставаясь, как уже было отмечено, вполне реалистически-традиционными.

Они становятся иными по мере приближения персонажа (по принадлежности) к гомогенному центру повествования. Здесь характер портретности меняется — объективно-живописующий подбор и многообразие черт уступает место подбору локально акцентированному. Зримость портретного облика суживается за счет экспрессии экспозиции.

Вот, в виде иллюстрации, два портрета Антипова: Антипова-Патули, школьника, и Антипова-Стрельникова

(«Расстрельникова»), к которому часовые приводят Юрия Живаго:

> «Это был чистоплотный мальчик с правильными чертами лица и русыми волосами, расчесанными на прямой пробор. Он их поминутно приглаживал щеткою и поминутно оправлял куртку и кушак с форменной пряжкой реального училища» (35);
>
> «Неизвестно почему, сразу становилось ясно, что этот человек представляет законченное явление воли. Он до такой степени был тем, чем хотел быть, что и все на нем и в нем неизбежно казалось образцовым. И его соразмерно построенная и красиво поставленная голова, и стремительность его шага, и его длинные ноги в высоких сапогах, может быть грязных, но казавшихся начищенными, и его гимнастерка серого сукна, может быть мятая, но производившая впечатление глаженой, полотняной» (254).

Акцентируются, повторяясь, некоторые черты в портрете Комаровского:

> «Над ним (телом Андрея Живаго. — Л. Р.) хмуро, без выражения стоял его приятель и сосед по купэ, плотный и высокомерный адвокат, породистое животное в вымокшей от пота рубашке» (14); «Это был тот плотный, наглый, гладко выбритый и щеголеватый адвокат, который стоял теперь над телом, ничему на свете не удивляясь» (16); «Это был плотный, бритый, осанистый и уверенный в себе человек» (61).

Отметим также иные формы подчеркивания тех же черт в различных местах от-авторского текста и диалогической речи: «Его (Комаровского. — Л. Р.) присутствие томило, как давил вид тяжелого дубового буфета и как угнетала ледяная декабрьская темнота за окном» (434); «Из-за вмешательства в мою начинавшуюся жизнь одной безнравственной самоуслаждавшейся заурядности не сладился мой последующий брак с большим и замечательным человеком...» (410); «И только остался жив тот, кого следовало убить... это чужое, ненужное ничтожество ...И это чудище заурядности мотается и мечется по мифическим закоулкам Азии... Ах, да ведь это на

Рождество, перед задуманным выстрелом в это страшилище пошлости был разговор в темноте с Пашей мальчиком в этой комнате...» (511).

Облик Марины, третьей жены Юрия Живаго, дан на странице 490 в таком, отличном от предшествующих, изобразительном ключе:

> «У нее был певучий чистый голос большой высоты и силы. Марина говорила негромко, но голосом, который был сильнее разговорных надобностей и не сливался с Мариною, а мыслился отдельно от нее. Казалось, он доносился из другой комнаты и находился за ее спиною. Этот голос был ее защитой, ее ангелом-хранителем. Женщину с таким голосом не хотелось оскорбить или опечалить» (490).

Антонина Александровна зримо очерчена лишь в подвижном ракурсе танцев на балу у Свентицких:

> «Проплывая мимо Юры, Тоня движением ноги откидывала небольшой трен слишком длинного атласного платья и, плеснув им, как рыбка, скрывалась в толпе танцующих. Она была очень разгорячена... Она поминутно вынимала из-за кушака или из рукавчика батистовый платок, крошечный, как цветы фруктового дерева, и утирала им струйки пота по краям губ и между липкими пальчиками. Смеясь и не прерывая оживленного разговора, она машинально совала платок назад за кушак или за оборку лифа» (85).

Портретная характеристика Симы Тунцевой передоверена репликам Лары и декларативна:

> «Где у мужчин глаза? На твоем месте я непременно бы в нее влюбилась. Такая прелесть! Какая внешность! Рост. Стройность. Ум. Начитанность. Доброта. Ясность суждения» (420).

Лишены портретного облика Веденяпин, Александр Громеко, взрослые Гордон и Дудоров и, наконец и прежде всего, сам Юрий Андреевич Живаго, — кроме указания на его курносость,[38] мы не находим в романе

---

[38] Это указание весьма настойчиво проведено через весь роман. См. на стр. 3 описание мальчика, стоящего на материнской могиле: «Его курносое лицо исказилось. Шея его вытянулась»; далее, на стр. 129: «За что он на меня обиделся? — подумала Лара и удивленно

каких-либо других портретных черт. Портрет исчезает из живописующей мозаики целого, когда повествуется о персонажах ближнего круга.

Исключение составляет лишь облик Лары. Творческая природа его портретности, однако, образует еще больший контраст с традиционной портретностью второстепенных персонажей, чем беспортретность главных; стилевой дуализм выступает здесь отчетливо.

Законченно-целостной портретной экспозиции Лары по существу нет в романе, хотя дважды (в сцене первой встречи ее с Юрием Живаго в гостинице, у постели травившейся матери, и последней — у гроба) она, ее наружность, ее движения оказываются в фокусе сюжетного мотива. Во втором случае (встреча у гроба) изобразительная функция как бы передоверена средствам выражения душевной экспрессии; в первом перед нами — только фабульная завязка отношений, значительность которых подчеркивается лишь несколькими строчками авторского комментария:

> «Свет разбудил девушку. Она улыбнулась вошедшему, прищурилась и потянулась... между девушкой и мужчиной происходила немая сцена. Они не сказали друг другу ни слова и только обменивались взглядами. Но взаимное понимание их было пугающе волшебно, словно он был кукольником, а она послушною движениям его руки марионеткою... Юра пожирал обоих глазами... Зрелище порабощения девушки было неисповедимо таинственно и беззастенчиво откровенно» (61-62).

Несколько зримых черт находим еще раньше в описании, носящем местами характер некоторой поспешной декларативности:

> «Ей было немногим больше шестнадцати, но она была вполне сложившейся девушкой. Ей давали восемнадцать лет и больше. У нее был ясный ум и легкий характер. Она

взглянула на этого курносого, ничем не замечательного незнакомца»; и, наконец, на стр. 521, в реплике Дудорова о бельевщице Тане: «У этой Тани манера улыбаться во все лицо, как была у Юрия, ты заметил? На минуту пропадает курносость, угловатость скул, лицо становится привлекательным, миловидным».

была очень хороша собой. ...Лара была самым чистым существом на свете. ...Она двигалась бесшумно и плавно, и все в ней, — незаметная быстрота движений, рост, голос, серые глаза и белокурый цвет волос были под стать друг другу» (24-25).

Но уже несколькими строками ниже конкретность рисунка заменяется словно бы пунктиром и, как в беспредметной живописи, сливается с абстрагирующим целым характеристики:

> «Свой рост и положение в постели Лара ощущала сейчас двумя точками, — выступом левого плеча и большим пальцем правой ноги. Это были плечо и нога, а все остальное — более или менее она сама, ее душа или сущность, стройно сложенная в очертаниях и отзывчиво рвущаяся в будущее» (25).

Так останется и дальше, поскольку автор на протяжении всего романа непрестанно возвращается к облику Лары, как бы ища реалистически-зримых красок и форм, и, не найдя, выводит изображение в некий внереалистический «аут», который и определяет поэтику образа в целом:

> «О, как он любил ее! Как она была хороша! Как раз так, как ему всегда думалось и мечталось как ему было надо! Но чем, какой стороной своей? Чем-нибудь таким, что можно было назвать или выделить в разборе? О нет, о нет! Но той бесподобно простой и стремительной линией, какою вся она одним махом была обведена кругом сверху донизу Творцом и в этом божественном очертании сдана на руки его душе, как закутывают в плотно накинутую простыню выкупанного ребенка» (377).

Образ Лары весь из этих штрихов и деталей, освеченных и согретых видением самого автора и героя, их экспрессией и эмоциями: волосы («Шапка ее волос, разметанная по подушке, дымом своей красоты ела Комаровскому глаза и проникала в душу», 46); голос — «влажный, грудной, тихий от тяжести»; руки:

> «Она была бесподобна прелестью одухотворения. Ее руки поражали, как может удивлять высокий образ мыслей»

(46); «Он вспомнил большие белые руки Лары, круглые, щедрые...» (385); «В недавнем бреду он укорял небо в безучастии, а небо всею ширью опускалось к его постели, и две большие, белые до плеч женские руки протягивались к нему» (405); «Как хорошо было перестать действовать, добиваться, думать, и на время предоставить этот труд природе, самому стать вещью, замыслом, произведением в ее милостивых, восхитительных, красоту расточающих руках!» (405)!» «Она замерла и несколько мгновений не говорила, не думала и не плакала, покрыв середину гроба, цветов и тела собою, головою, грудью, душою и своими руками, большими, как душа» (512).

Некоторая абстрактность темы красоты в образной характеристике Лары остается до конца романа, до заключительной сцены у гроба Живаго («И было два человека в людском наплыве, мужчина и женщина, из всех выделявшиеся... высота их духа бросалась всем в глаза и производила странное впечатление... когда этот человек... и эта без старания красивая женщина входили в комнату, где находился гроб, все, кто сидел, стоял или двигался в ней, не исключая Марины, без возражения, как по уговору, очищали помещение...», стр. 506); пластичность изображения в связи с этим словно бы уступает место средствам экспрессивно-выразительным, пластический эпитет — эпитету интимно-задушевной окраски:

«Его выкармливала, выхаживала Лара своими заботами, своей лебедино-белой прелестью, влажно-дышащим горловым шопотом своих вопросов и ответов» (405); «Он клял на чем свет стоит бесталанную свою судьбу и молил Бога сохранить и уберечь жизнь красоты этой писаной,[39] грустной, покорной, простодушной» (456); «Там он опять получит в дар из рук Творца эту Богом созданную белую прелесть» (314).

Или вот — в видении-мираже доктора во время скитаний его в тайге:

---

[39] См. «красота моя писаная» у Юрия Живаго, 385.

«Как перекинутый над городской улицей от дома к дому плакат на большущем полотнище, протянулся в воздухе с одной стороны лесной прогалины на другую расплывчатый, во много раз увеличенный призрак одной удивительной боготворимой головы. И голова плакала, а усилившийся дождь целовал и поливал ее» (378).

И как заключительное звено, венчающее композицию образа в целом и его замысел, — развернутая ассоциация-символ: Природа — Россия — Лара — Жизнь:

«Вот весенний вечер на дворе. Воздух весь размечен звуками. Голоса играющих детей разбросаны в местах разной дальности, как бы в знак того, что пространство все насквозь живое. И эта даль — Россия, его несравненная, за морями нашумевшая, знаменитая родительница, мученица, сумасбродка, шалая, боготворимая, с вечно величественными и гибельными выходками, которых никогда нельзя предвидеть! О, как сладко существовать! Как сладко жить на свете и любить жизнь! О, как всегда тянет сказать спасибо самой жизни, самому существованию, сказать это им самим в лицо! Вот это-то и есть Лара. С ними нельзя разговаривать, а она их представительница, их выражение, дар слуха и слова, дарованный безгласным началам существования» (401-402).

***

В отличие от портрета, поэтико-стилевая структура *пейзажа* в романе связана почти исключительно с *гомогенными* «я» повествования; поэтическое *видение* природы органично именно для них и лишь случайно и попутно «третьим лицам» действия. «Попутность» может, как кажется, создавать иногда некую сухость стилевых черт. Например:

«Она (Антонина Александровна. — Л. Р.) не заметила, как ушел поезд, и обнаружила его исчезновение только после того, как обратила внимание на открывшиеся после его отбытия вторые пути с зеленым полем и синим небом по ту сторону» (273).

И далее:

«Птичий свист в роще соответствовал ее свежести» (274).

В пейзаже «авторизованного» видения шире и полнее, чем в каком-либо другом из компонентов романа, выступают знакомые черты поэтики Пастернака-лирика. Какие именно? «Этим стихам, — читаем на стр. 66 романа, — Юра прощал грех их возникновения за их энергию и оригинальность. Эти два качества, энергии и оригинальности, Юра считал представителями реальности в искусствах, во всем остальном беспредметных, праздных и ненужных».

Цитата приведена здесь, чтобы из самого текста романа заимствовать два признака-определения, так хорошо приложимые и к живописи природы у Пастернака-прозаика. «Оригинальность», т.е. своеобразие и самобытность образного отбора, смелость и неожиданность ракурсов, образно-ассоциативных сближений и акцентов, превращающих зримое в переживаемое. «Энергия» — то есть экспозиционная динамика, экспрессивная напряженность и внутреннее «движение» образа. Все это перекочевало в романную поэтику пейзажа из стихотворных сборников автора.

Энергия пейзажа — в сжатости и «стремительности» фразово-стилевого строя:

> «Была ледяная стужа. Улицы покрывал лед, толстый, как стеклянные донышки битых пивных бутылок. Было больно дышать. Воздух забит был серым инеем, и казалось, что он щекочет и покалывает своею косматою щетиной точно так же, как шерстил и лез Ларе в рот седой мех ее обледенелой горжетки» (78); «Давно настала зима. Стояли трескучие морозы. Разорванные звуки и формы без видимой связи появлялись в морозном тумане, стояли, двигались, исчезали» (380-381).

Энергия — в концентрированности признаков, вводящих в целое, составляющих целое, в особой экспрессии речевого выражения, обусловливающей его ритмический склад. Эта экспрессия — существенный элемент поэтики пастернаковского пейзажа, столь приближающегося к пластичности бунинского и вместе с тем столь отличного от него:[40]

---

[40] Ср. у Бунина, «Жизнь Арсеньева», Изд-во им. Чехова, Нью-

> «Веяло чем-то новым, чего не было прежде. Чем-то волшебным, чем-то весенним, черняво-белым, редким, неплотным, таким, как налет снежной бури в мае, когда мокрые тающие хлопья, упав на землю, не убеляют ее, а делают еще чернее. Чем-то прозрачным, черняво-белым, пахучим. «Черемуха!» — угадал Юрий Андреевич во сне» (241); «Эти, цветом пламени без огня горевшие, эти, криком о помощи без звука вопиявшие поля холодным спокойствием окаймляло с края большое, уже к зиме повернувшееся небо, по которому, как тени по лицу, безостановочно плыли длинные слоистые снеговые облака с черной середкой и белыми боками» (479).

Энергичен эпитет, вдруг включающий в экспозицию целого — света, тени, красок, звуков и тишины — нюанс яркой и точной находки: «потная рыжеволосая кукуруза» (363); «мокрое небо в грязногороховых тучах» (186); «тафтяная ночная тьма» (323); чернолиловый жар надвинувшейся весны» (323); «молодой, невыстоявшийся свет ранней весны» (393); «скупые, как бы отмороженные слова» (181); «кружевная, рукописная тонкость берез» (463) и др.

И целое:

> «Снег желтел под лучами полдня, и в его медовую желтизну сладким осадком вливалась апельсиновая гуща рано наступавшего вечера» (450); «Темнопунцовое солнце все еще круглилось над синей линией сугробов. Снег жадно всасывал ананасную сладость, которою оно его заливало» (462); «Выдавались тихие зимние вечера, светлосерые, темнорозовые. По светлой заре вычерчивались черные верхушки берез, тонкие, как письмена. Текли черные ручьи под серой дымкой легкого обледенения, в берегах из бе-

---

Йорк 1952, стр. 72: «Мягко тянуло с поля сушью, зноем, светлый лес трепетал, струился, слышался его дремотный, как будто куда-то бегущий шум. Этот шум иногда возрастал, усиливался, и тогда сетчатая тень пестрела, двигалась, солнечные пятна вспыхивали, сверкали на земле и в деревьях, ветви которых гнулись и светло раскрывались, показывая небо». Или, там же, стр. 104: «...зловеще блистало два тусклых солнца, и в тугой и звонкой недвижности жгучего воздуха весь город медленно и дико дымился алыми дымами из труб и весь скрипел и визжал от шагов прохожих и санных полозьев».

лого, горами лежащего, снизу подмоченного темною речной водою снега. И вот такой вечер, морозный, прозрачно-серый, сердобольный, как пушинки вербы, через час-другой обещал наступить против дома с фигурами в Юрятине» (389).

Сравнения — наиболее интенсивный троп Пастернака. Энергия и своеобразие их — в широте и непринужденности отбора, неожиданности и точности образно-ассоциативных параллелей:[41]

«В разрывах заросли проступала вода пруда, как сок арбуза в треугольнике разреза» (18); «Тень была не черного, а темносерого цвета, как промокший войлок» (17); «Одуряющее благоухание утра, казалось, исходило именно от этой отсыревшей тени на земле с продолговатыми просветами, похожими на пальцы девочки» (17); «...бледные худощавые мальвы, похожие на хуторянок в рубахах, которых жара выгнала из душных хат подышать свежим воздухом» (143-144); «...пшеница... высилась в крестцах далеко от дороги, где при долгом вглядывании принимала вид движущихся фигур, словно это ходили по краю горизонта землемеры и что-то записывали» (6); «Прокатился гром, будто плугом провели борозду через все небо, и все стихло. А потом раздались четыре гулких, запоздалых удара, как осенью вываливаются большие картофелины из рыхлой, лопатою сдвинутой гряды» (186); «...свет рано садящегося осеннего солнца, сочный, стеклянный и водянистый, как спелое яблоко белый налив» (188).

Образная мозаика пейзажа и образы в пейзаже — небо, солнце, лес, воздух — обретают временами более

---

[41] Формы сравнения с «как» преобладают над прочими; творительный падеж редок. Выборочный подсчет показывает такие соотношения: из ста последовательно зарегистрированных в тексте сравнений 55 присоединяются союзом «как», 28 начинаются с «словно», «будто», «как будто», «точно», 11 даны в форме творительного падежа; остальные — в конструкциях типа «похожий на», «напоминающий» и пр. Подсчет может представлять интерес в том смысле, что, как оказывается, то же соотношение встречаем и в стихотворном цикле романа. В последнем стихотворении цикла, «Гефсиманский сад», находим даже такое нарушение фразеологического «лежать пластом» в пользу сравнения с «как»:

«Вас Господь сподобил
Жить в дни мои, вы ж разлеглись, как пласт», 565.

или менее различимый второй план; творчески пережитый образ как бы переливается «через край» своих вещественно-реальных очертаний в некое «аутное» продление. Отметим хотя бы прием сближения субъекта и объекта видимого — «ручное» небо, например, в описании представлений о мире и Боге маленького Юры Живаго или зимний вечер, «сочувствующий свидетель» одиночества доктора в Варыкине:

> «Это недоступно-высокое небо наклонялось низко-низко к ним в детскую макушкой в нянюшкин подол, когда няня рассказывала что-нибудь божественное, и становилось близким и ручным, как верхушки орешника, когда его ветки нагибают в оврагах и обирают орехи. Оно как бы окуналось у них в детской в таз с позолотой и, искупавшись в огне и золоте, превращалось в заутреню или обедню в маленькой переулочной церквушке, куда няня его водила. Там звезды небесные становились лампадками, Боженька — батюшкой и все размещалось на должности более или менее по способностям» (88); «Окружающее приобретало черты редкой единственности, даже самый воздух. Небывалым участием дышал зимний вечер, как всему сочувствующий свидетель. Точно еще никогда не смеркалось так до сих пор, а завечерело в первый раз только сегодня в утешение осиротевшему, впавшему в одиночество человеку. Точно не просто поясною панорамою стояли, спинами к горизонту, окружные леса по буграм, но как бы только что разместились на них, выйдя из-под земли для изъявления сочувствия» (463).

Или такое, например, олицетворение в одной из заключительных сцен романа (у гроба Живаго), отчетливо выводящее изображение во внереалистический «аут»:

> «Они (цветы. — Л. Р.) не просто цвели и благоухали, но как бы хором, может быть, ускоряя этим тление, источали свой запах и, оделяя всех своей душистою силой, к а к б ы ч т о - т о с о в е р ш а л и. Царство растений так легко себе представить ближайшим соседом царства смерти. Здесь, в зелени земли, между деревьями кладбищ, среди вышедших из гряд цветочных всходов сосредоточены, может быть, тайны превращения и загадки жизни, над которыми мы бьемся. Вышедшего из гроба Иисуса Мария не узнала в первую минуту и приняла за идущего по по-

госту садовника (Она же, мняще, яко вертоградарь есть...)», (505).

«Аутны» отвлеченно-ассоциативные стили некоторых описаний:

«Станцию обступил стеклянный сумрак белой ночи. Эту светлую тьму пропитывало что-то тонкое и могущественное. Оно было свидетелем шири и открытости места...» (239); «Гром прочистил емкость пыльной протабаченной комнаты. Вдруг, как электрические элементы, стали ощутимы составные части существования, вода и воздух, желание радости, земля и небо» (186); «Эти картины и зрелища производили впечатление чего-то нездешнего, трансцендентного. Они представлялись частицами каких-то неведомых инопланетных существований, по ошибке занесенных на землю» (388).

То же — в сравнениях:

«Озаренная месяцем ночь была поразительна, как милосердие или дар ясновиденья...» (144).

В эпитетах:

«...усыпленный неведомой упругостью здешнего воздуха, доктор снова заснул» (420).

***

«Аутное» продление образа как бы сообщает ему второй язык, язык второго осмысления. Вот, например, рябина в тайге:

«Она росла на горке над низким кочкарником и протягивала ввысь, к самому небу, в темный свинец предзимнего ненастья плоско расширяющиеся щитки своих твердых разордевшихся ягод. Зимние пичужки с ярким, как морозные зори, оперением, снегири и синицы, садились на рябину, медленно, с выбором клевали крупные ягоды и, закинув кверху головки и вытянув шейки, с трудом их проглатывали.

Какая-то живая близость заводилась между птицами и деревом. Точно рябина все это видела, долго упрямилась, а потом сдавалась и, сжалившись над птичками, уступала, расстегивалась и давала им грудь, как мамка младенцу. «Что, мол, с вами поделаешь. Ну, ешьте, ешьте меня. Кормитесь». И усмехалась» (363).

Отрывок принадлежит 12-й части книги, — части, озаглавленной «Рябина в сахаре». Рассказывается в ней о последних днях пребывания Юрия Живаго среди партизан, тоске его по своим и по Ларе в обстановке сурового и жестокого (описывается расстрел одиннадцати партизан-заговорщиков) быта мятущихся по тайге людей. Перечитав эти несколько главок, легко убедиться в том, что и приведенный выше образ рябины, и многие иные образно-повествовательные фрагменты двуязычны, как и само заглавие части, сдвинуты в «аут» некоторого параллельного толкования.

Таков, например, весь эпизод о солдатке-Кубарихе, ворожее и «скотьей лекарке». Уже самый портрет ее дан в стилевом отношении иначе, чем портреты других эпизодических лиц:

> «Она была в неизменной английской своей пилотке и гороховой интервентской шинели с небрежно отогнутыми отворотами. Впрочем, высокомерными чертами глухой страстности, молодо вычернившей глаза и брови этой немолодой женщины, на лице ее было ясно написано, до чего ей все равно, в чем и без чего ей быть» (374).

Вот Кубариха поет какую-то старинную русскую песню.

> «Всеми способами, повторениями, параллелизмами, она задерживает ход постепенно развивающегося содержания. У какого-то предела оно вдруг сразу открывается и разом поражает вас. Сдерживающая себя, властвующая над собой тоскующая сила выражает себя так. Это безумная попытка словами остановить время» (372).

Далее (на стр. 375-377) приводится заговор Кубарихи, перерастающий постепенно из собственно заговора в своеобразный трактат о колдовстве, сказовая стилизация которого заставляет отчасти вспомнить Ремизова:[42]

---

[42] См. книги: «Бесноватые», изд-во «Оплешник», Париж 1951; «Мелюзина», Париж 1952.

«Тетка Моргосья, приди к нам в гости. Овторник середу, сыми порчу вереду. Сойди восца с коровья сосца. Стой смирно, Красавка, не переверни лавку. Стой горой, дой рекой. Страфила, страшила, слупи наскрозь струп шелудивый в крапиве брось. Крепко, что царско, слово знахарско. Все надо знать, Агафьюшка, отказы, наказы, слово обежное, слово обережное. Ты вот, смотришь и думаешь, лес. А это нечистая сила с ангельским воинством сошлась, рубятся, вот что ваши с басалыжскими. ...Или опять это ваше знамя красное. Ты что думаешь? Думаешь, это флак? Ан вот видишь совсем оно не флак, а это девки моровухи манкóй малиновый платок, манкóй, говорю, а отчего манкóй? Молодым ребятам платком махать, подмигивать, молодых ребят манить на убой, на смерть, посылать мор. А вы поверили, — флак сходись ко мне всех стран пролета́ и беднота.

...Придет зима, пойдет метелица в поле вихри толпить, кружить столбунки. И я тебе в тот столб снеговой, в тот снеговорот нож залукну, вгоню нож в снег по самый черенок, и весь красный в крови из снега выну.

...Или тоже, например, теперь камни с неба падают, падают яко дождь. Выйдет человек за порог из дому, а на него камни. Или иные видеху конники проезжали верхом по небу, кони копытами задевали за крыши. Или какие кудечники в старину открывали: сия жена в себе заключает зерно или мед или куний мех. И латники тем занагощали плечо, яко отмыкают скрынницу, и вынимали мечом из лопатки у какой пшеницы меру, у какой белку, у какой пчелиный сот».

Затем — реакция Живаго-слушателя, его видение-мираж:

«Отчего же тирания предания так захватила его? Отчего к невразумительному вздору, к бессмыслице небылицы отнесся он так, точно это были положения реальные? Ларе приоткрыли левое плечо. Как втыкают ключ в секретную дверцу железного, вделанного в шкап тайничка, поворотом меча ей вскрыли лопатку. В глубине открывшейся душевной полости показались хранимые ее душою тайны. Чужие посещенные города, чужие улицы, чужие дома, чужие просторы потянулись лентами, раскатывающимися мотками лент, вываливающимися свертками лент наружу. О, как он любил ее! Как она была хороша!» (377).

И, наконец, в завершение главы, — замыкающий целое повтор: тот же образ рябины, которая

> «...простирала две заснеженные ветки вперед навстречу ему. Он вспомнил большие белые руки Лары, круглые, щедрые и, ухватившись за ветки, притянул дерево к себе. Словно сознательным ответным движением рябина осыпала его снегом с ног до головы. Он бормотал, не понимая, что говорит, и сам себя не помня:
> — Я увижу тебя, красота моя писаная, княгиня моя рябинушка, родная кровинушка» (385).

* * *

Две последние строчки цитаты подводят нас к разбору форм экспрессивного и экспрессивно-эмоционального выражения в романе. «Энергия» и «своеобразие», расшифровываемые как экспрессия, — неизменный и яркий поэтический компонент пастернаковской прозы. Экспрессивного наполнения формальные и лексические суперлативы, конструкции, ритмы и интонации широко представлены в монологической речи романа:

> «Это было серьезнейшее поражение ее жизни. Лучшие, светлейшие ее надежды рухнули» (111); «Он (Юра Живаго. — Л. Р.) был беспримерно впечатлителен, новизна его восприятий не поддавалась описанию» (64); «Тупо блуждающая улыбка нечеловеческого, никакими силами не победимого страдания не сходила с его (Памфила Палых. — Л. Р.) лица» (380);[43] «Он (Ника Дудоров. — Л. Р.) ...в безумном превышении своих сил... не шепнул, но всем существом своим, всей своей плотью и кровью пожелал и задумал: «замри!» (17); «Пахло всеми цветами на свете сразу, словно земля днем лежала без памяти, а теперь этими запахами приходила в сознание» (142); «Повышается ви-

[43] Ср. в «Детстве Люверс», 44: «Они были упоительно ужасны, эти царства; совершенно сатанински восхитительны».

димость и слышимость всего на свете, чего бы то ни было...» (188); «О, какой это был заколдованный круг!» (47).[44]

Концентрируются эти формы преимущественно вокруг гомогенного «триединства»: автор — Юрий Живаго — Лара:

«При допущении, что он еще раз увидит Антипову, Юрий Андреевич обезумел от радости» (314). «Страшная, ранящая боль примешалась к его безумной радости» (390); «Безумное возбуждение и необузданная суетливость сменили его предшествующий упадок сил» (393); «Но душа его была истерзана вся кругом, и одна боль вытесняла другую» (400); «У Юрия Андреевича разрывалось сердце. Всем существом своим он хотел схватить мальчика на руки...» (403); «Сердце у нее (Лары. — Л. Р.) разрывалось...» (511); «...приступ туманящей, непобедимой нежности обезоруживал их» (450).

Ср. аналогичные ряды в речи персонажей, например — у доктора, где они часто формируют весь стилевой строй высказывания с образно-гиперболическими акцентами огромного внутреннего напряжения:

«Когда ты тенью в ученическом платье выступила из тьмы номерного углубления, я, мальчик, ничего о тебе не знавший, всей мукой отозвавшейся тебе силы понял: эта щупленькая, худенькая девочка заряжена, как электричеством, до предела, всей мыслимой женственностью на свете. Если подойти к ней близко или дотронуться до нее пальцем, искра озарит комнату и либо убьет на месте, либо на всю жизнь наэлектризует магнетически влекущейся, жалующейся тягой и печалью. Я весь наполнился блуждающими слезами, весь внутренне сверкал и плакал» (437).

У Лары:

«Я кровью сердца, каждой жилкою чувствую все повороты его почерка» (509).

---

[44] Ср. в «Повести», 66: «О, как радовало его, что не устояли и сдвинулись, наконец, и поехали все эти Сокольники и Тверские-Ямские, и дни и ночи двух последних недель!».

Иной раз представляется, что экспрессия как форма творческого выражения как бы вытесняет собою другие, семантически и функционально адэкватные, повествовательные ряды. Вот, например, характеристика Лары (см. разрядку), несколько декларативная, несколько неожиданная в окружающем повествовательном контексте:

> «Она и Родя понимали, что всего в жизни им придется добиваться своими боками. В противоположность праздным и обеспеченным, им некогда было предаваться преждевременному пронырству и теоретически разнюхивать вещи, практически их еще не касавшиеся. Грязно только лишнее. Лара была самым чистым существом на свете» (24).

Или такой, например, экспрессивный нажим, передающий как бы взамен чего-то другого, описательно-аналитического, душевное состояние доктора:

> «Юрий Андреевич обманывал Тоню и скрывал от нее вещи, все более серьезные и непозволительные. Это было неслыханно. Он любил ее до обожания. Мир ее души, ее спокойствие были ему дороже всего на свете. Он стоял горой за ее честь, больше чем ее родной отец и чем она сама... Он изнемогал под тяжестью нечистой совести» (312).

Некоторые экспрессивные формы и стили, особенно в диалогической речи, могут иногда ощущаться риторическими. Надо заметить однако, что «пафос» — один из данных нам элементов языка главного персонажа («Как бы мне хотелось говорить с тобой без этого дурацкого пафоса!» — признается Юрий Живаго Ларе на стр. 437), прослеживаемый рефлексивно и в языке Лары, и, что особенно существенно, в языке автора. Наблюдение это позволяет, как кажется, установить некую особую поэтическую функцию форм эмоционально-экспрессивного выражения в романе. Функция эта состоит в типизации, в раскрытии индивидуальной особости, «на других непохожести» центрального образа романа, речевая сфера которого временами столь явно сливается с образом повествовательного «я». Следы ее можно, повидимому, обнаружить еще в некоторых общих языку автора и языку героя особенностях словоотбора — его «домашности», его подчеркнуто личной окраске. Далее — опять-таки в личной, интимной окрашенности строя несобственно прямой речи, передающей размышления и переживания Юрия Живаго и Лары, в индивидуализированности речевого их обихода (см., например, ласкательные обращения типа «ангел мой», «сердце мое» и др.).

В своей кульминации функция эта служит созданию тех стилей передачи душевных движений и состояний, которые можно было бы назвать стилями душевной экспрессии. Своеобразие их поэтическо-речевой структуры как бы уже подготовлено типизацией речевого выражения, «подъемность» их не ощущается более как патетика, они суверенны и убедительны. Будь это уже приводившийся выше мираж и размышления Юрия Живаго в тайге перед уходом от партизан или больной бред его, или описание последнего пребывания в Варыкине,[45] все здесь — синтаксис, ритмы и образы — предельно вздыблено, взвихрено напором глубинных переживаний, и все столь же предельно подлинно:

> «Не сам он, а что-то более общее, чем он сам, рыдало и плакало в нем нежными и светлыми, светящимися в темноте, как фосфор, словами. И вместе со своей плакавшей душой плакал он сам» (404); «Он идет к ней. Сейчас, в Новосвалочном, пустыри и деревянная часть города кончится, начнется каменная. Домишки пригорода мелькают, проносятся мимо, как страницы быстро перелистываемой книги, не так, как когда их переворачиваешь указательным пальцем, а как когда мякишем большого по их обрезу с треском прогоняешь их все. Дух захватывает! Вот там живет она, в том конце. Под белым просветом к вечеру прояснившегося дождливого неба. Как он любит эти знакомые домики по пути к ней! Так и подхватил бы их с земли на руки и расцеловал! Эти поперек крыш нахлобученные одноглазые мезонины! Ягодки отраженных в лужах огоньков и лампад! Под той белой полосой дождливого уличного неба. Там он опять получит в дар из рук Творца эту Богом созданную белую прелесть. Дверь отво-

---

[45] См., например, вдруг врывающуюся в повествование фразовую инверсию: «Опять день прошел в помешательстве тихом», 450.

рит в темное закутанная фигура. И обещание ее близости, сдержанной, холодной, как светлая ночь севера, ничьей, никому не принадлежащей, подкатит навстречу, как первая волна моря, к которому подбегаешь в темноте по песку берега» (314).

В композиционном облике этих стилей опять-таки ощущается некоторое смещение в «аут», в сторону от реалистической традиции. Особенно — в диалогической речи, где внутренняя экспрессия еще горячей и взволнованнее и, тем не менее, так полно сливается с формой выражения, так впечатляюща и так художественно правдива:

«И вот она (Лара. — Л. Р.) стала прощаться с ним простыми, обиходными словами бодрого бесцеремонного разговора, разламывающего рамки реальности и не имеющего смысла, как не имеют смысла хоры и монологи трагедий, и стихотворная речь, и музыка, и прочие условности, оправдываемые одною только условностью волнения...

— Вот и снова мы вместе, Юрочка. Как опять Бог привел свидеться. Какой ужас, подумай! О, я не могу! И Господи! Реву и реву! Подумай! Вот опять что-то в нашем роде, из нашего арсенала. Твой уход, мой конец. Опять что-то крупное, неотменимое...

Прощай, большой и родной мой, прощай моя гордость, моя быстрая глубокая реченька, как я любила целодневный плеск твой, как я любила бросаться в твои холодные волны...» (513-514).

Или в последнем, обращенном к уехавшей Ларе, монологе Юрия Живаго:

«Прелесть моя незабвенная! Пока тебя помнят вгибы локтей моих, пока еще ты на руках и губах моих, я побуду с тобой. Я выплачу слезы о тебе в чем-нибудь достойном, остающемся. Я запишу память о тебе в нежном, нежном, щемяще печальном изображении... Вот как я изображу тебя. Я положу черты твои на бумагу, как после страшной бури, взрывающей море до основания, ложатся на песок следы сильнейшей, дальше всего доплескивавшей волны. Ломаной извилистой линией накидывает море пемзу, пробку, ракушки, водоросли, самое легкое и невесомое, что оно могло поднять со дна. Это бесконечно тянущаяся вдаль береговая граница самого высокого прибоя. Так прибило тебя бурей жизни ко мне, гордость моя. Так я изображу тебя».[46]

ГЛАВА VI

ТАЙНОПИСЬ КАК ФОРМА ТВОРЧЕСКОГО САМОРАСКРЫТИЯ

Стилевой дуализм в свете приведенных выше наблюдений раскрывается собственно как дуализм авторской поэтики: традиционно-реалистическим ее элементам противостоит смещение системы образного выражения в некий внереалистический «аут». Какова творческая природа этого «аута»?

---

[46] Небезынтересно, быть может, со стороны внешней, формальной аналогии, сопоставить с приведенными выше отрывками монологи Соломона к своей возлюбленной из повести А. Куприна «Суламифь», в которых так отчетливо выступают черты литературной стилизации, например:

> «Ты похожа на царскую ладью в стране Офир, о моя возлюбленная, на золотую легкую ладью, которая плывет, качаясь по священной реке, среди белых ароматных цветов...», А. Куприн, Сочинения в 3-х томах, Москва 1953, т. 3, стр. 79-80; и далее: «Я нашел тебя, подобно тому, как водолаз в Персидском заливе наполняет множество корзин пустыми раковинами и малоценными жемчужинами, прежде чем достанет с морского дна перл, достойный царской короны. Дитя мое, тысячи раз может любить человек, но только один раз он любит. Тьмы-тем людей думают, что они любят, но только двум из них посылает Бог любовь...» (82); «Проходят тьмы и тьмы-тем веков, все в мире повторяется, — повторяются люди, звери, камни, растения. В многообразном круговороте времени и вещества повторяемся и мы с тобою, моя возлюбленная. Это так же верно, как и то, что если мы с тобою наполним большой мешок доверху морским гравием и бросим в него лишь один драгоценный сапфир, то, вытаскивая много раз из мешка, ты все-таки рано или поздно извлечешь и драгоценность. Мы с тобою встретимся, Суламифь, и мы не узнаем друг друга, но с тоской и восторгом будут стремиться наши сердца навстречу, потому что мы уже встречались с тобою, моя кроткая, моя прекрасная Суламифь, но мы не помним этого» (96).

Ответ на вопрос можно отчасти найти в некоторых отдельных разбросанных по тексту романа высказываниях, в той или иной степени касающихся проблемы зримого и сущего в ее эстетическом или, точнее, эстетико-философском опосредствовании. Так, например, на стр. 500-501 романа в «записи», найденной среди бумаг Юрия Живаго, читаем:

> «Беспорядочное перечисление вещей и понятий, с виду несовместимых и поставленных рядом, как бы произвольно, у символистов, Блока, Верхарна и Уитмана, совсем не стилистическая прихоть. Это новый строй впечатлений, подмеченный в жизни и списанный с натуры... Постоянно, день и ночь шумящая за стеною улица так же тесно связана с современною душою, как начавшаяся увертюра с полным темноты и тайны, еще спущенным, но уже заалевшимся огнями рампы театральным занавесом. Беспрестанно и без умолку шевелящийся и рокочущий за дверьми город есть необозримо огромное вступление к жизни каждого из нас».

В этом, внутренне может быть полемическом, высказывании лежит утверждение того расширенного видения мира, которое и ставит наряду с воспринимаемым угадываемое. «Новый строй впечатлений» — строй угадываемого сущего. Он, этот строй, требует и новых форм творческого выражения. Форма, однако, — не оболочка: «Мне искусство никогда не казалось предметом или стороною формы, но скорее таинственной и скрытой частью содержания», — читаем в размышлениях Живаго об искусстве (стр. 290-291).

Форма — само «сущее»: «Красота есть счастье обладания формой, форма же есть органический ключ существования, формой должно обладать все живущее, чтобы существовать, и, таким образом, искусство, в том числе и трагическое, есть рассказ о счастье существования» (466).

Форма — одновременно и сущее, и его выражение. Но сущее не совпадает со зримым, оно многозначнее. Оно таинственно в этой своей многозначности. «Жизнь символична, потому что она значительна», —

говорит Веденяпин (42). Поэтическим выражением этой значительности становится символ, иносказание.[47]

Символичность природы аутных стилей в романе Пастернака очевидна. Анализ ее, однако, задача собственно литературоведческого исследования. Ограничимся поэтому лишь немногими иллюстрациями. Вот, сверх уже приведенных выше, еще одна: центральный и «сквозной» образ-символ романа — образ горящей свечи:

> «Они проезжали по Камергерскому. Юра обратил внимание на черную протаявшую скважину в ледяном наросте одного из окон. Сквозь эту скважину просвечивал огонь свечи, проникавший на улицу почти с сознательностью взгляда, точно пламя подсматривало за едущими и кого-то поджидало.
> «Свеча горела на столе. Свеча горела...» — шептал Юра про себя начало чего-то смутного, неоформившегося, в надежде, что продолжение придет само собой, без принуждения. Оно не приходило» (81-82).

Оно пришло к герою повествования в один из творческих его порывов, описываемых в романе; для читателя же — лишь в самом конце романа в стихотворении «Зимняя ночь», образуя как бы своего рода композиционный эллипс мотива. На кривой этого эллипса, словами и ощущениями Лары, вписаны еще два повтора:

> «— ты все горишь и теплишься, свечечка моя яркая! — влажным, заложенным от спанья шопотом тихо сказала она. — На минуту сядь поближе, рядышком. Я расскажу тебе, какой я сон видела» (450).

И второй:

> «Могла ли она думать, что лежавший тут на столе умерший видел этот глазок (протаявший на стекле. — Л. Р.) проездом с улицы и обратил на свечу внимание? Что с этого, увиденного снаружи пламени, — «Свеча горела на столе,

---

[47] См. в «Охранной грамоте», 11: «Прямая речь чувства иносказательна, и ее нечем заменить...», «Искусство реалистично как деятельность и символично как факт...», «...не поддающееся цитированию слово искусства состоит в иносказании и символически говорит о силе».

свеча горела» — пошло в его жизни его предназначение?» (511).

От этого эллипса тянутся нити к Блоку. Именно о Блоке, проезжая по Камергерскому мимо окна со свечой, вспоминает Юра Живаго:

«Вдруг Юра подумал, что Блок это явление Рождества во всех областях русской жизни, в северном городском быту и в новейшей литературе, под звездным небом современной улицы и вокруг зажженной елки в гостиной нынешнего века. Он подумал, что никакой статьи о Блоке не надо, а просто надо написать русское поклонение волхвов, как у голландцев, с морозом, волками и темным еловым лесом» (81).

Перекличкой зачина «Двенадцати» с начальными строчками стихотворения замыкается эллипс:

Мело, мело по всей земле,
Во все пределы.
Свеча горела на столе... (550).

«Тень» Блока не только в прямых о нем упоминаниях (см. также высказывание Гордона на стр. 530 о временном переосмысливании символики блоковского «Мы, дети страшных лет России»); она — в тех безотчетно ведущих к Блоку ассоциациях, которые возникают там и здесь при чтении романа. Это может быть вполне обычное и все же ассоциируемое словцо — определение вроде: «Небо... превращалось в заутреню или обедню в маленькой переулочной церквушке...» (88), либо отдельный, блоковского же дыхания, образ-сравнение: «Святый Боже, святый крепкий, святый бессмертный» — тихим веянием проволакивается по переулку и остается в нем, как будто провели мягким страусовым пером по воздуху...» (89); или взволнованное, почти захлебывающееся напряжение эпитетов: «Господи! Господи!.. Как подпустил ты меня к себе, как дал забрести на эту бесценную твою землю, под эти твои звезды, к ногам этой безрассудной, безропотной, незадачливой, ненаглядной?» (449; ср. в блоковском «Перед судом»: «Страстная, безбожная, пустая, Незабвенная, прости меня!»). Это могут быть некоторые образно-стилевые черты пейзажа, заставляющие вспомнить кое-что из блоковской прозы. Ассоциации возникают, наконец, и при чтении стихотворного цикла романа, который ведь и открывается блоковской темой «Гамлета», заканчивается же темой Христа.

Как ни объяснять эту последнюю аналогию в смысле принятия или отрицания ее органичности и преднамеренности, — она есть данность: перекличка с «Двенадцатью» не ограничивается началом стихотворения. «Зимняя ночь», — пятьсот пятьдесят страниц романной композиции Пастернака венчаются образом Христа с той же неожиданностью и той же озаренностью тайной и внутренним оптимизмом экспрессивных акцентов, что и блоковская поэма.

«Блоковские» эти ассоциации не самодовлеющи, но лишь наводящи, то есть помогают в какой-то мере уяснить природу «аута» в романе. Особенно — в последней его, стихотворной, части. Она, разумеется, не поэтический «привесок», но апофеоз образно-сюжетной экспозиции целого, продолжение и завершение недосказанного прозой авторского монолога.

Утверждение это подводит нас к проблеме «образа автора», на которой и остановимся, прежде чем перейти к дальнейшему разбору.

***

В «Предисловии к сочинениям Гюи де Мопассана» Лев Толстой писал:

> «Люди, мало чуткие к искусству, думают часто, что художественное произведение составляет одно целое потому, что в нем действуют одни и те же лица, потому, что все построено на одной завязке, или описывается жизнь одного человека. Это несправедливо. Это только так кажется поверхностному наблюдателю: цемент, который связывает всякое художественное произведение в одно целое и оттого производит иллюзию отражения жизни, есть не единство лиц и положений, а единство самобытного нравственного отношения автора к предмету. В сущности, ко-

гда мы читаем или созерцаем художественное произведедение нового автора, основной вопрос, возникающий в нашей душе, всегда такой: «Ну-ка, что ты за человек? И чем отличаешься от всех людей, которых я знаю, и что можешь мне сказать нового о том, как надо смотреть на нашу жизнь?» Что бы ни изображал художник: святых, разбойников, царей, лакеев — мы ищем и видим только душу самого художника».[48]

Приводя это высказывание в своей — уже упоминавшейся выше — книге «О языке художественной литературы», академик В. Виноградов продолжает:

«То, что говорит Л. Толстой, одинаково относится и к идеологической позиции писателя и к стилистическим формам его литературного образа. В «образе автора», в его речевой структуре объединяются все качества и особенности стиля художественного произведения: распределение света и тени при помощи выразительных речевых средств, переходы от одного стиля изложения к другому, переливы и сочетания словесных красок, характер оценок, выражаемых посредством подбора и смены слов и фраз, своеобразия синтаксического движения».[49]

Образ автора находит выражение уже в самом явлении стилевого дуализма в романе. Внешне этот дуализм, казалось бы, отражает неоднородность авторского поэтического инструментария; со стороны же творческо-композиционной наличие реалистических стилей объективного повествования и стилей субъективных, аутных, есть как бы выражение основного конфликта романа — конфликта между внутренним миром одной, необычайного богатства, человеческой души и миром ее окружения.

Черты авторского образа отчетливо выступают в этом конфликте за тем «я» монолога, которое выше было названо «я» субъективного выражения». В части собственно мировоззренческой выступают они и в некоторых гомогенных «я» диалогической речи.

---

[48] Л. Н. Толстой о литературе, Гослитиздат, Москва 1955, стр. 286.

[49] В. Виноградов, О языке художественной литературы, ГИХЛ, Москва 1959, стр. 155.

Таково, например, утверждение суверенности личности по отношению к окружающей общественной и общественно-революционной стихии в разговоре доктора с партизанским вождем Ливерием:

> «— Поймите, поймите, наконец, что все это не для меня. «Юпитер», «не поддаваться панике», «кто сказал а, должен сказать бе», «Мавр сделал свое дело, мавр может уйти», — все эти пошлости, все эти выражения не для меня. Я скажу а, а бе не скажу, хоть разорвитесь и лопните. Я допускаю, что вы светочи и освободители России, что без вас она пропала бы, погрязши в нищете и невежестве, и тем не менее мне не до вас и наплевать на вас, я не люблю вас и ну вас всех к чорту» (348).

Ср. обобщение той же темы у Веденяпина:

> «Всякая стадность — прибежище неодаренности, все равно, верность ли это Соловьеву, или Канту, или Марксу. Истину ищут только одиночки и порывают со всеми, кто любит ее недостаточно» (9).

Таковы взгляды, касающиеся истории, понимания ее существа и места в ней человека, данные в высказывании главного персонажа (465-466), Веденяпина («...человек живет не в природе, а в истории, и... в нынешнем понимании она основана Христом...», 10), Симы Тунцевой (423); таковы мысли о душе и бессмертии, излагаемые Юрием Живаго у постели больной Анны Ивановны Громеко (67-69); его же суждения об искусстве (290-291) и прочие многочисленные разбросанные по роману анализы и оценки процессов исторического прошлого и революционного сегодня, вложенные в уста Живаго, Лары (см., например, стр. 413), Гордона (124-126) и Дудорова (519-520).

Этот хор голосов не полифоничен — персонажи не ведут дискуссии, они дополняют друг друга; иной раз и дублируют (см., например, тему о «христианстве истории» у Веденяпина и у Симы Тунцевой, или о еврействе у Гордона и Лары); их теоретические высказывания утверждают одно и то же мировоззрение. Именно потому стили многих их реплик и монологов так близки друг другу, а в целом — авторскому, и язык часто лишен черт индивидуальной характеристики. В том же лежит и причина их непортретности в отличие от зримости облика многих второстепенных лиц: функциональная их несамостоятельность как толкователей авторских взглядов делала излишним портретное воплощение; у автора не было и, вероятно, не могло быть для них «характерных» костюмов. Авторское самораскрытие в образе главного персонажа затрудняло также и портретную конкретизацию последнего.

Термин самораскрытие, пожалуй, наиболее подходит для определения внутреннего взаимоотношения «авторского образа» с образом героя романа. Речь идет не об автобиографичности в стандартном ее толковании (вряд ли не для предупреждения упрощенных аналогий наделен Юрий Живаго единственной и многажды подчеркнутой автором портретной чертой — курносостью) — речь идет об угадываемом читателем тождестве раскрываемого перед нами мира героя с душевным миром самого автора.

В самом деле: черты «авторского образа» и прежде всего его языковые черты, черты речевой структуры как некоего речевого единства, повторяются, как мы видели, в речевой сфере героя, как бы перекочевывают к нему от автора. Близость наблюдали мы в стилях изобразительных (см. пейзаж в «записях доктора»), в стилях несобственно-прямой речи и, наконец, — в стихотворном цикле романа, где столь неоспоримо пастернаковские, позднего поэтического почерка, стихи названы «Стихотворениями Юрия Живаго».

Нетрудно установить тождество стилевых примет и особенностей этой стихотворной части со всей семантико-речевой и образной структурой предшествующего прозаического повествования. В «Стихотворениях Юрия Живаго» структура эта концентрируется и продлевается: продлевается в особой поэтической функции употребление церковнославянизмов, продлеваются типы поэтических тропов, формы экспрессии. Продлеваются как черты образно-поэтического выражения одновременно и автора, и его героя.

Вот несколько сопоставлений:

Прозаический текст романа:	«Стихотворения Юрия Живаго»:
«Юрий Андреевич возвращался верхом из города в Варыкино... Вдруг вдали, где застрял закат, защелкал соловей. «Очнись! Очнись!» — звал и убеждал он, и это звучало почти, как перед Пасхой: Душе моя, душе моя! Восстани, что спиши!..» (311-314).	Огни заката догорали. Распутицей в бору глухом В далекий хутор на Урале Тащился человек верхом. А на пожарище заката, В далекой прочерни ветвей, Как гулкий колокол набата, Неистовствовал соловей (536-537).
«Я положу черты твои на бумагу, как после страшной бури, взрывающей море до основания, ложатся на песок следы сильнейшей, дальше всех доплескивавшейся волны. Ломаной извилистой линией накидывает море пемзу, пробку, ракушки, водоросли... Так прибило тебя бурей жизни ко мне, гордость моя» (464).	Она была так дорога Ему чертой любою, Как морю близки берега Всей линией прибоя. . . . . В года мытарств, во времена Немыслимого быта Она волной судьбы со дна Была к нему прибита (551-552).
«Когда он вошел в комнату, которую Лара убрала утром так хорошо и старательно и в которой все наново было разворошено спешным отъездом, когда увидал разрытую и неоправленную постель и в беспорядке валявшиеся вещи, раскиданные на полу и на стульях, он, как маленький, опустился на колени перед постелью, всей грудью прижался к твердому краю кровати и, уронив лицо в свесившийся конец перины, заплакал по-детски легко и горько» (464).	И человек глядит кругом: Она в момент ухода Все выворотила вверх дном Из ящиков комода. Он бродит, и до темноты Укладывает в ящик Раскиданные лоскуты И выкройки образчик. И наколовшись об шитье С невынутой иголкой, Внезапно видит всю ее И плачет втихомолку (552).

Налицо, следовательно, основания считать стихотворную часть романа продлением, точнее, углублением авторского монолога, где «авторское» и «живаговское» сливается уже до нерасчленимости, до конца. Внутренний мир монологического субъекта — мир эстетических преломлений и оценок, идей и чувствований — раскрывается здесь с особой энергией образного и экспрессивного насыщения, «аут» поэтического выражения обретает особую структуру и характер. В «аутных» стилях прозаического повествования символ — еще не иносказание, но лишь сдвинутость образа в некое параллельное осмысливание, особый почерк, освещение, светотень. Символ, который надо разгадывать, как разгадывают сон, в прозаической части романа встречается лишь один единственный раз. Это и есть, собственно, сон больного Юрия Живаго, сон или бред, в котором, чудится ему, он пишет поэму «Смятение» (211).

В части стихотворной иносказание — не спорадический, но постоянный компонент поэтического «аута». В «Стихотворениях Юрия Живаго» образ-символ становится образом-шифром. Форма творческого самораскрытия образует род тайнописи.

К прочтению ее и перейдем.

***

Стихотворный цикл романа открывается стихотворением «Гамлет», уже упоминавшимся выше при перечне «блоковских» ассоциаций. На странице 501 романа, приведя запись Юрия Живаго о языке урбанизма в поэтике Блока, Верхарна и Уитмена, городе, как «необозримо огромном вступлении к жизни каждого из нас», и желании Живаго «как раз в таких чертах» о нем написать, Пастернак замечает: «В сохранившейся стихотворной тетради Живаго не встретилось таких стихотворений. Может быть, стихотворение «Гамлет» относилось к этому разряду?»

Нарочитость замечания настораживает. Для чего оно? Обратить на это стихотворение внимание читателя? Подсказать намеренно-упрощенное его толкование как варианта навеянного Блоком урбанистического мотива? Как бы то ни было, «Гамлет» — действительно ключевое стихотворение цикла. Приведем его полностью:

Гул затих. Я вышел на подмостки.
Прислонясь к дверному косяку,
Я ловлю в далеком отголоске,
Что случится на моем веку.
На меня наставлен сумрак ночи
Тысячью биноклей на оси.
Если только можно, авва отче,
Чашу эту мимо пронеси.
Я люблю твой замысел упрямый
И играть согласен эту роль.
Но сейчас идет другая драма,
И на этот раз меня уволь.
Но продуман распорядок действий,
И неотвратим конец пути.
Я один, все тонет в фарисействе.
Жизнь прожить — не поле перейти (532).

Для сопоставления приведем и блоковское:

Я — Гамлет. Холодеет кровь,
Когда плетет коварство сети,
И в сердце — первая любовь
Жива — к единственной на свете.
Тебя, Офелию мою,
Увел далеко жизни холод,
И гибну, принц, в родном краю,
Клинком отравленным заколот.

Тема урбанизма, как видим, ни в одном из этих стихотворений ощутимо не выражена. Тема же бытийной катастрофы героя совпадает: беспощадная враждебность окружения («...все тонет в фарисействе» — у Пастернака; «Когда плетет коварство сети» — у Блока), трагедия обреченности (Пастернак: «...неотвратим конец пути»; Блок: «И гибну, принц, в родном краю, Клинком отравленным заколот»). Совпадает лишь в основном, потому что блоковский мотив Офелии у Пастернака отсутствует, мотив же обреченности осложнен и расширен дополнительным, новым мотивом, мотивом «моления о чаше». Мотив этот повторяется и в стихотворении «Гефсиманский сад», заключительном стихотворении цикла, как бы замыкая по кругу композиционно-тематическую кривую последнего. Его стилевая структура, однако, в обоих случаях различна. В стихотворении «Гефсиманский сад» м о л е н и е передается косвенной речью Христа как третьего лица поэтического повествования:

И, глядя в эти черные провалы,
Пустые, без начала и конца,
Чтоб эта чаша смерти миновала,
В поту кровавом он молил отца (565).

В «Гамлете» моление принадлежит самому лирическому субъекту и почти дословно воспроизводит евангельские слова Христа:

Если только можно, а в в а о т ч е,
Ч а ш у э т у м и м о п р о н е с и (532).[50]

Образ Христа присутствует или ощутим в семи стихотворениях цикла, и тема этого образа обычно несет с собой различной концентрации торжественную архаичность словаря и стиля.[51] Возникает образ Христа и за приведенными выше двумя строчками в стихотворении «Гамлет». Но здесь, и по ситуационно-смысловому моменту, и по форме выражения, образ этот совпадает с субъектом поэтического сообщения, сливается с ним, образуя единство.

Это, конечно, не случайность. Перед нами — одна из самых смелых, страстных и взвихренных поэтических ассоциаций Пастернака, обращающая образную символику в язык ш и ф р а.

Тема Христа, неизбежно сопутствующая самораскрытию гомогенного «я», — по существу «сквозная» тема всей прозаической части романа. Впервые упоминание о Христе встречаем на стр. 10, где автор, устами Веденяпи-

---

[50] Ср.: «Авва Отче! все возможно Тебе; пронеси чашу сию мимо Меня» (От Марка, 14, 34).

[51] Например: «И видят свет у царских врат, /И черный плат, и свечек ряд» («На страстной»); «Я жажду и алчу, а ты — пустоцвет» («Чудо»); «Он разбудил их: «Вас Господь сподобил /Жить в дни мои, вы ж разлеглись как пласт. /Час сына человеческого пробил. /Он в руки грешников себя предаст» («Гефсиманский сад») и т.д.

на, излагает свое понимание истории: «...можно быть атеистом, можно не знать, есть ли Бог и для чего он, и в то же время знать, что человек живет не в природе, а в истории, и что в нынешнем понимании она основана Христом, что евангелие есть ее обоснование». В том же плане толкования истории, опять-таки устами Веденяпина, рисуется образ Христа: «И вот в завал этой мраморной и золотой безвкусицы пришел этот легкий и одетый в сияние, подчеркнуто человеческий, намеренно провинциальный, галилейский, и с этой минуты народы и боги прекратились и начался человек, человек-плотник, человек- пахарь, человек-пастух в стаде овец на заходе солнца, человек, ни капельки не звучащий гордо, человек, благодарно разнесенный по всем колыбельным песням матерей и по всем картинным галереям мира» (44). Строки о Христе находим в высказываниях Гордона о еврействе (125), в «записях» Живаго (290), наконец, в монологах Симы Тунцевой, где автор продолжает свою концепцию христианской эры истории и близости человеческого и божьего как ее основного эзотерического признака:

> «Отдельная человеческая жизнь стала Божьей повестью... Как говорится в одном песнопении на Благовещение, Адам хотел стать Богом и ошибся, не стал им, а теперь Бог становится человеком, чтобы сделать Адама Богом» (423).

Чувство близости неба постоянно у Юрия Живаго; в метафорических стилях авторских описаний небо само спускается к нему, мальчику или взрослому, только что вырвавшемуся из партизанского лагеря:

> «Это недоступно-высокое небо наклонялось низко-низко к ним в детскую макушкой в нянюшкин подол... Оно как бы окуналось у них в детской в таз с позолотой и, искупавшись в огне и золоте, превращалось в заутреню или обедню в маленькой переулочной церквушке...» (88); «В недавнем бреду он укорял небо в безучастии, а небо всею ширью опускалось к его постели, и две большие, белые до плеч женские руки протягивались к нему» (405).

Чувство близости неба — в обращенности к нему внутреннего мира героя, душевных его движений и состояний, — созерцания или творческого порыва, восторга или отчаяния. В последнем случае призывы и жалобы, обращенные к небу, как бы перекликаются с мотивом моления в «Гамлете»:

> «О, как трудно и больно, Господи! О, не думать, не думать! Как путаются мысли!.. Вскую отринул мя еси от лица Твоего, Свете незаходимый?» (400);

И через несколько страниц:

> «В слезах от жалости к себе он беззвучным шепотом роптал на небо, зачем оно отвернулось от него и оставило его. «Вскую отринул мя еси от лица Твоего, Свете незаходимый, и покрыла мя есть чуждая тьма окаянного!» (405).

Ощущение Юрием Живаго мира в целом и своего места в нем аутно (если использовать и здесь этот термин взамен привычных иных), как аутны и его эстетические оценки творчества,[52] природы и любви. Существо этого мироощущения точнее всего, пожалуй, определено в следующих (см. разрядку) строчках, описывающих раздумья Юрия Живаго во время панихиды по Анне Ивановне Громеко:

> «...он слушал заупокойную службу как сообщение, непосредственно к нему обращенное и прямо его касающееся. Он вслушивался в эти слова и требовал от них смысла, понятно выраженного, как это требуется от всякого дела, и ничего общего с набожностью не было в его чувстве преемственности по отношению к высшим силам земли и неба, которым он поклонялся как великим предшественникам» (88-89).

«Чувство преемственности по отношению к высшим силам земли и неба» лежит и в основе исключительности героя,[53] раскрывающейся в языковом, образно-

---

[52] См., например, описание творческого процесса на стр. 448 и 452; затем на стр. 499-501, где рассказывается о последнем, незадолго до смерти, приливе творческого вдохновения, в комнате, которая была «пиршественным залом духа, чуланом безумств, кладовой откровений» (и далее — о символизме).

[53] За которую так обвиняли Пастернака критики из редакции

поэтическом и реальном выражении его облика в романе. Также и в самосознании этой исключительности:

> «..не мог же он сказать им (Гордону и Дудорову. — Л. Р.): «Дорогие друзья, о, как безнадежно ординарны вы и круг, который вы представляете, и блеск и искусство ваших любимых имен и авторитетов! Единственно живое и яркое в вас это то, что вы жили в одно время со мной и меня знали» (493).

Выше, на стр. 312, в размышлениях Живаго находим: «В жизни он... не причислял себя к полубогам и сверхчеловекам, не требовал для себя особых льгот и преимуществ». Это замечание вскользь вряд ли может ослабить ощущение гиперболичности приведенного выше утверждения, на которое, хоть оно и не было высказано вслух, Гордон отвечает: «Тебе надо... воспрянуть, разобраться без неоправданного высокомерия, да, да, без этой непозволительной надменности к окружающему, поступить на службу, заняться практикой» (495).

Возвращаясь теперь к стихотворному циклу, трудно, как кажется, не сопоставить этого живаговского: «О, как ординарны вы и круг, который вы представляете» с обращением (в стихотворении «Чудо») Христа к бесплодной смоковнице:

> Я жажду и алчу, а ты — пустоцвет,
> И встреча с тобой безотрадней гранита.
> О, как ты обидна и недаровита! (558)

Прослеживаемые здесь «взвихренные» ассоциации нельзя, разумеется, рассматривать как биографически персонифицированные. Их взвихренность, их неожиданность только отчасти объяснима сознанием высокости творческого служения и подвига — вечной для русской

«Нового мира». Слово «исключительность», между прочим, находим в романе в одной из самохарактеристик, касающихся любви Юрия Живаго и Лары: «Их любовь была велика. Но любят все, не замечая небывалости чувства. Для них же, — и в этом была их исключительность, — мгновения, когда, подобно веянию вечности, в их обреченное существование залетало веяние страсти, были минутами откровения и узнавания все нового и нового о себе в жизни», 406.

поэзии темы пушкинского «Пророка». Взвихренность их — существо поэтического «аута», тайнописи как формы, в которой автор, повидимому, только и мог завершить начатый в прозе внутренний свой монолог. Взвихренность здесь — новый ракурс экспозиции, в которой образно-реалистические эталоны поэтического выражения заменяются эталонами аутными. На только что рассказанную земную повесть об одной человеческой душе как бы накладывается повесть другая, евангельская, и рождественская звезда, волхвы, Магдалина, Иисус, трагическая тема Гефсимании и Голгофы заслоняют собой образы героя и героини романа, тему их жизни, гибели и любви.

Но не в ы т е с н я ю т: множество больших и малых композиционных параллелей, сюжетных и образных продлений и аналогий связывают эти два ракурса авторской экспозиции. Связывают тем теснее, чем тщательнее мы в них вчитываемся и сопоставляем; связывают почти графически отчетливо, как изотермические линии на метеорологической карте связывают места с одинаковой температурой.

Центральную композиционно-сюжетную параллель образует тема с м я т е н и я. «Фокусом» ее можно считать уже упоминавшийся выше единственный в прозаической части фрагмент-шифр, где эта тема названа самим автором:

> «Он (Юрий Живаго. — Л. Р.) пишет поэму не о воскресении и не о положении во гроб, а о днях, протекших между тем и другим. Он пишет поэму «Смятение»... И две рифмованные строчки преследовали его:
>
> Рады коснуться
> и
> Надо проснуться.
>
> Рады коснуться и ад, и распад, и разложение, и смерть, и однако вместе с ними рада коснуться и весна, и Магдалина, и жизнь. И — надо проснуться. Надо проснуться и встать. Надо воскреснуть» (211).

Многочисленные расходящиеся от этого фокуса линии соединяют его со стихотворным циклом. Подсказанное выше автором толкование расширяет тему новыми мотивами — мотивом ожидания гибели, мотивом чаемого воскресения — и как бы отсылает нас к их поэтическим продлениям в «Стихотворениях Юрия Живаго», иногда фрагментарным, разбросанным по строфам и строчкам, но всегда отчетливым.

«Аутное» продление темы смятения — не просто ее новое поэтическое воплощение, но ее новое раскрытие. Семантика и образы «Гефсиманского сада» и «Гамлета» рождают в свою очередь тематические сближения между двумя ракурсами творческого выражения в романе, требуют его второго прочтения. Например, четырнадцатой его части, одной из самых замечательных по внутренней образно-эмоциональной напряженности и узловой в смысле отражения главного сюжетно-композиционного конфликта. Именно при таком новом прочтении становится внятен скрытый язык повествования, и отдельные эпизоды, рисующие судьбы героев, бытийные и душевные их коллизии, контрасты восторгов и отчаяния, смятение, безнадежность и гибель, обретают глубину обобщающего иносказания.

Таков, например, эпизод зимней ночи в Варыкине, с волками, вой которых слышит Юрий Живаго:

> «Белый огонь, которым был объят и полыхал незатененный снег на свету месяца, ослепил его. Вначале он не мог ни во что вглядеться и ничего не увидел. Но через минуту расслышал ослабленное расстоянием протяжное, утробно-скулящее завывание и тогда заметил на краю поляны за оврагом четыре вытянутых тени, размером не более маленькой черточки. Волки стояли рядом, мордами по направлению к дому, и, подняв головы, выли на луну или на отсвечивающие серебряным отливом окна Микулицыного дома. Несколько мгновений они стояли неподвижно, но едва Юрий Андреевич понял, что это волки, они по-собачьи, опустив зады, затрусили прочь от поляны, точно мысль доктора дошла до них... Волки, о которых он вспоминал весь день, уже не были волками на снегу под луною, но стали *темой о волках*, стали *представлением вражьей силы*, поставившей себе целью погубить доктора и Лару или выжить их из Варыкина. Идея

этой враждебности, развиваясь, достигла к вечеру такой силы, точно в Шутьме открылись следы допотопного страшилища и в овраге залег чудовищных размеров, сказочный жаждущий докторовой крови и алчущий Лары дракон»[54] (449-451).

Таковы страницы, рассказывающие об одиночестве Живаго после отъезда Лары с Комаровским из Варыкина (461-468), о гибели Стрельникова, и в описании самоубийцы, заключающем эту 14-ю часть, — почти неприметный образный повтор той же темы смятения в части 12-й («Рябина в сахаре»):

> «Снег под его левым виском сбился красным комком, вымокши в луже натекшей крови. Мелкие, в сторону брызнувшие капли крови скатались со снегом в красные шарики, похожие на ягоды мерзлой рябины» (476).

И следующая ассоциация: Лара — Магдалина, точнее Жизнь, Любовь, Лара — Магдалина. Ассоциация богатого и сложного по своей структуре выражения: авторское восприятие красоты природы, женской красоты, их чародейной силы и обаяния, любви, страсти, жертвенности, милосердия — комплексно, пантеистично по складу и исключительно. Тема Лары уже и в прозаической части поднята в «аут» этой исключительностью внутренней своей инструментовки:

> «О, как сладко существовать! Как сладко жить на свете и любить жизнь! О, как всегда тянет сказать спасибо самой жизни, самому существованию, сказать это им самим в лицо! Вот это-то и есть Лара. С ними нельзя разговаривать, а она их представительница, их выражение, дар слуха и слова, дарованный безгласным началам существования» (401-402). «Они любили друг друга потому, что так хотели все кругом: земля под ними, небо над их головами, облака и деревья» (513).

Эта экспрессия, подъемность эстетических оценок

---

[54] Ср. в «Сказке»:

Туловище змея, Как концом бича, Поводило шеей У ее плеча.	Той страны обычай Пленницу-красу Отдавал в добычу Чудищу в лесу... (546).

продлевается в «Стихотворениях Юрия Живаго». Сопоставим:

«Все мое существо удивлялось и спрашивало: если так больно любить и поглощать электричество, как, вероятно, еще больнее быть женщиной. быть электричеством, внушать любовь. Вот, наконец, я это высказал. От этого можно с ума сойти. И я весь в этом» (437-438).

Быть женщиной — великий шаг,
Сводить с ума — геройство.
А я пред чудом женских рук,
Спины, и плеч, и шеи
И так с привязанностью слуг
Весь век благоговею (539).

Или:

Как будто бы железом,
Обмокнутым в сурьму,
Тебя вели нарезом
По сердцу моему (553).[55]

И далее — в самой параллели («Чуть ночь, мой демон тут как тут. За прошлое моя расплата», 562), взволнованность и подъемность которой тем ярче, чем отчетливее в тему «Магдалина — Иисус» просачивается тема «Лара — Живаго». Так, например, строфа четвертая первого стихотворения, выделенная из контекста, могла бы быть вложена в уста и Магдалины, и Лары, — последней даже и скорее по сходству семантико-стилевого строя:

Но объясни, что значит грех
И смерть, и ад, и пламень серный,
Когда я на глазах у всех
С тобой, как с деревом побег,
Срослась в тоске своей безмерной.[56]

---

[55] См. также: «Ты так же сбрасываешь платье, /Как роща сбрасывает листья» («Осень»), «Мы охвачены тою же самою /Оробелою верностью тайне, /Как раскинувшийся панорамою /Петербург за Невою бескрайной» («Белая ночь»).

[56] Ср. у Лары: «Какой-то венец совместности, ни сторон, ни степеней, ни высокого, ни низкого, равноценность всего существа, все доставляет радость, все стало душою», 445; «Окрыленность дана тебе, чтобы на крыльях улетать за облака, а мне, женщине, чтобы прижиматься к земле и крыльями прикрывать птенца от опасности», 446.

Также и во втором стихотворении отдельные строфы, отрываясь от внешне-сюжетной линии, как бы смыкаются с мотивами надгробного монолога Лары, ее любви, горя, преданности и восторга:

> Брошусь на землю у ног распятья,
> Обомру и закушу уста.
> Слишком многим руки для объятья
> Ты раскинешь по концам креста.
>
> Для кого на свете столько шири,
> Столько муки и такая мощь (563-564).

Все эти взвихренные ассоциации стихотворного цикла (во главе с основной, открывшейся нам в «Гамлете») в их сложном композиционно-тематическом и стилевом переплетении с аутно-сюжетными линиями романа в целом открывают нам глубинное и тайное самого авторского облика. Представление о «преемственности по отношению к высшим силам земли и неба» — представление самого автора. Оно — в обращенности к тайной значимости сущего за образами зримого, оно — в обращенности к небу, в сознании исключительности этой обращенности как предназначения, то есть, значит, не только «поклонения» этим высшим силам «как великим предшественникам», но и следования им, то есть горения, саморасточения и крестного подвига. Так прочитываются: символ *свечи* в стихотворении «Зимняя ночь», строфа из «Свадьбы» («Жизнь ведь тоже только миг, / Только растворенье / Нас самих во всех других / Как бы им в даренье»), последние строчки стихотворения «Рассвет»:

> Со мною люди без имен,
> Деревья, дети, домоседы,
> *Я ими всеми побежден,*
> *И только в том моя победа* (558).

Как непосредственное и страстное признание христианской сущности истории (ср. у Веденяпина «...человек живет не в природе, а в истории», которая «в нынешнем понимании основана Христом») прочитываются следующие строфы стихотворения «Рождественская звезда»:

И странным виденьем грядущей поры
Вставало вдали все пришедшее после.
Все мысли веков, все мечты, все миры,
Все будущее галерей и музеев,
Все шалости фей, все дела чародеев,
Все елки на свете, все сны детворы.
Весь трепет затепленных свечек, все цепи,
Все великолепье цветной мишуры...
...Все злей и свирепей дул ветер из степи...
...Все яблоки, все золотые шары (555).

Как не менее страстная вера в грядущее возрождение, в «усилье воскресенья», единственно могущее вывести из «страшного промежутка», то есть в необходимость возвращения себе неба и «верности Христу», прочитывается все авторское решение темы «смятения» в стихотворном цикле и последняя, заключающая его и весь роман строфа:

Я в гроб сойду и в третий день восстану,
И, как сплавляют по реке плоты,
Ко мне на суд, как баржи каравана,
Столетья поплывут из темноты.

Все же в целом и есть то самораскрытие авторского кредо, то завершение внутреннего монолога романа, формой которого явилась тайнопись «Стихотворений Юрия Живаго» и которое в прозаической части не было и не могло быть выговорено до конца.

ГЛАВА VII

РОМАН «ДОКТОР ЖИВАГО» КАК ПРИТЧА. ПАСТЕРНАК И А. БЛОК. ПАСТЕРНАК И Р. М. РИЛЬКЕ. ЗАКЛЮЧЕНИЕ

«Шли и пели «Вечную память», и когда останавливались, казалось, что ее по залаженному продолжают петь ноги, лошади, дуновения ветра. Прохожие пропускали шествие, считали венки, крестились. Любопытные входили в процессию, спрашивали: «Кого хоронят?« Им отвечали: «Живаго»...

> Отбарабанил дождь комьев, которыми торопливо в четыре лопаты забросали могилу. На ней вырос холмик. На него взошел десятилетний мальчик... Он поднял голову и окинул с возвышения осенние пустыри и главы монастыря отсутствующим взором. Его курносое лицо исказилось. Шея его вытянулась. Если бы таким движением поднял голову волчонок, было бы ясно, что он сейчас завоет. Закрыв лицо руками, мальчик зарыдал. Летевшее навстречу облако стало хлестать его по рукам и лицу мокрыми плетьми холодного ливня» (3).

Только при первом чтении пастернаковского романа (то есть таком, при котором он не прочитывается) можно пытаться отнести это начало к стилям реалистического повествования. При чтении повторном сделать это немыслимо. При повторном чтении в первых же строчках начинает звучать внутренняя тема романа, а за образом мальчика, одиноко под хлещущим ливнем стоящего на могиле матери и напоминающего готового завыть волчонка, встает скрытая экспозиция основного конфликта.[57]

Того же типа экспозицию, вводящую читателя не только во внешнюю реальность сюжетной мизансцены, но и во второй, скрытый план ее толкования, находим и в описании первой встречи Юрия Живаго с Ларой:

> «Из полутьмы, в которой никто не мог его видеть, он смотрел, не отрывясь, в освещенный лампою круг. Зрелище порабощения девушки было неисповедимо таинственно и беззастенчиво откровенно. Противоречивые чувства теснились в груди у него. У Юры сжималось сердце от их неиспытанной силы» (62).

Иными словами, двуплановость семантико-стилевой

---

[57] Небезынтересно, быть может, сопоставить приведенный выше отрывок с толстовским описанием переживаний мальчика, потерявшего мать, оканчивающимся такими строками: «Дверь скрипнула, и в комнату вошел дьячок на смену. Этот шум разбудил меня, и первая мысль, которая пришла мне, была та, что, так как я не плачу и стою на стуле в позе, не имеющей ничего трогательного, дьячок может принять меня за бесчувственного мальчика, который из жалости или любопытства забрался на стул: я перекрестился, поклонился и заплакал», Детство, Собрание сочинений, ГИХЛ, 1958, т. I, стр. 95.

структуры повествования, как бы подсказывающая скрытую значительность, таинственную ведóмость совершающегося — возникающих на пути героев положений, «судьбы скрещений» и неожиданностей, — открывается достаточно отчетливо и в прозаической части. Открывается как ретроспекция своего аутного завершения в «Стихотворениях Юрия Живаго», как код к прочтению целого, при котором «тайнописным» становится уже весь роман, и история жизни и гибели его героя выступает в виде нехитрой, как песенная мелодия, но сложно и причудливо оркестрованной притчи.

С этим словом, повидимому, связана последняя в романе «взвихренная» ассоциация, или, как говорилось выше, последний пример следования «великим предшественникам». Устами Веденяпина автор говорит:

> «...для меня самое главное то, что Христос говорит притчами из быта, поясняя истину светом повседневности. В основе этого лежит мысль, что общение между смертными бессмертно и что жизнь символична, потому что она значительна» (42).

И то же, устами Симы Тунцевой:

> «Отдельная человеческая жизнь стала Божьей повестью...» (423).

«Божью повесть» одной человеческой жизни Пастернак и рассказывает как притчу. Притчу о человеческой душе.

В притче — два раскрытия, два средоточия замысла и воплощения.

Средоточие первое — апология. В конце романа, на стр. 495, дано ее лапидарно-обобщенное изложение:

> «Наша душа занимает место в пространстве и помещается в нас, как зубы во рту. Ее нельзя без конца насиловать безнаказанно».

Изложение это в контексте ситуационно и как «ситуационное» было неоднократно использовано в зарубежных статьях о романе, хотя именно публицистической ситуационности роман Пастернака лишен более, чем какой-либо другой. Ее и не требуется — все шестнадцать прозаических частей романа представляют собой апологию души. Души, живой своей близостью к высшему, таинственному и непостижимому, но всюду разлитому, как солнечный свет, и звуки, и благоухание, и красота, и милосердие. Души огромного богатства и даров, ищущих выражения в творческом порыве, творческом созидании и саморасточении, и, через это расточение, сопричастной любви, всепрощению и крестному подвигу. Души, выразительный потенциал которой шире ее образного наполнения в романе, то есть как бы и не отдельной чьей-либо души, а души вообще, души общечеловеческой.

Средоточие второе — призыв к верности небу (которая одновременно есть и верность жизни), верности христианству как пути преодоления духовной опустошенности, смятения и тупика, — призыв, смысл которого сам Пастернак в интервью с одним из шведских литературоведов расшифрует позднее следующим образом:

> «Мы должны искать уверенности в самих себе. За то короткое время, которое живем мы на земле, нам нужно уяснить себе свое отношение к существованию, свое место во вселенной. Иначе ведь жизнь немыслима. Это, как я понимаю, означает отказ от материалистического мировоззрения XIX века, означает возрождение духовного мира, возрождение нашей внутренней жизни, возрождение религии — не как церковно-религиозной догмы, но как жизнеощущения».[58]

Апология человеческой души, ее первородной ценности, не преходящей по отношению к кривде господствующих догм, апология христианства — все это выражено в романе Пастернака со страстностью и дерзанием, беспримерными в русской литературе последнего полувека; да и не только последнего; попытку воплощения в литературном образе самосознания верности Христу можно сопоставить разве лишь с попыткой Достоевского воплотить в образе князя Мышкина самосознание хри-

[58] N. Åke Nilsson, Hos Boris Pasternak, "Bonniers Litterära Magasin", Stockholm 1958, S. 621.

стианского Добра. Сопоставление касается, разумеется, лишь «дерзания», не самих образов, творческая природа которых совершенно различна: груз внутренней темы в романе Пастернака не ограничивается, как мы видели, одним героем в качестве своего носителя, но возложен на весь круг гомогенных персонажей, т.е. на некоторый синтетический образ, выступающий как образ авторского самораскрытия. Природа возникновения романа-притчи как этого самораскрытия двуедина: ситуационный и эстетический элементы ее взаимообусловлены.

Элемент ситуационный — невозможность в условиях, когда от писателя, фигурально выражаясь, требовалось отдавать «кесарю» не только кесарево же, но и «божье», дебютировать с ничем не прикрытой проповедью христианского понимания мира и открыто «предоставить трибуну» (как это принято изъяснять в газетных шаблонах) отрицателям материалистической догмы.[59] Без криптографии здесь было мудрено обойтись, и, в свете нашего понимания романа, почти криптографическим умолчанием звучит приведенное в 1954 г. в «Знамени» № 4, стр. 92, вместе с несколькими стихотворениями из романа «Доктор Живаго», авторское сообщение:

> «Роман предположительно будет дописан летом. Он охватывает время от 1903 до 1929 года, с эпилогом, относящимся к Великой Отечественной войне. Герой — Юрий Андреевич Живаго, врач, мыслящий, с поисками, творческой и художественной складки, умирает в 1929 году. После него остаются записки и среди других бумаг написанные в молодые годы, отделанные стихи, часть которых здесь предлагается и которые во всей совокупности составят последнюю, заключительную главу романа».

Криптографические тенденции можно, повидимому, обнаружить и у более раннего Пастернака. Они сказываются иной раз в своеобразной «авторизации» выска-

---

[59] Именно на этом делался упор в различных постановлениях и декларациях, клеймивших автора романа как «предателя»: «Прогрессивной мысли и преображающему деянию Б. Пастернак пытается противопоставить цинично индивидуалистическую психологию героя романа», Постановление президиума правления Союза писателей СССР, «Литературная газета», 28. 10. 1958.

зываний некоторых лиро-эпических персонажей. Так, вряд ли не является авторизацией такая, например, строфа из монолога лейтенанта Шмидта в поэме того же названия (1925-1927 гг.):

Наверно вы не дрогнете,
Сметая человека.
Что ж, мученики догмата,
Вы тоже — жертвы века.
Я тридцать лет вынашивал
Любовь к родному краю,
И снисхожденья вашего
Не жду и не теряю.

Зарубежный литературовед Вл. Марков в статье «Советский Гамлет»[60] отмечает эту тенденцию также и у Пастернака-переводчика. Он приводит среди других примеров пастернаковский перевод следующих строк из монолога «Быть или не быть»:

For who would bear the whips and scorns of time,
The oppressor's wrong, the proud man's contumely,
The pangs of despis'd love, the law's delay,
The insolence of office, and the spurns
That patient merit of the unworthy takes...

Перевод Пастернака:

А то кто снес бы ложное величье
Правителей, невежество вельмож,
Всеобщее притворство, невозможность
Излить себя, несчастную любовь
И призрачность заслуг в глазах ничтожеств.

«Поражает, — пишет В. Марков, — несовпадение с подлинником чуть ли не во всем, кроме «несчастной любви». Пастернак-переводчик не имеет привычки гнаться за буквальной точностью, но здесь это переходит все границы. Присмотревшись, открываешь, что это вовсе и не перевод. В этих строках точно изображено положение самого Пастернака в те годы, и вряд ли нужно комментировать, что следует понимать под «ложным величьем правителей» и т.п.»[61]

---

[60] «Грани», 45, 1960, стр. 119-124.

[61] Приведенный выше перевод, как сообщает В. Марков, был

Эстетические основы возникновения притчи — в органичности иносказания для Пастернака, при которой оно могло бы проникнуть в любые формы художественного выражения, в каких бы реалистических тонах они ни были задуманы.

В связи с этой органичностью уместно снова вернуться к «блоковским» аналогиям и прежде всего — к аналогии с поэмой «Двенадцать».

В какой-то — и не малой — мере поэма эта также содержит признаки притчи. Возникают они из того композиционно-стилевого контраста, который образуют одиннадцать с половиной главок поэмы — с семью строчками заключения:

> Впереди — с кровавым флагом,
> И за вьюгой невидим,
> И от пули невредим,
> Нежной поступью надвьюжной,
> Снежной россыпью жемчужной,
> В белом венчике из роз —
> Впереди — Исус Христос.

Этот отчетливо ощутимый контраст, чрезвычайно напоминающий контраст между прозаическими и стихотворной частями пастернаковского романа, выступает в той же, что и у Пастернака, поэтической функции — криптографического остранения[62] образа Христа как средоточия и раскрытия притчи.

опубликован в журнале «Молодая гвардия» в 1940 году. Пишущему эти строки не случилось встретить его, ни установить времени, когда он был заменен новым. В издании 1956 г., Шекспир, Гамлет, Детгиз, Москва, перевод Б. Пастернака, находим уже измененный вариант:

> А то кто снес бы униженье века,
> Неправду угнетателей, вельмож
> Заносчивость, отринутое чувство,
> Нескорый суд и более всего
> Насмешки недостойных над достойным.

Как бы то ни было, самый факт наличия этого второго варианта достаточно иллюстративен и убедителен.

[62] Если с некоторым особым акцентом использовать этот термин, от которого автор его, В. Шкловский, счел нужным недавно отказаться, см. В. Шкловский, Художественная проза, «Советский писатель», Москва 1959, стр. 449-450.

Одной из самых досадных недомолвок нашей критики о Блоке является замалчивание притчевого характера этого образа. Вслед за отзывом Гумилева, считавшим конец поэмы «искусственно приклеенным», а появление Христа «литературным эффектом», возник, как известно, целый ряд сходных отзывов, в том числе (и это всего удивительнее) и в зарубежной печати, где иные авторы, утверждая случайность Христа в поэме, принимались даже «защищать» Христа от Блока со всей наивностью обывательско-сектантского догматизма.

Между тем «слепое» прочтение поэмы как своего рода поэтического репортажа о революции естественно, казалось бы, лишь для той критики, которая раз навсегда условилась считать поэму «Двенадцать» фактом «страстного и безоглядного» принятия Блоком Октября.[63] Бестенденциозное знакомство с жизнью и творчеством Блока приводит, однако, к выводу, что в основе так называемого принятия Блоком Октябрьской революции лежало нечто, для самой этой революции вполне неприемлемое и чуждое, — вера в преходящий характер бездуховности совершившейся катастрофы и в ее конечное, далекое, но обязательное, христианское разрешение. Говоря языком социологических стандартов, Блок, как и некоторые другие, в том числе и Пастернак, принял не столько революцию, сколько диалектику революции в ее отнюдь не материалистическом понимании.

Современникам, вульгаризаторски толковавшим его поэму, Блок ответил следующими словами, сохраняющими остроту приложимости и к литературным событиям наших дней:

> «...те, кто видит в «Двенадцати» политические стихи, или очень слепы к искусству, или сидят по уши в политической грязи, или одержимы большой злобой — будь они враги или друзья моей поэмы. — Было бы неправдой, вместе

[63] См., например, редакционную заметку «Александр Блок», помещенную в связи с восьмидесятилетием со дня рождения поэта в «Литературной газете» от 29. 11. 1960 г. и начинающуюся словами: «Когда Александр Блок по-своему, страстно и безоглядно принял Октябрьскую революцию, когда он написал «Двенадцать» и «Скифы...» и т.д.

> с тем, отрицать всякое отношение «Двенадцати» к политике. Правда заключается в том, что поэма написана в ту исключительную и всегда короткую пору, когда проносящийся революционный циклон производит бурю во всех морях — природы, жизни и искусства; в море человеческой жизни есть и такая небольшая заводь, вроде Маркизовой лужи, которая называется политикой; и в этом стакане воды тоже происходила тогда буря... Моря природы, жизни и искусства разбушевались, брызги встали радугой над нами. Я смотрел на радугу, когда писал «Двенадцать»; оттого в поэме осталась капля политики... Может быть, всякая политика так грязна, что одна капля ее замутит и разложит все остальное; может быть, она не убьет смысла моей поэмы; может быть, наконец, — кто знает! — она окажется бродилом, благодаря которому «Двенадцать» прочтут когда-нибудь в не наши времена...»[64]

А вот ответ Гумилеву по поводу замечания последнего об «искусственности» образа Христа:

> «Мне тоже не нравится конец «Двенадцати». Я хотел бы, чтобы этот конец был иной. Когда я кончил, я сам удивился: почему Христос? Но чем больше я вглядывался, тем яснее видел Христа».[65]

Сравним это со строчками письма к Ю. П. Анненкову, иллюстрировавшему поэму и интересовавшемуся, как сам Блок понимает образ Христа:

> «О Христе: Он совсем не такой: маленький, согнулся, как пес сзади, аккуратно несет флаг и *уходит*. «Христос с флагом» это ведь — «и так и не так». Знаете ли Вы (у меня — через всю жизнь), что когда флаг бьется под ветром (за дождем или за снегом и *главное* — за ночной темнотой), то *под ним* мыслится кто-то огромный, как-то к нему относящийся (не держит, не несет, а как — не умею сказать). Вообще, это самое трудное, можно только найти, но сказать я не умею, как, может быть хуже всего сумел сказать и в «Двенадцати» (по существу, однако, не отказываюсь, несмотря на все критики). Если

[64] А. *Блок*, Сочинения в одном томе, Москва-Ленинград 1946, стр. 583.

[65] К. *Чуковский*, Александр Блок как человек и поэт, Петроград 1924, стр. 27.

бы из левого верхнего угла «убийства Катьки» дохнуло густым снегом и сквозь него — Христом — это была бы исчерпывающая обложка. Еще так могу сказать».[66]

Это последнее «Если бы...» и весь абзац, это бессилие (совершенно ведь неизвестно, в какой мере подлинное бессилие!) объяснить образ — какое это решительное подчеркивание ключевой его значимости, значимости всей композиционно-аутной антитезы настоящего и «провидимого». Не будь этой антитезы, вряд ли были бы обоснованы опасения поэта, что политика или какое-либо другое явление анти-искусства могут «убить смысл поэмы», притчевое раскрытие которой дано именно в последних семи строках, совершенно так же, как притчевое раскрытие пастернаковского романа — в его стихотворной части.

Тема Блок — Пастернак — интереснейшая тема для литературоведов; в частности: Блок — «Стихотворения Юрия Живаго», — так примечательна близость поэтики позднего Пастернака, с ее поисками «простоты» поэтического выражения,[67] блоковскому поэтическому словарю, блоковскому ви́дению Христа и Родины,[68] блоковским эстетическим оценкам и ощущениям.[69]

---

[66] Александр Блок, Сочинения в двух томах, ГИХЛ, Москва 1955, т. 2, стр. 730.

[67] См. об этом на стр. 451-452 романа.

[68] Ср., например:

> Ты отошла, и я в пустыне
> К песку горячему приник.
> Но слова гордого отныне
> Не может вымолвить язык.
> О том, что было, не жалея,
> Твою я понял высоту:
> Да. Ты — родная Галилея
> Мне — невоскресшему Христу.
> И пусть другой тебя ласкает,
> Пусть множит дикую молву:
> Сын Человеческий не знает,
> Где приклонить ему главу.

А. Блок, Сочинения в двух томах, ГИХЛ, Москва 1955, т. I, стр. 239.

[69] См. мысли в статьях и дневниковых записях. Например: «...мы

**
*

Не менее интересна для исследователя параллель: Пастернак — Райнер Мариа Рильке, обнаруживающая сходства и совпадения, которые не оставляют сомнения в значительности впечатления, оказанного творчеством Рильке на автора «Доктора Живаго». Речь, разумеется, идет не только о поэтическом цикле романа в сопоставлении с религиозно-мифологической тематикой и образной структурой некоторых произведений Рильке,[70] но обо всем целостном эстетическом существе творческого самовыражения в романе Пастернака.

Тема второго рождения мира, его нового открытия, нового видения, проникающего в тайную природу сущего за зримым, — обычная тема Рильке. Мозаика и углубления этой темы в творчестве обоих художников рождают обширный ряд аналогий: тишина, одиночество, обращенность в себя как условие созерцания природы, вещей, мироздания в целом; как условие приближения к Непостижимому, ощущения его; наконец, само это ощущение Высшего и Непостижимого в себе как преемственности, как дара, требующего в свою очередь обратного дарения, в творческом слове, в самоpасточении.

И формальное воплощение этих эстетических оценок и представлений — смещение поэтического образа в его внереалистический аут, во второе видение и осмысливание.

Вот несколько примеров из сборника "Das Stunden-Buch" Рильке, особенно важного для интересующего нас сличения:

Ich kreise um Gott, um den uralten Turm,
und ich kreise jahrtausendelang;

произнесли клятвы демонам — не прекрасные, но только красивые (а ведь всего красивее в мире — рабы, т.е. те, к т о о т д а е т с я, а н е б е р е т)...», там же, т. II, стр. 155.

[70] См., например, Das Marienleben, B. I, S. 665-681; Christus, B. III, S. 125-159; см. также Vollendetes, B. II, Himmelfahrt Mariae, 46; Auferweckung des Lazarus, 49; Christi Höllenfahrt, S. 57 и др. Страницы указаны здесь и дальше по изданию Rainer Maria R i l k e, Sämtliche Werke, Insel Verlag, 1955.

und ich weiss noch nicht: bin ich ein Falke, ein Sturm
oder ein grosser Gesang.[71]

. . . .

Nur eine schmale Wand ist zwischen uns,
durch Zufall; denn es könnte sein:
ein Rufen deines oder meines Munds—
und sie bricht ein
ganz ohne Lärm und Laut.[72]

Или:

Wenn es nur einmal so ganz stille wäre,
wenn das Zufällige und Ungefähre
verstummte und das nachbarliche Lachen,
wenn das Geräusch, das meine Sinne machen,
mich nicht so sehr verhinderte am Wachen, —
Dann könnte ich in einem tausendfachen
Gedanken bis an deinen Rand dich denken
und dich besitzen (nur ein Lächeln lang)
um dich an alles Leben zu verschenken
wie einen Dank.[73]

Близки пастернаковским и некоторые отдельные черты образного выражения у Рильке, например введение

[71] Das Stunden-Buch, Erstes Buch: Das Buch vom mönchischen Leben, B. I, S. 253. В русском, по возможности близком, переводе:

Я парю вокруг Бога, как вокруг вечной башни,
Тысячелетья уже; и все же не знаю,
Сокол я или буря, иль вдохновенный напев.

[72] Там же, стр. 225:

Лишь утлая нас разделяет стена, — случайность!
Потому что, быть может:
зов один — уст твоих иль моих —
и стена эта рухнет. Без шума. Без звука.

[73] Там же, стр. 256:

О, если бы хоть раз настала тишина,
И все случайное, нестройное, замолкло,
И смех соседский замер,
И шелест чувств моих
Мне б не мешал внимать, —
Тогда б до тысячной, быть может, дольки мысли
Тебя я смог домыслить и понять,
И обладать Тобой (на миг улыбки),
И раздарить Тебя всему живому
Как благодарность.

отвлеченного в конкретно-образные сравнения. Вот, если перевести на русский:

> Христиане с жестами магометан —
> вокруг колодца. И ладони держат
> ковшом, как плоские сосуды,
> куда струя вбегает, как душа.[74]

Или:

> ...пейзаж, как строчка из псалтыри,
> серьезен, вечен и весом.[75]

***

Перейдем к заключению, к итогам этой небольшой попытки исследования того значительного и большого, что представлено нам в романе Пастернака. «Небольшой попытки» сказано здесь не только в сознании неполноты предлагаемого анализа (например, в части собственно поэтической стилистики), но и в уверенности, что роман «Доктор Живаго» непременно станет в дальнейшем предметом исчерпывающего литературоведческого изучения.

Ответим на некоторые вопросы, поставленные в конце первой, вводной, главы.

Не является ли смешение реалистического и аутного в романе своего рода творческой «издержкой» формы в результате столкновения двух различных инструментариев — лирического поэта и романиста-прозаика? Из проведенных выше наблюдений можно, повидимому, заключить, что смешение это не случайность, но замысел, т.е., следовательно, не «издержка» формы, но сама форма вполне своеобразного в истории литературных жанров романа-притчи. Контраст «реалистического» и «аутного» закономерно и отчетливо отражает основной тематический конфликт, т.е. вполне органичен для композиционного целого, не только не рушит, но подчеркивает

[74] Ein Pilgermorgen, B. I, S. 333.
[75] Der Schauende, Das Buch der Bilder, S. 459.

его единство. Роман, как уже говорилось, не прочитывается одним чтением; при чтении же повторном недоуменные восклицательные и вопросительные знаки на полях, отмечавшие впечатление стилевых контрастов, исчезают сами собой — контрасты проясняются как два голоса одного и того же «я», рассказывающего о трагическом конфликте человеческой души в обстановке тяжкого исторического катаклизма. Личное, субстратное «я» этого конфликта требует иной стилевой формы для самораскрытия, чем для сообщения о совершающемся вовне, другой стилевой тональности, другого тембра для выражения сущего, чем для экспозиции зримого.

Несколько иначе обстоит дело с теми видами стилевого дуализма, в основе которых лежит различие творческой завершенности формы. Так, например, если внешнюю безликость, одноголосость ряда персонажей ближнего круга можно объяснить «собирательностью» внутреннего образа самовыражения, т.е. отнести к авторскому замыслу, — труднее объяснить замыслом же вялость некоторых их высказываний и диалогов. Может быть, это — следствие самоцензуры, вынужденного приглушения экспрессивной убедительности утверждаемого, — фактор, которого никоим образом нельзя сбрасывать со счета при разборе пастернаковского романа.

Не объясняются замыслом и те контрасты отдельных повествовательных звеньев и описаний, которые можно было бы определить как контрасты «поэтической прозы» и «стилистических прозаизмов», когда вслед за «крылатыми» по образно-экспрессивному оснащению, ритму и мелодике фрагментами следуют конструкции тяжелые, стилистически несобранные. «Я» субъективного выражения в них, как правило, неощутимо вполне, «я» сообщения как бы с трудом преодолевает свою речевую задачу (см. примеры, отмеченные в 3-й главе). Весьма вероятно, что явление стилевого разнобоя такого порядка следует отнести именно к творческим издержкам перехода от поэтико-семантической структуры лирического выражения к стилевой структуре романной прозы, отнести к трудностям «попутного», в ходе монологического повествования, переключения. А. Блок, например, в письме к П. Е. Щеголеву делает однажды такое признание:

> «...сегодня я вам послал листок с моим мнением о лучших романах этого года и, уже после того как опустил в ящик, сообразил, что все это написано каким-то суконным нерусским языком. Объясняется это тем, что я весь день сегодня писал стихами, а потому в прозе окончательно охромел».[76]

С переходом к «большой форме», с замыслом романа-притчи органически связана и проблема простоты, как коротко можно определить отказ Пастернака от стилевой манеры прошлого, доживаговского, периода, которая в последних, незадолго до смерти, высказываниях подвергается беспощадному осуждению:

> «Везде бросились переводить и издавать все, что я успел пролепетать и нацарапать именно в эти годы дурацкого одичания, когда я не только не умел еще писать и говорить, но из чувства товарищества и в угоду царившим вкусам старался ничему не научиться. Как это все пусто и многословно, какое отсутствие чего бы то ни было, кроме чистой и совершенно ненужной белиберды... среди огорчений едва ли не первое место занимают ужас и отчаяние по поводу того, что везде выволакивают на свет и дают одобрение тому, что я рад был однажды забыть и что думал обречь на забвение».[77]

Не вдаваясь в разбор природы этого осуждения (заставляющего вспомнить толстовское отталкивание от собственных произведений, созданных до проповеднического периода творчества великого писателя), отметим лишь его наиболее вероятную и прямую устремленность к простоте как к доступности, по-разному, в смысле конструктивной целостности поэтико-речевого выражения, осуществленной Пастернаком-поэтом и Пастернаком-автором «Доктора Живаго».

Доступность притчи неизбежно предполагает обязательный пересмотр всего экспозиционного строя пове-

---

[76] А. Блок, Сочинения, т. 2, стр. 695-696.

[77] Из частного письма. Цитируется по тексту статьи Б. К. Зайцева «Дни», «Русская мысль», Париж, 1. 12. 1960.

ствования и прежде всего языка. «Обязательность» во всяком творческом акте угрожает коллизиями. В какой мере стремление к простоте в процессе создания романа могло вступить в противоречие с традиционной авторской стилевой манерой и, следовательно, опять-таки приводить к издержкам формы, названным выше «стилистическими прозаизмами»?

Следов коллизии не носят повествовательные стили романа, непосредственно связанные с «я» субъективного выражения; поэтико-стилевая структура их в основном та же, что и у раннего Пастернака. Сопоставим для иллюстрации отрывок из романа с тематически близким отрывком из «Повести» (формально-поэтическая тема обоих отрывков — характерная для Пастернака тема «растворения» образа в образе):

> «Разумеется, весь переулок в его сплошной сумрачности был кругом и целиком Анною. Тут Сережа был не одинок, и знал это. И правда, с кем до него этого не бывало! Однако чувство было еще шире и точнее, и тут помощь друзей и предшественников кончалась. Он видел, как больно и трудно Анне быть городским утром, то есть во что обходится ей сверхчеловеческое достоинство природы. И, помирая с тоски по настоящей Арильд, то есть по всему этому великолепию в его кратчайшем и драгоценнейшем извлечении, он смотрел, как, обложенная тополями, точно ледяными полотенцами, она засасывается облаками и медленно закидывает назад свои коричневые готические башни...»[78]

> «Ларе приоткрыли левое плечо. Как втыкают ключ в секретную дверцу железного, вделанного в шкап тайничка, поворотом меча ей вскрыли лопатку. В глубине открывшейся душевной полости показались хранимые ее душою тайны. Чужие посещенные города, чужие улицы, чужие дома, чужие просторы потянулись лентами, раскатывающимися мотками лент, вываливающимися свертками лент наружу. О, как он любил ее! Как она была хороша!... И опять у Юрия Андреевича стало мутиться в глазах и голове. Все поплыло перед ним. В это время вместо ожидаемого снега начал накрапывать дождь. Как перекинутый над го-

---

[78] Повесть, Изд-во писателей в Ленинграде, 1934, стр. 91.

> родской улицей от дома к дому плакат на большущем полотнище, протянулся в воздухе с одной стороны лесной прогалины на другую расплывчатый, во много раз увеличенный призрак одной удивительной боготворимой головы. И голова плакала, а усилившийся дождь целовал и поливал ее» (377-378).

Как видим, различна в обоих отрывках лишь степень образной «аутности», но не речевая структура, не язык. Иначе — в стилях, нейтральных по отношению к субъективному «я», — стилях композиционно-сюжетного движения, собственно сообщения о событиях, мизансценах, перемещении действующих лиц и т.п. Здесь, уже в самом их традиционно-реалистическом облике, ощутим вышеупомянутый отказ от стилевой манеры прошлого; ощутим как самозадание, ощутим в контрасте с иными, более близкими автору стилевыми формами; ощутим, наконец, в как бы непреодоленных трудностях стилевого переключения.

Двойственна в этом отношении и природа книжных и книжно-архаических элементов в языке и стиле романа. Частично творческая их функция — как в монологической, так и в диалогической речи — самоочевидна и органически включается в общий композиционно-речевой строй романа-притчи. Однако, как мы видели, в ряде случаев книжность лексики и синтаксическо-стилевых конструкций какой-либо специальной творческой нагрузки не несет и ощущается опять-таки как следствие некоего «упростительного» по отношению к более ранней речевой манере отбора. Как компонент художественного целого книжность, пожалуй, наиболее спорное в романе Пастернака.

***

И последний в плане подведения итогов вопрос — вопрос о значимости романа «Доктор Живаго», художественной, познавательной, философско-идейной.

Великолепие живописи русской природы отмечают в романе даже беспощадные критики из редакции «Нового мира».[79] Заданность отзыва не дала им возможности прибавить, что «Россия... несравненная, за морями нашумевшая, знаменитая родительница, мученица, упрямица, сумасбродная, шалая, боготворимая...», т.е. иными словами чувство родины и страстной, неудержимой к ней любви всюду стоит за пейзажем в романе как неотделимый от целого поэтический компонент.

Предвзятость помешала отметить и то новое в мастерстве художественной прозы, что представлено в «Докторе Живаго» в виде самой формы романа-притчи и, прежде всего, — тех особых стилей поэтического раскрытия центрального образа, которые названы были выше стилями душевной экспрессии и которые составляют наиболее яркую и обаятельную черту Пастернака-прозаика.

Искренность и страстность, лежащие в основе этих стилей, сила и бесстрашие авторского самовыражения во внутреннем монологе не являются, как полагают иные критики по обе стороны отечественного рубежа, некоей «идеей в себе», «надстройкой» над художественным целым, но его содержанием и эстетическим существом. В этом — художественная исключительность романа.

Отбросим возможные, но вряд ли нужные в этой работе полемические толкования так называемой «общественной» значимости романа (они всегда окажутся полярны у воинствующих материалистов и у их идейных противников), тем более — его ситуационные, неизбежно преходящие, оценки (немного больше четверти века понадобилось для того, чтобы «законность» Нобелевской премии Ивану Бунину была официально признана на родине этого писателя). Остановимся на бесстрашии авторского творческого самораскрытия в «Докторе Живаго». Это бесстрашие — само по себе одна из самых важных общественных значимостей художественного произведения, потому что продлевает исконную традицию русской литературы — «священной», по выражению Томаса Манна, литературы христианского гуманизма и не ограниченного догмой искания правды, гармонии и красоты.

---

[79] См. письмо редакционной коллегии журнала, опубликованное в «Литературной газете», 25. 10. 1958.

Отклики на эту значимость, тоску по этой ныне заглушаемой традиции можно обнаружить в ряде творческих голосов на «той стороне», как бы ни были они робки и закамуфлированы. Отметим хотя бы сборник «День поэзии» (1956), где эти голоса успели прозвучать более или менее отчетливо.[80] Приведем, например, уже (предположительно, как предположительно все в условиях творческой несвободы) непосредственный отклик на роман Пастернака, заключенный в стихотворении Маргариты Алигер «Пиши», опубликованном в 7-й книжке журнала «Октябрь» за 1959 год, стр. 109-110.

Ты хочешь написать в поэме
историю своей души,
в которой отразится время,
как в чистой капле... Что ж, пиши!

. . . .

Пиши скорей, не мешкай, слышишь,
весь мир, весь путь, весь опыт свой!
Пойми, ведь то, что ты напишешь,
не может написать другой.

. . . .

Пиши скорей, пиши, не мешкай,
не разрешая никому
сказать с недоброю усмешкой:
«Не напечатают... К чему?!»
Согласьем нытиков не радуй
и с ними вместе не спеши
за этой липовой оградой
скрываться... Прежде напиши.
А если ты поверишь этим
лукавым трезвым голосам,
тебя никто на белом свете
не упрекнет, но ты-то сам?
Но ты-то сам, в своей дороге,
в сосредоточенной тиши,

---

80 См., например, строчки из стихотворения Марка Максимова «О молчании», 62:

Когда немой молчит, — слышна его мольба.
Когда труба молчит, она еще труба...
И лишь когда молчит поэт, — поэта нет.

закон твой честный, суд твой строгий...
Вот то-то и оно! Пиши!
Да, будет горько, будет худо
до лютой муки, до седин.
Да, будет страшно: ведь покуда
ты пишешь, ты совсем один.
Но если ты свое допишешь,
вздохнешь и дух переведешь,
ты столько добрых слов услышишь
и столько жарких рук пожмешь!
Пиши скорей! Хмелей в отваге,
мужай, как юноша в бою,
доверь чернилам и бумаге
единственную жизнь твою.
Без колебаний! Пусть их судят!
Ты слов на ветер не бросал.
Жил,
думал,
верил...
Будь что будет![81]
Ты сделал все, ты написал!

Роман «Доктор Живаго» не свободен от некоторых неровностей и огрехов творческой формы и языка, характер и природа которых отчасти отмечены в приведенном выше разборе. Снижают ли они достоинства целого?

Лев Толстой говорил:

> «Во всяком художественном произведении важнее, ценнее и всего убедительнее для читателя собственное отношение к жизни автора и все то в произведении, что написано на это отношение. Ценность художественного произведения заключается не в единстве замысла, не в обработке действующих лиц и т.п., а в ясности и определенности того отношения автора к жизни, которое пропитывает все произведение. В известные годы писатель может даже до некоторой степени жертвовать отделкой формы, и если только его отношение к тому, что он опи-

[81] Ср. строчки из пастернаковского стихотворения «Нобелевская премия» (январь 1959):

Путь отрезан отовсюду.
Будь что будет, все равно.

сывает, ясно и сильно проведено, то произведение может достичь своей цели».[82]

В романе-притче Бориса Пастернака «отношение автора к тому, что он описывает», — это защита человеческой души, ее права на идеальную обращенность к высшим источникам духовного богатства, права чувствовать в себе Бога. Проведена эта защита, равно как и «отношение к жизни» — природе, любви, искусству, — «ясно и сильно», вдохновенно и убедительно.

Поэтому в непредвзятых оценках значительности таких, как «Доктор Живаго», произведений вряд ли возможны особенно крупные разногласия: они значительны уже потому, что возникли.

---

[82] Слова Л. Толстого, записанные В. Г. Чертковым. Цит. по книге: В. Виноградов, О языке художественной литературы, стр. 136.

Пилатов грех

(О тайнописи в романе «Мастер и Маргарита»)

ПОСМЕРТНЫЙ СПОР

В году 1930-ом Михаил Булгаков заявлял в письме к советскому правительству: «Борьба с цензурой... — мой писательский долг, так же как и призывы к свободе печати». Воистину творческая душа большого писателя смерти не знает: четверть века спустя после своей кончины Булгаков продолжает бороться против заглушения творческого слова.

Роман «Мастер и Маргарита», напечатанный в журнале «Москва» в конце 1966 и начале 1967 года, несет на себе следы этой жестокой борьбы, посмертного спора. Из 450 страниц авторского манускрипта советский цензор вырезал 60.[1] Эта была очень тонкая и целеустремленная работа цензурного компрачикоса — облик романа утратил первоначальную композиционную гармонию, стало не всегда отчетливым соотношение его структурно-тематических пластов: тема бесовской бригады Воланда, например, с трудом поддавалась толкованию читателя. Между тем, эта тема — одна из главных в творческом замысле автора.

В том же письме к правительству Булгаков писал: «И лично я, своими руками, бросил в печку черновик романа о дьяволе». Не бросил, оказывается, или вытащил недогоревшим: потому что еще целых десять лет над этим романом трудился. И, как можно судить по полному тексту романа, тема эта стала второй — после Достоевского — творческой темой о социально-бытовом воплощении сатанинства.

---

[1] По общему подсчету выброшенных строк, считая по 30 строк на странице.

Полностью раскрывается эта тема, однако, Булгаковым в форме иносказания, тайнописи, почти притчи. Знакомство с цензурными вырезками и их тенденцией — непременное условие прочтения этой тайнописи: проясняются расставленные автором акценты, выступает первозначность для него внутреннего, философского плана романа — темы высшего борения Света и Тьмы. Смута, устроенная на Москве чудищами Воланда, перестает казаться лишь фантастическим компонентом сюжета; смута не оканчивается с отлетом их в их сатанинское «восвояси» — полушутя-полусерьезно читатель может предположить, что кто-нибудь из воландовой свиты мог и задержаться в Москве... Для работы, например, по цензурной части в редакции какого-нибудь из московских журналов.

Но перейдем к прочтению тайнописного в романе.

МОСКВА — БЫТ — БЕСОВСКАЯ БРИГАДА

В структуре романа «Мастер и Маргарита» два основных сюжетно-композиционных пласта, различимых по времени и месту действия: Москва конца двадцатых и середины тридцатых годов и древний город Ершалаим начала нашей эры.

Москва. Город, где и откуда осуществлялась диктатура — контроль над творчеством, полицейский сыск, террор; город трудного быта: многосемейные квартиры, нужда, нехватка во всем.

Сюжетное вторжение в этот быт бесов Воланда — прием, прежде всего, освещения безотрадной действительности, и недаром цензоровы ножницы поработали здесь усердней всего.

В главе, например, где изображается сеанс черной магии, устроенный в театре Варьете, авторский акцент — не на фантастическом, происходящем на сцене, а на поведении зрителей: в реплике, которую выпустил цензор, Воланд интересуется: «Изменились ли эти граждане внутренне?»

И вот из-под купола театра «начали падать в зал белые бумажки» — червонцы! На сцене открылся дамский магазин, в котором бесплатно обменивались старые дамские платья и обувь на новые, парижских моделей. Следует разговор, вырезанный цензором, вероятно, из-за слишком живой экспрессии:

«В бельэтаже послышался голос:

— Ты чего хватаешь? Это моя, ко мне летела!

И другой голос:

— Да ты не толкайся, я тебя сам так толкану!

И вдруг послышалась плюха. Тотчас в бельэтаже появился шлем милиционера, из бельэтажа кого-то повели»... (к стр. 82)[2]

И еще один абзац, тоже выброшенный:

...«Неимоверная суета поднялась на сцене. Женщины наскоро, без всякой примерки хватали туфли. Одна, как буря, ворвалась за занавеску, сбросила там свой костюм и овладела первым, что подвернулось — шелковым, в громадных букетах халатом и, кроме того, успела подцепить два футляра духов». (к стр. 84).

Яркое освещение быта дано в главе «Сон Никанора Ивановича».

Никанора Ивановича Босого, председателя жилтоварищества в доме, который становится позже пристанищем бесов, арестовывают: один из бесов подсунул ему взятку — пачку американских долларов. Советским гражданам запрещалось иметь валюту, и, как знают специалисты по экономике СССР, в двадцатых годах советское правительство, которое нуждалось в средствах для восстановления промышленности и содержания зарубежных своих эмиссаров, практиковало персональное изъятие ценностей у граждан полицейским путем. И вот Никанор Иванович, полуобезумевший от допросов, попадает в психиатрическую клинику. Там он засыпает. Следует сон его — одиннадцать вырезанных цензором страниц — искусно замаскированное изображение «добычи» ценностей у арестованных. Происходит массовый допрос. Никанору Ивановичу видится как бы театр, но люди сидят на полу. Вот небольшой отрывок:

---

[2] Страницы указаны здесь и дальше, по изданию: Михаил Булгаков. Мастер и Маргарита. YMCA-PRESS, Париж, 1967.

«Лампы погасли, некоторое время была тьма и издалека в ней слышался нервный тенор, который пел:

«Там груды золота лежат
И мне они принадлежат»...

— Ну чего ты, например, засел здесь, отец? — обратился непосредственно к Никанору Ивановичу толстый с малиновой шеей повар, протягивая ему миску, в которой в жидкости одиноко плавал капустный лист.

— Нету! нету! Нету у меня! — страшным голосом прокричал Никанор Иванович, — понимаешь, нету!

— Нету? — грозным голосом взревел повар, — нету? — женским голосом спросил он, — нету, нету, — успокоительно забормотал он, превращаясь в фельдшерицу Прасковью Федоровну».

Оставшийся обрезок главы в полторы страницы цензор озаглавил «Никанор Иванович».

И третий крупный бытовой эпизод — изображение торгсина. Булгаков сближает здесь два различные по времени способа государственного вымогательства у населения ценностей — торгсин был способом более поздним и либеральным: люди, которых прежде арестовывали и ссылали за владение валютой, драгоценными камнями либо золотыми монетами, теперь могли свободно сдавать их государству в обмен на дефицитные товары и съестные продукты. Нужда оказалась сильнее полицейской угрозы — обыватели валом несли в торгсин золотые запонки и серебряные ложки. Мастер сатирического парадокса, Булгаков заставляет одного из воландовых бесов возмутиться цинизмом этого рода экономической политики:

«— Граждане! — вибрирующим тонким голосом прокричал он (Коровьев. Л. Р.), — что же это делается? Ась? Позвольте вас об этом спросить!.. бедный человек целый день починяет примуса. Он проголодался... а откуда же ему взять валюту?... — Откуда? — задаю я всем вопрос! Он истомлен голодом и жаждой, ему жарко! Ну, взял на пробу горемыка мандарин. И вся-то цена этому мандарину три копейки. И вот они уже свистят, как соловьи весной в лесу, тревожат милицию... А ему можно, а? — и тут Коровьев указал на сиреневого толстяка (иностранца. Л. Р.).

— Кто он такой? А? Откуда приехал? Зачем? скучали мы, что ли, без него?.. Он, видите ли, в парадном сиреневом костюме, от лососины весь распух, он весь набит валютой, а нашему-то, нашему-то?!.. Горько мне! Горько, горько! — завыл Коровьев, как шафер на старинной свадьбе.

Вся эта глупейшая, бестактная и, вероятно, политически вредная речь (добавляет Булгаков) заставила гневно содрогнуться Павла Иосифовича (директора Торгсина. Л. Р.), но, как ни странно, по глазам столпившейся публики видно было, что в очень многих людях она вызывала сочувствие».

Эпизод с торгсином содержит 6 страниц и выкинут цензором от слова до слова (упоминание о нем выброшено и дальше, со страницы 202).

«ПЕРЕЛЫГИНО»

В главе 5-ой — описание литературного объединения МАССОЛИТ, размещенного в писательском «Доме Грибоедова». Надписи на дверях: «Однодневные творческие путевки. Обращаться к М. В. Подложной». Другая надпись: «Перелыгино» с аллегорической нагрузкой на значение корня «лыг» — лгать. Перелыгино — Переделкино, писательский поселок под Москвой.

Тема несвободы творческого слова, фарисейства и лжи — проходит через весь роман. Двое из воландовых бесов, стоя у решетки писательского дома, рассуждают о «бездне талантов», которые вызревают под его кровлей, «как ананасы в оранжереях»:

«Ты представляешь себе (спрашивает Коровьев. Л. Р.), какой поднимется шум, когда кто-нибудь из них для начала преподнесет читающей публике «Ревизора» или, на самый худой конец, «Евгения Онегина»?

Последующие строки цензор выбрасывает. Там стоит:

«— Да, — продолжал Коровьев и озабоченно поднял палец, — но!.. Но, говорю я и повторяю это «но»!.. Если на эти нежные растения не нападет какой-нибудь микроорганизм, не подточит их в корне, если они не загниют! А это бывает с ананасами! Ой-ой-ой, как бывает!»

Очутившийся в психиатрической клинике поэт Иван

Бездомный говорит про другого, «благополучного», поэта Рюхина (разрядкой даются вычеркнутые цензором слова):

«... — Посмотрите на его постную физиономию и сличите с теми звучными стихами, которые он сочинил к первому числу. Хе-хе-хе... «Взвейтесь» да «Развейтесь!» А загляните к нему внутрь, что он там думает... вы ахнете!» (49).

Заглянуть «внутрь» Рюхина цензор однако читателю не дает и через страницу вычеркивает из внутреннего монолога Рюхина заключительную строку: «— не верю я ни во что из того, что пишу!» (к стр. 52).

Тема закрепощения творческого слова становится композиционно центральной в истории мастера, заплатившего свободой за свой роман. Интересна выброшенная цензором характеристика критики, которая отравляла мастеру жизнь:

«Что-то наредкость фальшивое и неуверенное (говорит мастер. Л. Р.) чувствовалось буквально в каждой строчке этих статей, несмотря на их грозный и уверенный тон. Мне все казалось, — я не мог от этого отделаться, что авторы этих статей говорят не то, что они хотят сказать, и что их ярость вызывается именно этим» (к стр. 94).

Критика этого рода, фальшь и доносительство разоблачаются в двух эпизодах «мести» Маргариты, привлекших особое внимание цензора.

Став ведьмой, Маргарита подлетает к дому, над дверьми которого написано «Драмлит». Что такое «Драмлит», она не знает, но вот видит на стене громадную черную доску с перечнем жильцов дома. Тогда — следует выкинутая цензором фраза — «Венчающая список надпись «Дом драматурга и литератора» заставила Маргариту испустить хищный задушенный вопль». Она находит квартиру критика Латунского, погубившего мастера, и устраивает в этой квартире разгром. Вот строки из описания этого разгрома, которые цензор выпустил, чтобы, вероятно, уменьшить выразительность картины, —

«Нагая и невидимая летунья» расправляется с роялем Латунского:

> «Со звуком револьверного выстрела лопнула под ударом молотка верхняя полированная доска. Тяжело дыша, Маргарита рвала и мяла молотком струны... Она била вазоны с фикусами в той комнате, где был рояль. Не докончив этого, возвращалась в спальню и кухонным ножом резала простыни, била застекленные фотографии. Усталости она не чувствовала, и только пот тек по ней ручьями».

Цензор старался смягчить места, выдающие целеустремленность этого разгрома — ненависть Маргариты к лживому перу критика. Поэтому, например, после слов: «Маргарита ведрами носила из кухни воду в кабинет критика» — цензор ставит точку, отрезая окончание: «и выливала ее в ящики письменного стола». Чуть ниже выкинуто также: «Полную чернильницу, захваченную в кабинете, она вылила в пышно взбитую двухспальную кровать». (к стр. 143).

Вторую расправу Маргариты, мстящей за мастера, цензор выкинул целиком. В главе 24-ой («Извлечение мастера») по мановению Воланда обрушивается в комнату некий гражданин Алоизий Могарыч.

«— Это вы, прочитав статью Латунского о романе этого человека, написали на него жалобу? — спросил Азазелло».

Также и здесь цензор отрезает конец вопроса, превращающий осторожное «жалобу» в «донос»; в подлиннике было: ...«жалобу, с сообщением о том, что он хранит у себя нелегальную литературу». Далее выброшен весь эпизод мести:

«Шипенье разъяренной кошки послышалось в комнате, и Маргарита, завывая: «Знай ведьму, знай!» — вцепилась в лицо Алоизия Могарыча ногтями.

— Что ты делаешь? — страдальчески закричал мастер. — Марго, не позорь себя.

— Протестую! Это не позор! — орал кот.

Маргариту оттащил Коровьев» (к стр. 167).

«КЛИНИКА» — «ПОДВАЛ» — «БАЛ У САТАНЫ»

Обильные цензурные вырезки в главе «Извлечение мастера» стремятся притушить аллегорию: психиатрическая клиника Стравинского — лагерь принудительных работ, откуда собственно извлечение и происходит. Еще в самом начале второй части романа, когда Маргарита мысленно разговаривает с исчезнувшим возлюбленным: «Если ты сослан, то почему не даешь знать о себе?» (стр. 134), слова «Если ты сослан» цензор вычеркивает. Купюр такого рода в этой главе множество: «Не слушайте его, мессир», — говорит Маргарита Воланду о мастере. — Он слишком замучен (стр. 169); последние три слова цензор тоже выбрасывает, как и примечательную реплику Воланда, разглядывающего мастера: «...его хорошо отделали» (стр. 165). Выброшены наиболее многозначительные фрагменты из разных диалогов.

Мастера с Коровьевым, например:

«...Нет документа, нет и человека, — удовлетворенно говорил Коровьев.

— Вы правильно сказали, — говорил мастер, — ...что раз нет документа, нету и человека. Вот именно меня-то и нет». (к стр. 167).

Мастера с Воландом:

«— А кто же будет писать! А мечтания, вдохновение?

— У меня нет больше никаких мечтаний и вдохновения тоже нет, — ответил мастер, — ничего меня вокруг не интересует, кроме нее... меня сломали...» (к стр. 169).

Мастера с Маргаритой (30-ая глава):

«— Я ничего не боюсь, Марго. — Не боюсь, потому что я уже все испытал. Меня слишком пугали и ничем больше испугать не могут.

— ...Они опустошили тебе душу!» (к стр. 204).

Ножницы цензора выхватывают из текста все, воспроизводящее атмосферу полицейского надзора и сыска, в которой ощущали себя москвичи. Сцена встречи Маргариты с рыжим посланником Воланда Азазелло в Александровском саду у кремлевской стены «отредактирована» следующим образом (разрядкой выделены выброшенные слова):

«— ...как вы могли узнать мои мысли? Скажите мне, кто вы такой? Из какого вы учреждения? — Вот скука-то — проворчал рыжий и заговорил громко, — простите, ведь я сказал вам, что не из какого я не из учреждения».

И дальше выброшено полностью:

— «Вы меня хотите арестовать? — Ничего подобного! — воскликнул рыжий, — что это такое: раз заговорил, так уж непременно арестовать!» (к стр. 136).

Тревожит цензора и само упоминание о свободе как антитезе поднадзорного существования. «Невидима и свободна! Невидима и свободна!» — восклицает Маргарита, когда Азазелло дарит ей метлу для полета и способность стать невидимкой. Слово свободна цензор вычеркивает из журнального варианта. Выпуски затушевывают связь между стремлением к свободе и сотрудничеством с бесами, защищающим от местного произвола. «Душенька, Маргарита Николаевна,... упросите их..., чтобы меня ведьмой оставили!» молит домработница Наташа; повторение этой мольбы выброшено цензором со страницы 168. И так многозначительна тоже вычеркнутая реплика мастера Маргарите: — «...Когда люди совершенно ограблены, как мы с тобой, они ищут спасения у потусторонней силы» (к стр. 204).

***

Наряду с «клиникой доктора Стравинского», иносказателен и подвал, в котором жил мастер до своего исчезновения и избавление от которого дарит ему «потусторонняя сила».

«Кони роют землю, содрогается маленький сад. Прощайтесь с подвалом, прощайтесь скорей!» — торопит мастера и Маргариту бес Азазелло. Слова «с подвалом» цензор выбрасывает, как и следующую реплику Азазелло в ответ на догадку мастера «мы мертвы»: «Разве для того, чтобы считать себя живым, нужно непременно сидеть в подвале, имея на себе рубашку и больничные кальсоны?» (к стр. 206).

Вычеркивает цензор и возгласы обоих, когда Азазелло поджигает подвал:

«Гори, гори, прежняя жизнь! — Гори, страдание!»

В предпоследней главе, прощаясь с Воландом, мастер спрашивает: куда идти? и оглядывается на город «с монастырскими пряничными башнями», — «...что делать вам в подвальчике?» — отвечает ему Воланд.

***

Аллегорична в этом первом, московском, плане булгаковского романа сама экспозиция «потусторонней силы» — Воланда и его бесов. Гротеск-фантастика причудливо переплетается здесь с диалогами вполне реалистической темы и остроты. Вот, например, Воланд в его мефистофелевом обличье в разговоре с мастером: «Неужели вы не хотите, подобно Фаусту, сидеть над ретортой в надежде, что вам удастся вылепить нового гомункула?» Или (разрядкой выделено то, что выбросил цензор):

— «Роман о Понтии Пилате, — сказал мастер. — О чем, о чем? О ком? — заговорил Воланд, перестав смеяться. В о т т е п е р ь? Это потрясающе! И в ы н е м о г л и н а й т и д р у г о й т е м ы? (к стр. 166).

Но тот же Воланд в главе «Великий бал у сатаны» пьет кровь из чаши — черепа председателя правления МАССОЛИТА Берлиоза. Именно в этой главе иносказание, повидимому, — главное в творческом замысле автора: слишком «довлеет себе» композиционно изображение сатанинского шабаша, слишком ощутимы расставленные там и здесь экспрессивные акценты.

Мотив крови, например. Мотив этот проходит через весь роман — цвет крови то и дело вспыхивает на его страницах. Но в главе «Великий бал у сатаны» — кровь — зримый фон происходящего. Маргариту вводят в самоцветный бассейн и окатывают кровью — она чувствует «соленый вкус на губах.» Когда она утомляется, ее снова влекут под кровавый душ. Ее поят кровью некоего не угодившего бесам и ставшего им почему-то подозрительным барона, зарезанного у нее на глазах. Сцену этого убийства страшно читать — такие реальные вызывает она ассоциации:

> «— Да, кстати, барон, — вдруг интимно понизив голос, проговорил Воланд, — разнеслись слухи о чрезвычайной вашей любознательности. Говорят, что она, в соединении с вашей не менее развитой разговорчивостью, стала привлекать общее внимание. И более того, есть предположение, что это приведет вас к печальному концу не далее, чем через месяц. Так вот, чтобы избавить вас от этого томительного ожидания, мы решили придти к вам на помощь, воспользовавшись тем обстоятельством, что вы напросились ко мне в гости именно с целью подсмотреть все, что можно.
>
> ...В тот же момент что-то сверкнуло в руках Азазелло, что-то негромко хлопнуло, как в ладоши, барон стал падать навзничь, алая кровь брызнула у него из груди и залила крахмальную рубашку и жилет. Коровьев подставил чашу под бьющуюся струю и передал переполненную чашу Воланду». (159-160).

Не менее знаменательно упоминание о меткости бесов в стрельбе по человеческой цели (28 строк об этом выброшено со стр. 162).

Маргарита в качестве королевы бала принимает гостей голой — они прикладываются к ее коленке. Нагота — лейтмотив ее образной характеристики, а среди длинного перечня профессий и положений гостей названы также «тюремщики», «палачи», «доносчики» и «сыщики»... «Все их имена спутались в голове и только одно мучительно сидело в памяти лицо, окаймленное действительно огненной бородой лицо Малюты Скуратова» (157). В выкинутых цензором строчках Маргарита называет этих гостей «висельниками».

Упоение властью, жестокость, разврат!.. Москвичи старшего поколения хорошо помнят ходившие по Москве конца 20-х и начала 30-х годов слухи об оргиях типа «афинских ночей», устраиваемых в обстановке величайшей конспирации кое-кем из новых хозяев жизни. Также — и о наказаниях сверху за «бытовое разложение». И вполне реальным комментарием к картине страшного бала звучит вырезанный цензором разговор Маргариты с одним из бесов:

> «— Вот что мне непонятно, — говорила Маргарита, и золотые искры от хрусталя прыгали у нее в глазах, — неужели снаружи не было слышно музыки и вообще грохота этого бала? — Конечно, не было слышно, королева, — объяснял Коровьев, — это надо делать так, чтобы не было слышно, это поаккуратнее надо делать». (к стр. 161).[3]

ПРОТИВ «ТРУСОСТИ»

И второй план романа: древний город Ершалаим. Понтий Пилат! Имя, открывающее уже вторую и заключающее последнюю главу романа, образуя главную его структурную тему, по отношению к которой романтическая история о мастере и Маргарите — только внешний повествовательный фон.

Эта структурная тема романа — тема пилатова преступления.

Раскаяние в совершенном начинает терзать прокуратора уже при самом провозглашении несправедливого приговора, когда он боится встретиться взглядом с осужденным Иешуа.

Позже, смятенный и нетерпеливый, с воспаленными глазами, Пилат расспрашивает начальника тайной полиции, как протекала казнь:

«— Он сказал, что... благодарит и не винит за то, что у него отняли жизнь. — Кого? — глухо спросил Пилат».

«Внешность прокуратора», — читаем в главе 26-ой,

---

[3] В напечатанном в журнале «Москва» варианте романа многие цензурные вырезки стремятся предупредить возникновение при чтении реальных аналогий. Так, например, в описании следствия по делу Воланда в главе «Конец квартиры № 50» после фразы: «Но в это время, то есть на рассвете субботы, не спал целый этаж в одном из московских учреждений» цензор ставит точку. В оригинале фраза продолжена так: «и окна в нем, выходящие на залитую асфальтом большую площадь, которую специальные машины, медленно разъезжая с гудением, чистили щетками, светились полным светом, прорезавшим свет восходящего солнца». (к стр. 189). Площадь с выходящими на нее окнами здания внутренней тюрьмы НКВД (бывшего страхового общества «Россия) — Лубянская площадь.

— «резко изменилась. Он как будто на глазах постарел, сгорбился и кроме того стал тревожен». Дальше, на стр. 178, цензор выбрасывает целый абзац, где описывается душевная смута Пилата.

Пилата мучит бессонница. Когда же, наконец, овладевает им сон, ему представляется широкая голубая дорога, ведущая вверх, к луне. «Он шел в сопровождении Банги, а рядом с ним шел бродячий философ. ...Само собой разумеется (размышляет Пилат. Л. Р.), что сегодняшняя казнь оказалась чистейшим недоразумением: ведь вот же философ, выдумавший столь невероятно нелепую вещь вроде того, что все люди добрые, — шел рядом, следовательно он был жив. И, конечно, (это продолжение размышлений Пилата цензор выбрасывает) ужасно было даже помыслить о том, что такого человека можно казнить. Казни не было! Не было!...» (к стр. 184).

Идя во сне по голубой дороге вместе с Иешуа, Пилат ведет род внутреннего диалога с самим собой, в котором раскрывается главный его стыд, причина душевного смятения и тоски — трусость!

...«трусость несомненно один из самых страшных пороков. Так говорил Иешуа Га-Ноцри. Нет, философ, я тебе возражаю: это самый страшный порок! Вот, например, не трусил же теперешний прокуратор Иудеи и бывший трибун в Долине Дев, когда яростные германцы чуть не загрызли Крысобоя-Великана. Но, помилуйте меня, философ! Неужели вы, при вашем уме, допускаете мысль, что из-за человека, совершившего преступление против кесаря, погубит свою карьеру прокуратор Иудеи?»

Цензор снова пускает в ход ножницы, выбрасывая ответ:

«Разумеется, погубит. Утром бы еще не погубил, а теперь, ночью, взвесив все, согласен погубить. Он пойдет на все, чтобы спасти от казни решительно ни в чем не виноватого безумного мечтателя и врача». (к стр. 184).

Но казнь свершилась.

И трусость становится лейтмотивом пилатова преступления. Трусость помешать несправедливости, бесчеловечности, пролитию крови невинного. И цензор настойчиво вычеркивает упоминание о трусости со страниц романа. Вычеркивает, например, строчки из расспросов Пилата о казни, без которых приведенная выше ссылка на слова Иешуа о трусости повисает в воздухе:

«— Не пытался ли он проповедовать что-либо в присутствии солдат? (спрашивает Пилат гостя, начальника тайной полиции. Л. Р.). — Нет, игемон... Единственное, что он сказал, это — что в числе человеческих пороков одним из главных он считает трусость. — К чему это было сказано? — услышал гость внезапно треснувший голос. — Этого нельзя было понять...» (к стр. 176).

Сокращает соответствующим образом цензор и разговор прокуратора с Левием Матвеем, который снимал тело Иешуа с креста и у которого прокуратор потребовал хартию, где выписаны слова осужденного (вычеркнутое напечатано разрядкой):

«...Гримасничая от напряжения, Пилат щурился, читал: «...мы увидим чистую реку жизни... человечество будет смотреть на солнце сквозь прозрачный кристал... Тут Пилат вздрогнул. В последних строчках пергамента он различил слова: «...большего порока... трусость»... (188).

Пример этой необыкновенной бдительности в отношении понятия «трусость» можно найти и в бытовом плане романа. Полураздетый и полубезумный поэт Иван Бездомный врывается в ресторан МАССОЛИТА, и заведующий обрушивается на швейцара: зачем пустил? Ответ швейцара у Булгакова читается так:

— «Да ведь, Арчибальд Арчибальдович, — трус я — отвечал швейцар, — как же я могу их не допустить, если они члены МАССОЛИТА?»

Цензор делает ничтожное, казалось бы, исправление: соединяет слова «трус» и «я». Фраза принимает такой вид: «Да ведь, Арчибальд Арчибальдович, труся отвечал швейцар, — как же я могу»... и т.д. Трусость «экзистенциальная», типичная для времени, о котором идет речь, превращается таким образом просто в робость перед начальством.

ЛУННАЯ ДОРОГА

Тема преступления Пилата тем не менее сохраняет свою структурную выразительность. Именно она создает ярчайшие страницы романа, образуя систему наибольшей пластичности, экспрессии и глубины.

Это прежде всего образ самого Пилата, сложных контуров облик Га-Ноцри-Христа, образы начальника тайной полиции Афрания, Иуды из Кириафа и сборщика податей Левия Матвея. Это сжатость и выразительность диалогической речи, внутренние монологи-дискуссии Пилата; это удивительные по строгости и внутреннему движению сцены распятия, погребения и сцена казни Иуды. Это, наконец, пейзаж — как торжественный аккомпанемент и вместе символ свершающегося.

Два структурных типа пейзажа преобладают в романе: грозовой и лунный.

Теме зла сопутствует грозовая тьма.

Лунный свет — теме Неба.

Злодейство покарано рукой породившего его; луна освещает труп Иуды в Гефсиманском саду... «левая ступня попала в лунное пятно, так что отчетливо виден каждый ремешок сандалии. Весь Гефсиманский сад в это время гремел соловьиным пением» (138). Луна сопровождает бессонные терзания Пилата. «Около двух тысяч лет (говорит Воланд) сидит он на этой площадке и спит, но когда приходит полная луна,... его терзает бессонница. ...а когда спит, то видит одно и то же: лунную дорогу, и хочет пойти по ней и разговаривать с арестантом Га-Ноцри»... Луна совершает метаморфозу бесов в их обратном полете-исчезновении: «Тот, кто был котом, потешающим князя тьмы, теперь оказался худеньким юношей, демоном, пажем... притих и летел беззвучно, подставив свое молодое лицо под свет, льющийся от луны» (210). В видениях профессора Ивана Николаевича, бывшего поэта Ивана Бездомного, совершаются последние знаменательные встречи, собранные в свете весеннего полнолуния, как в фокусе таинственной, едва приоткрывающейся нам сути булгаковского повествования:

«Луна властвует и играет, луна танцует и шалит. Тогда в потоке складывается непомерной красоты женщина и выводит к Ивану пугливо озирающегося, обросшего бородой человека...».

И встреча другая в том же видении:

«От постели к окну протягивается широкая лунная дорога, и на эту дорогу поднимается человек в белом плаще с кровавым подбоем и начинает идти к луне. Рядом с ним идет какой-то молодой человек в разорванном хитоне и с обезображенным лицом.

— Боги, боги! — говорит, обращая надменное лицо к своему спутнику, тот человек в плаще. — Какая пошлая казнь! Но ты мне, пожалуйста, скажи... ведь ее не было! Молю тебя, скажи, не было?»

Есть ли это мольба о прощении? Вероятно. Потому что когда спутник Пилата, улыбаясь глазами, клянется, что казни не было, —

«— Больше мне ничего не нужно ! — сорванным голосом вскрикивает человек в плаще и поднимается выше к луне, увлекая своего спутника». (218-219).

Сюжетно мотив милосердия повторяется дважды. В награду за то, что провела голой бал князя тьмы, Маргарита просит у него прощения Фриде, задушившей платком своего новорожденного ребенка. Она же просит и за Пилата, мучимого вечной бессонницей раскаяния. «Вам не надо просить за него, Маргарита», — отвечает Воланд, — «потому что за него уже попросил тот, с кем он так стремится разговаривать».

«Тот» — это Иешуа-Христос.

***

Первое упоминание о Христе — уже на второй[4] странице романа: поэт Бездомный в заказанной ему антирелегиозной поэме очертил Христа «очень черными красками», но редактору хотелось доказать поэту, что Христа просто-напросто не было. Эпизод заканчивается тем, что Воланд, поманив к себе обоих — редактора и поэта, —

---

[4] По журнальному варианту — 12-ой.

шепчет им: — «Имейте в виду, что Иисус существовал». Так начато знаменательнейшее в романе переплетение темы Христа и темы духа зла. Света и тьмы.

Творческое решение темы Христа (немыслимо ведь забывать о подконтрольности творческого процесса) в композиционном отношении очень сложно и очень тонко. Опровержение того, что Иисус — вымысел, сделанное в самом начале романа, повторяется в конце его на одной из страниц подлинного варианта, вырезанной цензором. Повторение как бы замыкает тему в «кольцо» утверждения о реальном существовании Христа. Вот эти строки:

«— Я ничего не боюсь, Марго, — вдруг ответил ей мастер и поднял голову и показался ей таким, каким был, когда сочинил то, чего никогда не видел, но о чем наверно знал, что оно было...»

В орбите этого утверждения рассказана история бродячего философа из Галилеи — Иешуа Га-Ноцри.

Цензурные вторжения — купюры, — часть которых (слова Иешуа на кресте) уже приводились выше, имеют, видимо, целью уменьшить возможность религиозного характера ассоциаций. Так, например, из разговора прокуратора с первосвященником Каифой выброшено такое (выделенное разрядкой) продолжение фразы: «Вспомнишь ты тогда спасенного Вар-Раванна и пожалеешь, что послал на смерть философа с его мирной проповедью». Слово «философа» вычеркивает цензор и в некоторых других местах. Во фразе «...сходились две дороги: южная, ведущая в Вифлеем, и северо-западная — в Яффу» — вместо «Вифлеем» поставлено «Виффагию», хотя географическое «Яффа» оставлено на месте.

Натурализм манеры, в которой выписан облик Иешуа Га-Ноцри, достигает предела экспрессии в сцене казни, — кто знает! может быть слегка целеустремленной экспрессии автора, желающего увидеть свое произведение в печати. Здесь перед нами гольбейновская трактовка крестных страданий, как на поразившей когда-то Достоевского картине базельского художника:

«Он впал в забытье, повесив голову в размотавшейся чалме. Мухи и слепни поэтому совершенно облепили его, так что лицо его исчезло под черной шевелящейся массой. В паху, и на животе, и под мышками сидели жирные слепни и сосали желтое обнаженное тело». (109-110).

И та же образная экспрессия — в картине грозы, выполненной по евангельскому свидетельству («И сделалась тьма по всей земле... И померкло солнце»... От Луки, 23. 44-45);

«Солнце исчезло, не дойдя до моря, в котором тонуло ежевечерне. Поглотив его, по небу с запада поднималась грозно и неуклонно грозовая туча. Края ее уже вскипали белой пеной, черное дымное брюхо отсвечивало желтым. Туча ворчала, и из нее, время от времени, вываливались огненного цвета нити». (109).

Но вот в конце романа перед читателем как-то удивительно подготовленно и незаметно возникает другая ипостась казненного — безликая, обозначаемая только «Он», «Тот»; «Он» повторено четырежды в разговоре Левия Матвея с Воландом в главе 29-ой:

«— Он прислал меня. — Что же он велел передать тебе, раб?»

И на странице 212 в обращении Воланда к мастеру: «Т о т», кого так жаждет видеть выдуманный вами герой,... прочел ваш роман»...

«ТЬМА»

Два плана булгаковского романа — современный, московский, и древний ершалаимский — связаны композиционно приемами сцеплений, повторов и параллелей различной степени внятности.

О «сцеплениях»: в конце первой же главы романа («Никогда не разговаривайте с неизвестными») Воланд, представший двум литераторам в обличье профессора-иностранца, неожиданно произносит:

«— Все просто: в белом плаще с кровавым подбоем, шаркающей кавалерийской походкой, ранним утром четырнадцатого числа весеннего месяца нисана...».

И этими же словами — «В белом плаще с кровавым

подбоем» и т.д. открывается следующая глава — «Понтий Пилат». Глава 15-ая кончается видением Никанора Ивановича, которому снится, что «солнце уже снижалось над лысой горой (Голгофой. Л. Р.), и была эта гора оцеплена двойным оцеплением». — Тою же фразой начинается и очередная глава.

Прием повторен в романе четыре раза.

«Кровавый подбой» в первом из приведенных выше примеров — внутренняя, видимо, параллель к теме крови в главе «Великий бал у сатаны». Вино, которым отравляет Азазелло мастера и Маргариту (глава 30), по его словам, «то же самое вино, которое пил прокуратор Иудеи», и когда он разливает это вино по бокалам, «все окрашивается в цвет крови» (выделенное разрядкой выброшено цензором). «Перекличка» двух планов осуществляется также в снах. Интересна и скрытая параллель: римский кесарь — московский диктатор, встречающаяся на стр. 175 и уничтоженная цензором. Пилат, поднимая чашу, провозглашает:

«— За нас, за тебя, кесарь, отец римлян, самый дорогой и лучший из людей!»

Выделенные разрядкой слова цензор вычеркивает.

Но что прежде всего связывает оба плана романа — это образ тьмы.

Грозовая тьма — спутник Зла. Символ Зла. Образ тьмы, поглощающей свет, проходит через весь роман ведущим в смысле тайнописной нагрузки повтором.

В главе 19-ой Маргарита, держа на коленях испорченную огнем тетрадь с романом мастера, читает:

> «...Тьма, пришедшая со Средиземного моря, накрыла ненавидимый прокуратором город. Исчезли висячие мосты, соединяющие храм со страшной Антониевой башней, спустилась с неба бездна и залила крылатых богов над ипподромом, Хасмонейский дворец с бойницами, базары, караван-сараи, переулки, пруды... Пропал Ершалаим, великий город, как будто не существовал на свете»... (133).

Цитата повторяется в главе еще раз: поднимаясь, чтобы выйти из Александровского сада, Маргарита слышит за спиной голос Азазелло, произносящего те же строки о тьме.

Окончание главы 24-ой включает в себя первую строку из этой же цитаты, снова прочитываемую Маргаритой; оно таково:

— «Тьма, пришедшая со Средиземного моря, накрыла ненавидимый прокуратором город... Да, тьма...».

Начало следующей — 25-ой — главы повторяет, образуя сцепление, эту цитату полностью. Добавлено еще одно предложение: «Все пожрала тьма, напугавшая все живое в Ершалаиме и его окрестностях».

Настойчивость повтора пугает, видимо, и цензора — он вычеркивает из приведенного выше окончания слова «Да, тьма...» Выбрасывает цензор и еще один пассаж о тьме — самый значительный и тайнописный из повторов этого мотива в романе. Это — окончание главы 29-ой — «Судьба мастера и Маргариты определена», — события которой происходят «на каменной террасе одного из самых красивых зданий в Москве». В исправленном цензором варианте оно читается так: «На террасе посвежело. Еще через некоторое время стало темно» (203).

Выброшенный цензором авторский конец главы повторял — слегка переиначенно — все тот же, что и в главах 19-ой и 25-ой, образ тьмы, перенесенный теперь из плана ершалаимского в план современный:

> «Эта тьма, пришедшая с запада, накрыла громадный город. Исчезли мосты, дворцы. Все пропало, как будто этого никогда не было на свете. Через все небо пробежала одна огненная нитка. Потом город потряс удар. Воланд перестал быть видим во мгле».

Этот город, который, как когда-то древний Ершалаим, поглощается тьмой, — Москва!

ЧТО ЖЕ И КАК СКАЗАНО?

Со сложностью замысла (повествование-иносказ, повествование-притча) связано стилистическое «не-единство» булгаковского романа. Как это обычно случается в произведениях криптографического ключа,[5] в нем легко различаются стилистические ряды большей и меньшей творческой концентрации. Первые относятся к внутренней и центральной для автора метафизической теме утверждения в мире Зла. Вторые — образуют повествовательный фон.

Среди этих вторых ярче всего выступают стили бытовой сатиры.

Интересно, быть может, отметить общность булгаковской стилевой манеры этого типа с манерой других сатириков того времени, относимых обычно к так называемой «южной группе», — Ильфа и Петрова прежде всего. Вот, например, редактор Берлиоз и поэт Бездомный, мучимые жаждой, подходят к киоску с напитками:

> — «Дайте нарзану, — попросил Берлиоз. — Нарзану нету, — ответила женщина в будочке и почему-то обиделась. — Пиво есть? — сиплым голосом осведомился Бездомный. — Пиво привезут к вечеру, — ответила женщина. — А что есть? — спросил Берлиоз. — Абрикосовая, только теплая, — сказала женщина. — Ну, давайте, давайте, давайте!.. Абрикосовая дала обильную желтую пену, и в воздухе запахло парикмахерской. Напившись, литераторы немедленно начали икать...» (12).

К манере южной группы относятся эпитеты-находки, определяющие голос говорящего: «Товарищ Бездомный, — заговорило это лицо юбилейным голосом, — успокойтесь!» (47). Относится и авторская усмешка в таком, например, описании: «На дверях первой же комнаты в этом верхнем этаже виднелась крупная надпись «Рыбно-дачная секция», и тут же был изображен карась, попавшийся на уду» (41). На стр. 127 Воланд говорит совершенно языком Остапа Бендера. Речь идет о том, что буфетчик, у которого припрятаны залотые монеты, не воспользуется ими, так как вскоре умрет. «Вы когда умрете?» — спрашивает его Воланд. — «Это никому неизвестно и никого не касается». — «Подумаешь, би-

---

[5] Например, в пастернаковском «Докторе Живаго», с которым булгаковский роман связывает приглушенная по цензурным соображениям тема Христа.

ном Ньютона! Умрет он через девять месяцев... от рака печени». (127).

Стили повествовательного «фона» включают и довольно случайное по отношению к стилевой структуре целого введение авторского повествовательного «я» вроде: «...автор этих правдивейших строк» (42), «пишущий эти правдивейшие строки сам лично... слышал...» (213).

В какой-то мере к этим же второстепенного плана стилям можно отнести элементы фантастического гротеска, иногда почти лубочного, выполняющего, вероятно, камуфляжную по отношению к центральной теме функцию. Таков, например, в главе «Полет» эпизод о том, как летящую на метле Маргариту догоняет Наташа, ее домработница:

> «Она совершенно нагая, с летящими по воздуху растрепанными волосами, летела вверх на толстом борове, зажимавшем в передних копытах портфель, а задними ожесточенно молотящем воздух... Хорошенько всмотревшись, Маргарита узнала в борове Николая Ивановича, и тогда ее хохот загремел над лесом, смешавшись с хохотом Наташи... — Принцесса! — плаксиво проорал боров, галопом неся всадницу». (145).

Для стилей наибольшей творческой концентрации характерны, как отчасти уже отмечалось, пластичность и экспрессия образного отбора. В том числе и лирическая экспрессия гоголевской эмоциональной окраски и символики. Например:

> «Боги, боги мои! Как грустна вечерняя земля! Как таинственны туманы над болотами! Кто блуждал в этих туманах, кто много страдал перед смертью, кто летел над этой землей, неся на себе непосильный груз, тот это знает. Это знает уставший...» (209)

Гоголевское иной раз звучит и в ритмико-синтаксическом строе повествования (что, впрочем, опять-таки свойственно манере прозаиков южной группы, — Бабеля, например):

> «Ночь начала накрывать черным платком леса и луга, ночь зажигала печальные огонечки где-то далеко вни-

зу... Ночь обгоняла кавалькаду, сеялась на нее сверху и выбрасывала то там, то тут в загрустевшее небо белые пятнышки звезд...»[6]

И конечно же от южных «орнаменталистов» такая, например, сгущенность образной экспрессии:

«Пилат задрал голову и уткнул ее прямо в солнце. Под веками у него вспыхнул зеленый огонь, от огня загорелся мозг, и над толпою полетели хриплые арамейские слова».

Примеры эти не исчерпывают, разумеется, всех «как»?, относящихся к мастерству в булгаковском романе; может быть, только намечают пути подробного исследования, которого это мастерство заслуживает. Равным образом и вопрос о «тайнописном» в этом вполне необыкновенном романе требует дополнительной, более тщательной работы над текстом, новых раскрытий и толкований авторского замысла. Как, например, прочитывается мистерия развоплощения душ героя и героини из телесной их оболочки? смена видимостей жизни и смерти? Где искать объяснения обращению этих душ к духу зла? Только ли в выпущенной цензором реплике Мастера Маргарите: «...Когда люди совершенно ограблены, как мы с тобой, они ищут спасения у потусторонней силы»? Как толковать это, самое загадочное в мистериозной теме романа, взаимокасание Света и Тьмы в добре? Как изначальную их слиянность? Ориентированные эпиграфом, взятым из разговора Фауста с Мефистофелем, мы в продолжении этого разговора находим такое самоопределение беса:

Я — части часть, которая была
Когда-то всем и свет произвела.
Свет этот — порожденье тьмы ночной.
И отнял место у нее самой.[7]

Немногие помнят, что развитие этого мотива встречается в драматической поэме «Дон Жуан» А. К. Тол-

[6] Ср. у Бабеля: «Ночь летела ко мне на розовых лошадях»... («Иваны»).

[7] «Фауст», перевод Б. Пастернака. М., 1960, стр. 93.

стого, где Сатана так рекомендует себя спускающимся на землю небесным духам:

«...Короче, я ничто; я жизни отрицанье;
А как Господь весь мир из ничего создал,
То я тот самый матерьял,
Который послужил для мирозданья.

И в другом монологе:

А что есть истина? Вы знаете ли это?
Пилат на свой вопрос остался без ответа,
А разрешить загадку сущий вздор:
Представьте выпуклый узор
На бляхе жестяной. Со стороны обратной
Он в глубину изображен;
Двояким способом выходит с двух сторон
Одно и то же аккуратно.
Узор есть истина. Господь же Бог и я —
Мы обе стороны ея;
Мы выражаем тайну бытия —
Он верхней частью, я исподней,
И вот вся разница, друзья,
Между моей повадкой и Господней.

Возникает мысль: не оживают ли отражения этой первоначальной слиянности Света и Тьмы — в эпоху страшных бытийных катаклизмов, когда разгул рожденного Тьмою зла ужасает самих его вдохновителей, склоняя их к пособничеству добру?.. Недоступность писательских архивов — планов, черновиков, дневниковых записей и писем — надолго еще затруднит проверку предполагаемых объяснений и догадок.

Что, тем не менее, сказано в романе в свете сделанных выше первых прочтений?

Вот — если собрать мысли и впечатления в несколько кратких абзацев:

Грех Пилата — структурный фокус авторской тайнописной темы. Тяжкий грех предательства, попустительства Злу из трусости, в страхе за личное благополучие.[8]

---

[8] В романе есть термин «пилатчина» в значении религиозной контрабанды в печати. Употреблен этот термин, однако, в таком остраненном контексте («проклятое слово!» «неслыханное слово»

Две тысячи лет тому назад в древнем Ершалаиме был совершен этот грех, вдохновленный царем тьмы, в вечной и неисповедимой борьбе тьмы со светом.

Две тысячи лет спустя грех этот повторился воплощением в другом, уже современном, огромном городе. И привел с собою страшное хозяйничание зла среди людей: истребление совести, насилие, кровь и ложь.

Спасение — в раскаянии, в преодолении страха произнести преступлению «нет!», в обращении к Небу, в защите каждым всех и всеми — каждого...

стр. 94), что кажется «подброшенным» автором для обозначения трусости и предательства, распространенных среди людей в стране полицейского надзора и сыска.

Творческое слово у Солженицына

1

В мартовском номере журнала «Октябрь» за этот год встретилась одна заметка с почти паническим заголовком — «Пока не поздно».

Автора заметки, оказывается, волнует то, что в новой советской Энциклопедии, которая подготовляется, некоторым писателям, творившим в стороне от партийного заказа, будет уделено слишком много внимания. Так, творчеству А. Солженицына, например, предположено отвести столько же строк, сколько и писателю Петру Павленко. Как это возможно — посвятить равного размера статьи Павленко и Солженицыну, который «...снискал себе незавидную славу автора произведений, направленных против... дорогих для нас принципов советской литературы!»

Петр Павленко был талантливым прозаиком партийной ориентации, то-есть, значит, наряду с творчески подлинным (повесть «Степное солнце», например), во многом следовал дорогим для автора заметки принципам советской литературы. Это у него в романе «Счастье» внешность Иосифа Сталина изображена так: — «Лицо Сталина не могло не измениться и не стать иным, потому что народ глядел в него, как в зеркало, и видел в нем себя, а народ изменился в сторону еще большей величавости....»

Автор заметки категоричен, к дискуссии не зовет и вполне очевидно хотел бы пóходя снизить в глазах читателей писательскую значимость солженицынского творчества.

Оно, это творчество, по самому явлению своему необычно и ошеломительно; этим, может быть, и объясняется то, что даже и здесь, за рубежом, случается иной раз слышать неуверенное: «Думаете вы, что мастерство Солженицына на самом деле так уж необыкновенно?»

Сделаю попытку ответить на этот вопрос, опираясь, главным образом, на особенности самой повествовательно-речевой манеры автора.

Мастерство писателя начинается с его языка. Чуть забегая вперед, скажу, что в части языка Солженицын несомненно новатор. Новаторство его состоит в стремлении оживить современный русский литературный язык свежестью и богатством народного речеупотребления; застывшую в этом языке книжность и безжизненность растопить живым разговорным обычаем, в основе которого лежала бы искренность и непосредственность речевого сознания. Словарь и склад народной речи — утверждал он в статье «Не обычай дегтем щи белить, на то сметана», напечатанной в «Литературной газете» № 131 за 1964 год, — «дает нам еще не оскудевший источник напоить, освежить и воскресить наши строки». И позже, в одном интервью: — «Я убежден, что в нашей литературе богатства русского языка используются недостаточно», — сказал он.

Щедрые заимствования из словаря Даля, с которыми мы встречаемся в произведениях Солженицына, и есть одно из проявлений этого обновленческого стремления.

Опыты обогащения литературного словоупотребления речениями из временного и бытового далёка нельзя расценивать «огулом», как это иногда делают критики по ту и по эту сторону отечественного рубежа. Бесчисленные речевые шаблоны, эти подлинные мумии литературного языка, запечатленного творческой несвободой, гораздо в большей мере, чем архаизмы, оказываются «словесными окаменелостями» (заимствую этот термин из статьи в «Литературной газете» от 9-го июля 1969-го года).

Возвращенное из словарного архива слово, становясь рядышком со своими современными синонимическими собратьями, может казаться ненужным, если решительно ничего к их семантико-функциональному наполнению не добавляет; но может, напротив, выгодно выделиться некой трудно определимой, но отчетливой новизной своего внутреннего смыслового и экспрессивно-звукового облика.

Так, вряд ли удачны солженицынские взятые у Даля: навыпередки вместо «наперегонки»; обопнуться в значении «упорствовать»: «Грачиков обопнулся на своем...» («Для пользы дела»); переклониться (через стол) вместо «перегнуться»; погремливая вместо «позвякивая», «погромыхивая», «погрохатывая»: «И пошла, погремливая ведром» («Для пользы дела»); прихотник: «...он понимал роль руководителя не как капризного прихотника» (там же).

Но, например, застыдчивость не доходчивее ли «застенчивости» и не содержит ли (как и сам корень стыд в сравнении со стен) больше экспрессии и смысловой полноты? Или вбирчивый, вбирчиво: «слушал вбирчиво», «вбирчиво ими (запахами леса. Л. Р.) дышал» — не свежее ли привычных «внимательно» или «жадно»?

Далее: грево — тепло: «...ветрами выдувало из нее печное грево» («Матр. двор»); толпошиться — толочься; хвалословить — славословить; впрохолость (жить) — холостяком; оклычиться — оскалиться; дождь-проливняк; дождь-косохлёст; рубезочки — тесемки, завязки; нылая боль; завойчатые волосы; безразувная служба; формы вроде: убраживая: «убраживая в снегу»; приючала: «...она приючала их у себя и помогала» («В круге первом»); фразеологическое: «поконец рук»: «Топили-то поконец рук» (т.е. плохо. Л. Р.); клешнить сердце: «...выползали вяземское и волоколамское направления и клешнили сердце» («Случай на ст. Кр.») и многое другое, взятое у Даля в поисках «освежения и воскрешения строк».

Другими источниками воскрешения оказываются «подслушанное» автором в живом разговорном быту и словотворческое «свое». Это иной раз (как когда-то и у Лескова) не так уж легко различить: и подслушанное, и свое сходны поисками нового. Поиски часто экспериментальны, то есть, значит, хотя бы и в отдельных только случаях, обречены на неудачу.

Как и в использовании Далевского словаря, здесь у Солженицына встречается кое-что спорное. Вряд ли, например, перетеребливая лучше, чем «перебирая»: «Перетеребливая в уме... десятки жизненных важностей» («Для пользы дела») — «перебирая» прочно закреплено фразеологическим употреблением; нехорошо сдрогнула в значении «сошла», «сползла», «исчезла» в фразе из того же рассказа: «И вдруг сдрогнула с его лица вся грозность и обернулась сочувственной улыбкой». Вряд ли доходчиво вразнокап: «Их шинели и шапки были только слегка примочены, вразнокап» («Сл. на ст. Кр.»); неудачны некоторые сложные новообразования (так наз. «композита»): наряду с густошумящей веткой, волосатомордой собакой, розовополосчатой пижамой, встречаем; злонаходчивый забор и чудомудрый пиджак («Для пользы дела»). Перечень неубедительного можно было бы продолжить, но — какое же огромное количество совершенных и поражающих удач увенчивают поиски Солженицына! Чего стоит богатейший словарь лагерного просторечия, представленный уже в первой его повести!

В последующих вещах удач не меньше. Великолепно, напр., одержимец (в значении «фанатик»), придуманное автобиографичным в отношении языка персонажем («В круге первом»). Затем: на цырлах (на цыпочках): «...на цырлах понес его (кресло. Л. Р.) к генералу»; раскурочить (ограбить, лишить своего имущества); солдяги (солдаты); «маленькие кванты каши»; недокурок, злоденята, гадство, пожуркивать: «...опять пожуркивала вода в трубе» («Случай на ст. Кр.»), невподым: «таскали мешки невподым»; пушкинского примера образования лив и хлёст: «Так он стоял под лив, хлёст, толчки ветра под окнами» («Случай на ст. Кр.»); туск: «...какой-то безжизненный туск наплыл на них» (глаза. Л. Р.; «В круге первом»).

Народность речевой ориентации одушевляет целый ряд префиксальных и суффиксальных образований, сообщая им в той или иной степени экспрессию и тепло разговорной непосредственности, необычные в традиционной структуре «нейтральной» от-авторской речи: расстарываться, взмарщиваться, исперепoлошиться, изнахалиться, страшок, юненькая и пр.

От разговорной же непосредственности, вероятно, и различная по своей природе выразительность таких, например, определительных сочетаний, как: доконечная точность; передыханный воздух; стомивший с ног поцелуй; разляпистый нос; чутконосый (стукач); толстомордый здоровяга (о трактористе) и т.п.

Разговорно-просторечна в от-авторском сообщении и фразеология: «Здоровый, раскормленный волк, он был просто кладовщик и ларечник продпункта, но держался на четыре шпалы». («Случай на ст. Кр.»); «...сохранил интерес... к судьбе того учения, которому заклал свою жизнь» («В круге первом»).

Отдельные словечки-носители разговорной экспрессии как бы определяют иной раз семантико-стилевой строй высказывания в целом:

«Какое счастье, что здесь ничего нельзя построить! — ни кондитерского небоскреба втиснуть на Невский, ни пятиэтажную коробку сляпить у канала Грибоедова» («Город на Неве»). Или: — «Милей мне не приглянулось во всей деревне: две-три ивы, избушка перекособоченная...» («Матр. двор»).

Функциональная выразительность таких образований часто особенно очевидна при передаче душевной экспрессии. Например: — «Зотов представил себе Саморукова — и в нем забулькало...» — «Павла Николаевича защипало, и понял он, что совсем отмахнуться от смерти не выходит» («Рак. корп.»). Или — в описании радостного настроения персонажа: — «В груди у него так и переполаскивало». («Рак. корпус»).

Экспрессивно-разговорные находки рассыпаны и в диалогической речи: «...нет в войне ни хрёнышка х о р о ш е г о!» — говорит Нержин («В круге первом»), а в «Раковом корпусе» только что приведенный в палату больной Чалый восхищается, разглядывая полную санитарку: — «Какая девка п о с а д о ч н а я!»

***

Синтаксическая сторона повествования у Солженицына очень подчинена стремлению к разговорной непосредственности и простоте сообщения. Подчеркнутость и внутренняя динамика этой простоты напоминает иногда Пришвина:

> «...Снег во дворе пушистый, обильный. Шарик мечется прыжками, то на задние ноги, то на передние, из угла в угол двора, из угла в угол, и морда в снегу.
>
> Подбежав ко мне, лохматый, меня опрыгал, кости понюхал — и прочь опять, брюхом по снегу!
>
> Не надо мне, мол, ваших костей — дайте только свободу!» («Шарик»).

От пришвинской, однако, фразу Солженицына отличает синкретичность ее стилевого облика: с разговорным словоотбором сочетается разговорный же тип и порядок синтагм. Вот, например, из «Ракового корпуса»:

«Но сегодня ему была нехоть смертная открывать рот, а приудобился он читать эту тихую спокойную книгу». Или: — «Он так ухо приклонял, чтобы гордости не ущербнуть — слушал вбирчиво, а вроде не очень это ему и нужно».

***

Установка на устность дает возможность Солженицыну создать свою собственную повествовательно-речевую стилевую структуру особой разговорно-доверительной тональности, необычно доходчивой и подкупающей. Вот строки, рисующие героя повести «Раковый корпус»:

> «На солнечном пригреве, на камне, ниже садовой скамейки сидел Костоглотов, ноги в сапогах неудобно подвернув, коленями у самой земли. И руки свесил плеть-

ми до земли же. И голову без шапки уронил. И так сидел и грелся в сером халате, уже наотмашь — сам неподвижный и формы обломистой, как этот серый камень. Раскалило ему черноволосую голову и напекло в спину, а он сидел, не шевелясь, принимая мартовское тепло — ничего не делая, ни о чем не думая. Он бессмысленно-долго мог так сидеть, добирая в солнечном греве то, что не додано ему было прежде в хлебе и супе».

Об одном из больных автор рассказывает так:

«А заболел у Ефрема язык — поворотливый, ладный, незаметный, в глаза никогда не видный и такой полезный в жизни язык. За полста лет много он этим языком поупражнялся... Клялся в том, чего не делал. Распинался чему не верил... И укрючливо матюгался, подцепляя что святей и дороже, и наслаждался коленами многими, как соловей. И анекдоты выкладывал жирнозадые, только всегда без политики. И многим бабам, рассеянным по всей земле, врал, что не женат, что детей нет, что вернется через неделю и будут дом строить...»

Таким говорком продолжается и дальше тема о Ефреме Поддуеве, который «в тринадцать лет скакал, из нагана стрелял, а к пятидесяти всю, всю страну, как бабу, перещупал», а теперь умирал от рака, и «ничуть ему не становилось ясней, чем же надо встречать смерть».

Тяга к такому разговорно-доверительному складу речи, иногда почти сказово-интонационной напевности, — и в более ранних вещах Солженицына. Вот, если двинуться от «Ракового корпуса» хронологически вспять, то, например, в рассказе «Захар-Калита» читаем о Куликовской битве: — «...вдыхай дикий воздух, оглядывайся и видь! — как по восходу солнца сшибаются Телебей с Пересветом, как стяги стоят друг против друга, как монгольская конница спускает стрелы, трясет копьями и с перекошенными лицами бросается топтать русскую пехоту, рвать русское ядро — и гонит нас назад, откуда мы пришли, туда, где молочная туча встала от Непрядвы до Дона».

В миниатюре «Озеро Сегден»: — «Озеро в небо смотрит, небо — в озеро. И есть ли еще что на земле — неведомо, поверх леса — не видно. А если что и есть — оно сюда не нужно, лишнее».

А вот из рассказа «Матренин двор», где, если внимательно прислушаться, легко различить вплетающиеся в речь рассказчика интонации самой Матрены — символического образа забытой и пренебреженной народной души: — «Все мы жили рядом с ней и не поняли, что есть она тот самый праведник, без которого, по пословице, не стоит село. Ни город. Ни вся земля наша».

В своей первой повести — «Один день Ивана Денисовича» Солженицын совершенно растворяет себя в говорке простого лагерного работяги. Потому, конечно, что без такого речевого перевоплощения интеллигента в колхозника скрытый заключенный в этой повести протест не прошел бы через цензуру; но и потому, что автор ищет искренной и безыскусственной речевой формы, отвечающей правде, о которой необходимо рассказать. Обращения к сказовым интонациям здесь постоянны.[1]

***

Предвижу сомнение: «Пусть мастерство писательской речевой манеры бесспорно. Но разве язык — это всё? А другие слагаемые произведения — композиция? пейзаж? быт? герой? авторское самораскрытие?...».

Сомнение, конечно, законное. Но все-таки: если в литературном произведении к а к что-либо изображено или сказано — есть самое главное, то ведь за этим к а к и стоит именно язык, творческое слово! Не слово-фокусничество, не механическое слово изобретателей машинного речесложения, не слово-шаблон, умерщвленное дидактическим замыслом, но слово ж и в о т р е п е щ у щ е е, — слово, в котором живет душа!

«Животрепещущее» — это из Гоголя. Он когда-то писал патриотически: «Нет слова, которое... так вырывалось бы из-под самого сердца, так бы кипело и животрепетало, как метко сказанное русское слово».

---

[1] См. следующую статью этого сборника: «Образ рассказчика в повести Солженицына «Один день Ивана Денисовича».

Такого вот животрепещущего и «прямо из-под сердца» слова и ищет Солженицын, чтобы сказать свою правду, к которой, как писал Каверин, «есть у него могучее стремление».

Ищет и, кажется мне, находит. И поэтому о чем бы ни взялся он рассказывать — о странной ли блаженной Матрене или о том, как молодой человек, совсем неплохой, но отравленный гипнозом обязательного доносительства, предает другого, ни в чем не повинного, человека, или о том, как перед лицом близкой смерти ищут люди оправдания пройденному пути, — рассказывает он обо всем этом искренне и творчески убедительно, оказываясь мастером не только языка, но творческой формы в целом.

"The writer as Russia's Conscience" — «Писатель как совесть России» — назвал свою статью о Солженицыне критик Аркадий Белинков.[2] Как совесть современной русской литературы — во всяком случае!

Когда-то Евгений Замятин обронил невеселое пророчество: «У русской литературы одно только будущее — ее прошлое».

В творчестве Солженицына эта литература свое будущее находит снова...

2

Теперь, в подкрепление сказанного — о двух самых крупных вещах Солженицына.

«В круге первом» в познавательном отношении, вероятно, значительнейшая его книга (из числа нам известных). Уже само заглавие, относящее нас к Дантову «Аду», раскрывает тему: «мучители и мучимые», «тюремщики и жертвы». Эта тема и связывает воедино довольно сложную структуру романа — «полифоническую», как, вероятно, назвал бы ее сам Солженицын.

Связывает эту структуру, можно было бы сказать, и горечь несправедливости, ощущаемой автором, который «круг первый» пережил на собственной судьбе; пережи-

---

[2] «Тайм», 27 сентября 1968 года.

вал, вероятно, и в процессе творчества, потому что ведь круг этот существовать продолжает...

Горечь переходит в гнев, рождающий сатирические акценты в изображении тюремщиков разного типа и ранга. Не случаен, разумеется, выбор иных фамилий — «Сатаневич», например, данной одному докладчику-партийцу «с книжечкой английских идиом» («Врага надо знать» — объяснял он) или фамилии цензора и критика: Жабов! Не случаен и такой нажим в описании одного из надсмотрщиков «шарашки», майора Шикина: — «...какая гадкая серополосая поседевшая над анализом доносов вошь — этот майор Шикин, как идиотски ничтожны его знания, какой кретинизм все его предположения».

Отсюда же — ирония, возникающая в романе там и здесь. Она, например, — в буффонаде Рубина о князе Игоре, который «...совершил гнусную измену Родине, соединенную с диверсией, шпионажем и... преступным сотрудничеством с половецким ханством». Или — в осуждении официальной антиамериканской пропаганды: — «И еще была книга на табуретке — «Американские рассказы» прогрессивных писателей... удивителен был их подбор: в каждом рассказе была обязательно какая-то гадость об Америке. Ядоносно собранные вместе, они составляли такую кошмарную картину, что можно было только удивляться, как американцы еще не разбежались и не перевешались».

Или вот из разговоров обитателей «шарашки»: — «Когда наши будут начинать первый полет на Луну, то перед стартом, около ракеты, будет, конечно, митинг... Из трех членов экипажа один будет политрук», — говорит один из заключенных.

А другой, подбегая: — «Илья Терентьич! Я могу вас успокоить. Будет не так... Первыми на Луну полетят американцы!»

Иные места такого рода нужно, вероятно, отнести и не к чертам сатиры, но — к живой экспрессии пережитого в ее творческом выражении. Так, например, совсем не иронией, но убежденностью и простой констатацией правды, звучит, скажем, такая характеристика страшного министра Абакумова: — «...от долгого неупражнения ум стал бесполезен министру: вся его карьера складывалась так, что от думанья он проигрывал, а от служебного рвения выигрывал. И Абакумов старался меньше напрягать голову».

В создании образов верховных мучителей экспрессия пережитого была, видимо, самой органической для Солженицына — тут ему удались подлинные шедевры: главы «Юбиляр» и три последующие, то есть главы, где изображен дряхлеющий Сталин, когда в бессонную ночь он принимает у себя своих подручных, — эти главы, как мне кажется, лучшие в романе. И уж, конечно, — лучшее из всего, что было в этой тематике после Октября написано.

Солженицын рисует среду, питающую разного чина тюремщиков, — новый класс! Природа «первого круга», однако, такова, что и привилегированные не уверены, что завтра не станут жертвами тоже, и ощущают всю унизительность такой неуверенности.

> «Мы ходим все, пригнувшись до земли,
> Мы прячемся, боясь чужого взора!»

Это — из Петёфи, венгерского поэта.

А у Солженицына государственный советник второго ранга Володин, размышляя о жизни, спрашивает себя: — «Чего-то всегда остерегаясь, остаемся ли мы людьми?»

Этот Володин на первой же странице книги открывает одну из важнейших внутренних тем романа и, может быть, всего творчества Солженицына в целом — тему с о в е с т и: он предупреждает знакомого профессора о том, что тому грозит провокация со стороны МГБ. Володин знает, чем рискует, идя на такой шаг, но в этом подполковнике дипломатической службы совесть еще жива. Она же, вероятно, позволяет ему в разговоре с известным советским литератором высказать такую мысль о роли писателя: — «...Большой писатель в стране — это... как бы второе правительство. И поэтому никакой режим никогда не любил больших писателей, а только маленьких».

Еще сильнее звучит тема совести в образах жертв.

Совесть мешает самому молодому из узников «шарашки» Руське Доронину заниматься доносительством на товарищей, и он открывает им технику вербовки и оплаты стукачей. Это несмотря на то, что: «...всё поколение Руськино приучили считать «жалость» чувством унизительным, «доброту» — смешным, «совесть» — выражением поповским».

Эта же совесть мучит партийца-заключенного Рубина.

Эта же совесть, которая, по Солженицыну, есть требование справедливости, делает бесправных и униженных людей бесстрашными и свободными внутренней духовной свободой. Математик Нержин, например, отказывается работать в «семерке» и за это выписан в лагерь. Инженер Бобынин бросает в лицо министру: «Я вам нужен, а вы мне нет... Человек, у которого вы отобрали всё — уже не подвластен вам, он снова свободен». А другой инженер — Герасимович — отказывается конструировать особый «сыскной» фотоаппарат: «Чтобы, значит, ночью вот на улице сфотографировать человека, а он бы и до смерти не знал». Отказывается, несмотря на то, что за удачу его ждет освобождение: «Сажать людей в тюрьму — не по моей специальности», — говорит он.

Много подлинного гуманизма в этой солженицынской вере в человека. И просто любви к человеку — в ряде картин и эпизодов из быта «шарашки». Чего стоит хотя бы главка «Поцелуи запрещаются» — о свидании заключенных с женами! Или — описание ёлки, устроенной узниками. Задушевность и убедительность солженицынской речевой манеры, о которых выше шла речь, представлены здесь в самом отборе простых и сильных слов и выражений, найденных для передачи внутреннего трагизма картины:

> «...завтра-послезавтра ёлку поставят в полукруглой комнате; арестанты — отцы, без детей своих сами превратившиеся в детей, обвесят ее игрушками... возьмутся в круг, усатые, бородатые, и, перепевая волчий вой своей судьбы, с горьким смехом закружатся:
>
> В лесу родилась ёлочка,
> В лесу она росла...»

**
*

«В круге первом» — действительно беспощадное отрицание сталинизма!

В 1964 году журнал «Новый мир» заключил с Солженицыным договор на эту книгу. Договор осуществлен не был. Мудрено ли?

Ведь заглавие «В круге первом» относится отнюдь не только к происходящему за колючей проволокой или тюремной стеной, — явление, которое творчески им охвачено, шире.

И если обозначить это заглавие одними начальными буквами, то — случайно ли или символически — получается: — ВКП!

**
*

«Раковый корпус» — творчески более выразительная и монолитная вещь Солженицына. Потому, вероятно, что она больше, чем «В круге первом», автобиографична, «проникнута» обликом рассказчика. Причем этот облик рассказчика возникает в нашем представлении не только как облик живописателя-правдолюбца, но и отчасти л и р и ч е с к о г о   г е р о я, который говорит о справедливости, но и — о любви: к жизни, к женщине, к родному краю, небу, деревьям... В книге довольно много пейзажа и той экспрессии лирического выражения, которая сообщает повествованию такую творческую убедительность и теплоту. Попутно сказать: уж если из двух больших вещей Солженицына одну какую-нибудь называть романом, так уж, конечно, «Раковый корпус», а не «В круге первом», как это стои́т в наших здешних изданиях...

В «Раковом корпусе» мастерство Солженицына предстает перед нами главным образом как мастерство психологического портрета и передачи душевной экспрессии действующих лиц. Солженицын по-толстовски пользуется внутренним монологом, но и — ярким экспрессионистским штрихом-впечатлением, выражающим движение души.

Поэтому многие образы персонажей в этой повести

— отчетливее и пластичнее, чем образы заключенных «шарашки». Поэтому так много здесь запоминается, и сквозного, и эпизодического. Из сквозного — образ Павла Русанова, например. Из фрагментарного, но частого и сильного — черты человеческого отчаяния перед надвигающейся смертью либо скальпелем, — например, небольшая сценка, когда семнадцатилетняя девочка просит паренька Дёмку поцеловать ей грудь, которую завтра должны отрезать: «Ты будешь помнить? Ты будешь помнить, что она была? И — какая была?...»

Любители сопоставлений, говоря о «Раковом корпусе», вспоминают непременно толстовскую «Смерть Ивана Ильича». Да, конечно, есть сюжетное, ситуационное сходство. Кажется заманчивым сблизить, например, рассуждения двух:

Ивана Ильича: — «И Кай точно, смертен, и ему правильно умирать, но мне, Ивану Ильичу, со всеми моими чувствами, мыслями — мне это другое дело. И не может быть, чтобы мне следовало умирать. Это было бы слишком ужасно».

И Русанова: — «...поскольку все люди смертны — когда-нибудь должен сдать дела и он. Но когда-нибудь, но не сейчас же! Когда-нибудь не страшно умереть — страшно умереть вот сейчас. Почему? Потому что: а как же? а дальше что? А без меня как же?»

Но различия больше, чем сходства.

В отличие от Ивана Ильича, которого Толстой заставляет в чем-то перед смертью виниться, Русанов глубоко убежден в правильности и полноценности своей особы и своего пути. Это чрезвычайно интересный у Солженицына образ. И удавшийся. И типический — недаром так нападают на него идейные противники автора. Русанов — это чеховский «человек в футляре» новой, послеоктябрьской формации; учитель Беликов, но с Домостроем партийных догм и поведения подмышкой. У него та же, что и у Беликова, бдительность и склонность к доносительству, только, увы! в значительной степени больше поддержанная благоприятствующей обстановкой.

Беликов был непоколебимо убежден в величии древнегреческого языка и, поднимая палец и прищуриваясь, произносил многозначительно: «Антропос!»

И так же убежденно, лакомясь куриным стегнышком, Русанов отвечает на вопрос Ефрема Поддуева, которому попал в руки рассказ Толстого:

«— Чем люди живы?...

— А в этом и сомнения быть не может. Запомните. Люди живут идейностью и общественными интересами».

Здесь — одна из важнейших, вероятно, внутренних тем повести. Тема исповедническая. Тема авторского самораскрытия.

Развернута она в трех — параллельной экспозиции — образах: Русанова, Ефима Поддуева, который болен раком языка, и старого партийца с 17-го года Шулубина.

Русанов представляет собой, как уже говорилось, некий эталон партийной ограниченности — из его обихода слова л ю б о в ь, м и л о с е р д и е вычеркнуты раз и навсегда.

Ефрем только перед лицом подступившей вплотную смерти задумывается над проблемой: ненависть и л и любовь? — как миллионы других, он просто миновал ее в жизни в погоне за «хлебом единым».

Шулубин давно уже эту альтернативу решил отрицательно для ненависти, но не нашел в себе смелости сказать преступлению «нет», принудив сам себя к спасительному молчанию: «Я двадцать пять лет молчал, — говорит он, — то молчал для жены, то молчал для детей, то молчал для грешного своего тела»...

И он мучается. Уже умирающий, в полубреду, шепчет об «осколочке» — о чем-то неистребимом, что со счастьем всё еще ощущает в себе, — об «осколочке мирового духа», как он говорит.

«Осколочек» этот, — покаяние, — извечная, может быть, черта русской души, еще былинная, от Васьки Буслаева:

> «Смолоду было много бито-граблено,
> Под старость надо душу спасать!»

«Осколочек» — совесть. Как и «В круге первом»,

Солженицын в «Раковом корпусе» поднимает все ту же проблему вины, — проблему, которая и делает его творчество совестью русской литературы, определяя его собственное и исключительное среди современных русских писателей место.

***

Снова возвращаясь к языку Солженицына, скажу, что свежесть и своеобразие творческого его слова и речевой манеры — не просто черты, но важнейшие структурные элементы его поэтики, формирующие его мастерство в целом. Передает ли он рассуждение, рисует ли пейзаж, вводит ли нас в душевный мир своего героя — всюду чувствуем мы силу и искренность этого художнического мастерства.

Одна-две цитаты из «Ракового корпуса», без комментариев, могли бы, мне кажется, служить подтверждением сказанного.

Вот как изложены мысли (Шулубина) о социализме:

> Это только заявка, что не будет рубки голов, но ни слова — на чем же социализм этот будет строиться. И не на избытке товаров можно построить социализм, потому что если люди будут буйволами — растопчут они и эти товары. И не тот социализм, который не устает повторять о ненависти — потому что не может строиться общественная жизнь на ненависти. А кто из года в год пламенел ненавистью, не может с какого-то дня сказать: шабаш! с сегодняшнего дня я отненавидел и теперь только люблю. Нет, ненавистником он и останется, найдет кого ненавидеть поближе...

И еще цитата — из последних глав, где рассказывается, как Костоглотов покидает клинику. Это одно из лучших мест по мастерству — яркости пейзажа, лиризму, который пронизывает и этот пейзаж, и передачу душевного состояния человека, дожившего до весны, до которой он дожить не надеялся:

> Он (Костоглотов. Л. Р.) выступил на крылечко и остановился. Он вздохнул — это был молодой воздух, еще

ничем не всколыхнутый, не замутненный! Он взглянул — это был молодой зеленеющий мир!! Он поднял голову выше — небо развертывалось розовым от вставшего где-то солнца. Он поднял голову еще выше — веретёна перистых облаков кропотливой, многовековой выделки были вытянуты через все небо — лишь на несколько минут, лишь пока расплывутся, лишь для немногих, запрокинувших головы, может быть — для одного Олега Костоглотова во всем городе.

А через вырезку, кружева, перышки, пену этих облаков — плыла еще хорошо видная, сверкающая, фигурная ладья ущербленного месяца.

Это было утро творения! Мир сотворился снова для одного того, чтобы вернуться Олегу: Иди! Живи!

И только зеркальная чистая луна была — не молодая, не та, что ответит влюбленным.

И — лицом разойдясь от счастья, улыбаясь никому — небу и деревьям, в той ранневесенней, раннеутренней радости, которая вливается и в стариков, и в больных, Олег пошел по знакомым аллеям...

...Олег шел по солнечной стороне около площади, щурился и улыбался солнцу. Еще много радостей ожидало его сегодня...

Это было солнце той весны, до которой он не рассчитывал дожить. И хотя вокруг него никто не радовался возврату Олега в жизнь, никто даже не знал — но солнце-то знало, и Олег ему улыбался...

...Боже мой, да ведь пора! Да ведь давно пора, как же иначе! Человек умирает от опухоли — как же может жить страна, проращенная лагерями и ссылками?

...А близ трамвайной остановки опять продавали фиалки...»[3]

---

[3] Заключительные три абзаца взяты с различных страниц, образуя монтаж, оправдываемый только ограниченным размером этой статьи. Л. Р.

Образ рассказчика в повести Солженицына «Один день Ивана Денисовича»

1

«Один день Ивана Денисовича» отнюдь не пример целостного по форме сказа, где устность повествования и выраженность речевого облика рассказчика (сказителя) оказываются главными структурными координатами.

Сказовое единство повести Солженицына нарушается прежде всего стилями литературно-письменного сообщения, принадлежащего самому автору как повествователю. Возникают они обычно тогда, когда тема этого сообщения отдалена от главного персонажа как субъекта или комментатора действия. Так, например, в рассказе о фельдшере Вдовушкине:

> ...А Вдовушкин писал своё. Он вправду занимался работой «левой», но для Шухова непостижимой. Он переписывал новое длинное стихотворение, которое вчера отделал, а сегодня хотел показать Степану Григорьевичу, тому самому врачу, поборнику трудотерапии. (19)[1]

Или — о кавторанге (капитане второго ранга) Буйновском, — здесь и обобщения, и эмоциональность повествовательной манеры отчетливо авторские:

> Такие минуты, как сейчас, были (он сам не знал этого) особо важными для него минутами, превращавшими его из властного морского офицера в малоподвижного осмотрительного зэка, только этой малоподвижностью и могущего перемочь отверстанные ему двадцать пять лет тюрьмы... Виноватая улыбка раздвинула истресканные

[1] Цитаты здесь и дальше приводятся по изданию: Александр Солженицын. Сочинения. «Посев», 1966.

> губы капитана, ходившего вокруг Европы и Великим северным путем. И он наклонился, счастливый, над неполным черпаком жидкой овсяной каши, безжирной вовсе, над овсом и водой. (61-62)

Суверенны по отношению к сказовым стилям и диалоги (в отличие от диалогов лесковского сказа, сказово унифицированных). Например:

> — Нет, батенька, — мягко этак, попуская, говорит Цезарь, — объективность требует признать, что Эйзенштейн гениален. «Иоанн Грозный» — разве это не гениально? Пляска опричников с личиной! Сцена в соборе! (63)

И все же с т и л е о б р а з у ю щ е в повести именно устное ведение речи, с к а з ы в а н и е.

Структурные корни этого сказывания уходят в историко-бытовые и диалектные слои народного языка — просторечна лексика и фразеология, просторечно-народны синтаксические конструкции, ритмы, приемы словесного живописания и выражения экспрессии.

Фиксирующая просторечный словоотбор картотека по повести содержит свыше 250 выписок; из них около полусотни отмечают просторечные словообразовательные (иногда и произносительные) формы.

Характер словарного просторечия по природе своей причудливо разнообразен. Особое место в языке рассказчика занимает просторечие л о к а л ь н о е, относящееся непосредственно к бытовому словоупотреблению лагерников. Это нейтрально-номинативные о п е р (оперативный работник), х а л а б у д а («Производственная кухня — это халабуда маленькая, из лесу сколоченная вокруг печи». 55) и др.; это и множество речений экспрессивного типа от бранных до таких, в которых выраженность эмоций отталкивания или вражды едва улавливается. Вот ряд примеров, расположенных в порядке затухания экспрессии: п а д л о, п о п к и (часовые на вышках), п о л к а н ы (о работающих при столовой), п р и д у р к и (и собирательное «придурня» — об устроившихся на легкую или никакую работу), д е ж у р н я к (дежурный надзиратель), ш м о н (личный обыск), ш м о н я т ь и т.д.

Целеустремленнее (в смысле творческой функции создания речевого облика) просторечные элементы, принадлежащие личному словоупотреблению рассказчика. Здесь и общераспространенные: з а г н у т ь (сказать неправдоподобное), в к а л ы в а т ь (интенсивно работать), п о д н а ч и в а т ь (подзадоривать), м а т е р н у т ь, г в о з д а н у т ь, н е д о т ы к а, ж и т у х а и пр.; здесь и стилевые группы таких простонародных речений, которые иногда трудно представить себе в живом звучании какого-либо одного, индивидуального, языка.

Первую группу таких речений составляют заимствования из словаря Даля вроде: в н и м ч и в о, е ж е д ё н, з а к а л е л ы й, з а т ё м к а, з а т о р и т ь, и з д о б ы т ь, к е с ь, л ю т ь, о б н е в о л ю, о с т о р о ж к а, п о м е н е т ь, п р о з о р, т е р п е л ь н и к и многое другое. Взятое у Даля используется иногда с некоторыми изменениями словосостава и значения: д о б ы ч н и к у Даля, н е д о б ы ч н и к — у Солженицына, б у р к о т а т ь (Д.) — б у р к о т е т ь (С.); г о р г о т а т ь приведено у Даля в значении «гоготать» (кричать, громко смеяться), в языке рассказчика — «болтать на непонятном слушателю языке» («Лежит латыш на нижних нарах... и с соседом полатышски горгочет», 114); з а х р я с т к а по Далю — «удар по шее, по голове», в повести з а х р я с т о к — обозначение места удара («И по захрястку его кулаком!» 90). Размещены эти собранные в языке рассказчика диалектизмы на диалектологической карте весьма разноместно — «захрястье», например, относится к тверским говорам, з а т о р и т ь (о дороге) — к псковским; к словечку к е с ь (кажется), встречающемуся в языке рассказчика много раз, Даль делает пометку: «влд., мск., ряз., тмб.» и т.п.

Другая группа лексического просторечия носит еще более внятный след авторских поисков в процессе просторечной стилизации языка рассказчика.

В своей работе по исследованию лесковского сказа академик А. С. Орлов писал: «Трудно сказать... какие из речений действительно подслушаны автором и какие им сочинены в стиле, соответственном действительно существующему образцу».[2]

Это очень справедливо и в отношении Солженицына. Вот ряд подслушанных либо сочиненных им находок в области народно-разговорной лексики: гахнуть (о неожиданном выкрике, ругательстве), залупаться («закидываться», противоречить), подсосаться (пристроиться: «Тут же и Фетюков, шакал, подсосался». 25), пригребаться (придираться, привязываться), прокликаться (окликая, проталкиваться вперед: «Прокликаясь через тесноту... работяги... носили на деревянных подносах миски с баландой»... 13), протяжно (в значении «долго», «много времени»: «До обеда — пять часов, протяжно». 38), разморчивый (размаривающий), сумутиться (мудрить, выдумывать разное, беспокойное для себя и других) и т.п.

Иной раз очевидность стилизаторского замысла (авторской «задумки» можно было бы сказать, следуя стилю Солженицына) сообщает таким находкам оттенок искусственности. Таковы, например: довидеть в значении «заметить», «углядеть»; доспеть и обоспеть в значении «успеть»; наоткрыте (в открытом месте), неуладка, рассмеркивалось (рассветало), сочнуть (сосчитать: «...еще успел сочнуть что все на месте». 59), улупить в значении 1. «побежать» и 2. съесть» и т.п.

То же и в части отклонений от морфологических и произносительных норм. Здесь и традиционно-просторечные окунумши, набраты, ляжь (ляг), убег, потяжельше, поспокойней (с самим автором поставленным ударением на последнем слоге), деревеньских (с опять-таки самим автором подчеркнутым мягким «н»); здесь и вполне неожиданные диалектно-архаические ихим (ихним, их), ихьего («Ихьего объекта зона здорова»... 43), лёду («Взял с собой для лёду топорик». 69); деепричастные образования типа пролья («...поди вынеси не пролья.» 6), стережа, ждя и многое другое.

---

[2] Н. С. Лесков. Полное собр. соч-ий. Изд. 3. СПб., 1903.

Столь же обильна в языке рассказчика и просторечно-народная фразеология:

а) Местная, лагерная: паять срок, совать новую десятку (о штрафных дополнительных приговорах), качать права (требовать положенного по закону), ходить стучать к куму (доносить), залечить в деревянный бушлат («уморить» — о лагерных врачах), доходить на общих (гибнуть постепенно на тяжелой физической работе), от пуза (в значении «вволю»: «ешь от пуза», «свободы здесь от пуза») и пр.

б) Своя, также отражающая немалые поиски автора в области сказовой стилизации. Традиционное, типа «горше смерти», «надоесть хуже серы горючей» и т.п. перемежается здесь с находками вроде «И в больничке отлёжу нет» или «Он ему и дых по морозу не погонит» (т.е. «не заговорит»). Среди пословично-поговорочных выражений можно различить: 1) заимствования из Даля же: «Кряхти да гнись. А упрешься — переломишься» (как формула практической философии лагерника), «Брюхо — злодей, старого добра не помнит» ...(как обозначение повседневной голодной тревоги);[3] 2) семантико-стилевые параллели к известным образцам; например:

«Испыток не убыток» (ср. «Попытка не пытка»)
«Битой собаке только плеть покажи»
«Кто кого сможет, тот того и гложет»
«Теплый зяблого разве когда поймет»
«Гретому зяблого не понять»

3) образования оригинальные и по внутренне, локально, обусловленной теме, и по внешнему разговорно-афористическому обличью:

«Двести грамм жизнью правят» (47)
«Не выкусишь — не выпросишь» (42)
«Миски нести — не рукавом трясти» (110)
«Волочи день до вечера, а ночь наша» (46)

---

[3] В. Даль. Пословицы русского народа. ГИХЛ. М. 1957, стр-цы 208 и 806.

> «Для людей делаешь — качество дай, для дурака делаешь — дай показуху» (13)

Разнообразны просторечные отклонения в области синтаксической структуры речи. От норм управления, например:

> ...а не обновишь номера впору — тебе же и кондей: зачем за номером не заботишься? (24)

От обычной последовательности частей сложного предложения:

> Который бригадир умный — тот на процентовку налегает. С ей кормимся. (47)

От литературности синтаксических конструкций вообще, которые определяются здесь динамикой разговорного сообщения, его экспрессивно-интонационными акцентами, выдыхами и перебоями:

> Видит Шухов — заметался Цезарь, тык-мык, да поздно. (124)
>
> Восемнадцатым и Шухов втиснулся. Да бегом к своей вагонке, да на поднапорочку ногу закинул — шасть! — и уж наверху. (132)
>
> Дошла каша — сейчас санинструктору: ешь от пуза. И сам — от пуза. Тут дежурный бригадир приходит, меняются они ежедён — пробу снимать, проверять будто, можно ли такой кашей работяг кормить. (56)

Интонации сказывания создаются также инверсией:

> А вот пришла 104-я. И в чем ее души держатся? — брюхи пустые поясами брезентовыми затянуты; морозяка трещит, ни обогревалки, ни огня искорки. А все же пришла 104-я — и опять жизнь начинается. (45)

Возникают типично сказовые интонационные членения, ритмы, повторы, отражающие черты устного речеведения, само «дыхание» рассказчика:

> А было вот как: в феврале сорок второго года на северо-западном окружили их армию всю, и с самолетов им ничего жрать не бросали, а и самолетов тех не было. Дошло до того, что строгали копыта с лошадей околевших, размачивали ту роговицу в воде и ели... (52)

Так он и ждал, и все ждали так: если пять воскресений в месяце, то три дают, а два на работу гонят. Так он и ждал, а услышал — повело всю душу, перекривило: воскресеньице-то кровное кому не жалко? (102)

В речевую ткань повествования вводятся стилевые элементы фольклорного типа:

Диво дивное: вот время за работой идет! (50)
Стежь, стежь — вот и дырочку за пайкой спрятанной прихватил. (22)
Долго ли, коротко ли — вот все три окна толем зашили. (49)

Народно-сказового типа и живописание словом. Характер пейзажа, например:

Наперсек через ворота проволочные, и через всю строительную зону, и через дальнюю проволоку, что по тот бок, — солнце встает большое, красное, как бы во мгле. (35)
Солнце взошло красное, мглистое над зоной пустой: где щиты сборных домов снегом занесены, где кладка каменная начатая... (37)

Сравнения:

...кожа на лице, как кора дубовая. (36)
Окружили ту печку, как бабу, все обнимать лезут (54)
...черпак ...пустых щей для него сейчас, что дождь в сухмень. (100)
...сидят один к одному, как семечки в подсолнухе... (108)
...с верхних коек прыгают медведями (123)

Из всех — вкупе — рассмотренных выше особенностей и приемов авторского творческого отбора в представлении читателя сама собою складывается языковая маска рассказывающего, с чертами одного из простых, умудренных лишь тяжким жизненным опытом, лагерных «работяг». Синтетический характер этой маски делает тем не менее весьма интересной более точную идентификацию лица, которому она принадлежит.

2

> Вот хлеба четыреста, да двести, да в матрасе не меньше двести. И хватит. Двести сейчас нажать, завтра утром пятьсот пятьдесят улупить, четыреста взять на работу — житуха! А те, в матрасе, пусть еще полежат... (117)

Говорит Шухов (внутренний монолог). Это его, зэка из бывших колхозников, словоотбор («нажать», «улупить» в значении «съесть»), его, довольного малым, экспрессия («Житуха!»), — словом, его говорок, к которому прислушивается читатель на протяжении всей повести.

Но если продолжить цитату, то за словами «еще полежат» следует:

> Хорошо, что Шухов обоспел, зашил — из тумбочки, вон, в 75-й уперли — жалуйся теперь куда хочешь. (117)

Это «...Шухов обоспел, зашил» и т.д. выдвигает перед читателем «я» собственно рассказчика, говорящего о Шухове в третьем лице. Рассказчика *сказового*, чья речевая манера отлична от письменно-литературных стилей от-авторской речи в повести, с шуховским же говорком совпадает вполне.

Совпадение это[4] особенно полно в части «комментариев к действию», относимых то к «я» рассказчика, то к «я» самого Шухова и имеющих часто форму внутреннего монолога. Эти «комментарии к действию» — уточнения, афоризмы, оценки — составляют стилевой стержень сказового повествования. Их отнесенность к тому или другому сказовому «я» кажется, однако, иной раз случайной: в том же, например, приведенном выше продлении рассказчиком шуховских размышлений («Хорошо, что Шухов обоспел, зашил»...) сто́ит только выпустить имя (Шухов) — и фраза органически примкнет к шуховскому внутреннему монологу:

> ..четыреста взять на работу — житуха! А те, в матрасе, пусть еще полежат ...Хорошо, что ...обоспел, зашил, —

---

[4] Сравнение речи рассказчика и реплик, принадлежащих непосредственно Шухову в диалогической речи, устанавливает совершенную общность словаря, фразеологических и фразовых особенностей и конструкций.

из тумбочки, вон, в 75-й уперли — жалуйся теперь куда хочешь.

Иногда, если связь комментариев-монологов с субъектом текущего действия выражена неотчетливо, отнесенность эту вообще трудно определить. Вот, например, автор вводит читателя вместе с Шуховым в лагерную столовую:

> Внутри стоял пар, как в бане, — напуски мороза от дверей и пар от баланды. Бригады сидели за столами или толкались в проходах, ждали, когда места освободятся. Прокликаясь через тесноту, от каждой бригады работяги по два, по три носили на деревянных подносах миски с баландой и кашей и искали для них места на столах. *И всё равно не слышит, обалдуй, спина еловая, на тебе, толкнул поднос. Плесь, плесь! Рукой его свободной* — по шее, *по шее! Правильно! Не стой на дороге, не высматривай, где подлизать.* (13)

Первые пять строк этого описания (если не считать придуманного словечка «прокликаясь») выдержаны в нейтральном стиле авторского письменно-литературного повествования. Затем следует резкий переход к устности — сказово-просторечный «комментарий», тоже в пять строк. Кому он принадлежит? Шухову? Или тому, кто рассказывает о нем, как бы стоя с ним где-то рядом, плечо к плечу, и передавая нам этот комментарий от его имени?

И дальше:

> Там, за столом, еще ложку не окунумши, парень молодой крестится. Значит, украинец западный, и то новичок. А русские — и какой рукой креститься забыли. (14)

Кто видит это: Шухов? рассказчик? оба одновременно?

Это *двуединство* облика сказового рассказчика нигде не расчленяется грамматическим «я»; синтетическая его природа, напротив, отчасти подчеркивается прорывающимся кое-где «мы»:

1. И попрятались все. Только шесть человек стоят на вышках, да около конторы суета. Вот этот-то наш миг и есть! Старший прораб сколько, говорят, грозился разнарядку всем бригадам давать с вечера — а никак не наладят. ...А миг наш! (37)
2. Вспомнил Шухов, что хотел обновить номерок на телогрейке, протискался через линейку на тот бок. Там к художнику два-три зэка в очереди стояли. И Шухов стал. Номер нашему брату — один вред... (24)
3. Тридцать восьмая, конечно, чужих никого к печке не допускает, сама обсела, портянки сушит. Ладно, мы и тут, в уголку, ничего. (37)
4. — Раство-ор! — перенимает Шухов. Всё подровняли в третьем ряду, а на четвертом и развернуться. Надо бы шнур на рядок вверх перетянуть, да живет и так, рядок без шнура прогоним. (79)

В первых двух примерах эти размышления от первого лица («наш», «нашему брату») могут, как и в ряде других случаев, принадлежать и сказовому рассказчику, и Шухову самому; «мы» здесь — «зэки» вообще.

В примере третьем «мы» более персонализовано: — в нем сливаются, по-видимому, оба сказовых «я»; оно здесь может означать и только одно лицо.

Так же и в последнем примере, взятом из описания кладки Шуховым стены на строительстве ТЭЦ (одного из самых ярких эпизодов в повести), «мы» в прогоним имеет уже конкретно-личностное значение — оно соотнесено с «я» самого Шухова.

Это раскрывающееся наконец «я» главного персонажа невольно отводит читателя к автобиографической природе повести: в каторжном лагере Караганды Солженицын, по собственному признанию, сделанному им одному из интервьюеров, «работал каменщиком и там же задумал повесть об Иване Денисовиче». ...«заключенные носили свои номера на лбу, на груди, на спине и на коленях. У Солженицына был номер 232».[5]

[5] Цитируется по статье Марка Слонима «Интервью с Солженицыным» в Новом Русском Слове (Нью-Йорк) от 21 мая 1967 г.

***

Образ рассказчика в сказе отчетливее всего проясняется сопоставлением его с речевым обликом самого автора. Соотношение этих двух обликов обычно определяет структурные формы сказа и интенсивность сказовой стилизации.

Композиционно-стилевую структуру повести «Один день Ивана Денисовича» создает д в и ж е н и е от письменно-литературных стилей, принадлежащих автору, к устным, принадлежащим сказовому рассказчику.

Как и у Лескова, первичным приемом сказового «остраннения» оказывается введение элементов несобственно прямой речи. В приводимом ниже отрывке выделенное разрядкой принадлежит речевой сфере Шухова:

> Всегда Шухов по подъему вставал, а сегодня не встал. Еще с вечера ему было не по себе, не то знобило, не то ломало. И ночью н е   у г р е л с я. Сквозь сон чудилось, т о   в р о д е   с о в с е м   з а б о л е л,   т о   о т х о д и л   м а л е н ь к о. (6)

Черты несобственно прямой речи могут перерастать в семантико-стилевое целое — внутреннюю реплику, например, сказового типа:

> Потом, глядя на беленький-беленький чепчик Вдовушкина, Шухов вспомнил медсанбат на реке Ловать, как он пришел туда с поврежденной челюстью и н е д о т ы к а   ж х р е н о в а!   Д о б р о ю   в о л е ю   в   с т р о й   в е р н у л с я.   А   м о г   б ы   п я т о к   д н е й   п о л е ж а т ь. (19)

Структурно-стилевой «эталон» речевой ткани повести Солженицына вообще, как правило, представляет собой д в у ч л е н, первая часть которого — констатация сюжетно-коммуникативного характера, вторая же — комментарии типа внутреннего монолога, уже упоминавшиеся выше. Часть п е р в а я по своему стилевому облику может принадлежать: автору (1); автору и сказовому рассказчику вместе, то есть содержать разнородные по стилю элементы (2); сказовому рассказчику одному (3) — «движение к устности» в последнем случае особенно наглядно. Часть вторая всегда выдержана в форме сказовой, устно-речевой импровизации. Примеры:

1. Было все так же темно в небе, с которого лагерные фонари согнали звезды. И все так же широкими струями два прожектора резали лагерную зону. Как этот лагерь, особый, зачинали, — еще фронтовых ракет осветительных много было у охраны, чуть погаснет свет — сыпят ракетами над зоной, белыми, зелеными, война настоящая. Потом не стали ракет кидать. Или дорого обходятся? (15-16)
2. Потом Шухов снял шапку с бритой головы — как ни холодно, но не мог он себя допустить есть в шапке и, взмучивая отстоявшуюся баланду, быстро проверил, что там попало в миску. Попало так, средне. Не с начала бака наливали, но и не доболтки. С Фетюкова станет, что он, миску стережа, из нее картошку выловил. (14)
3. Отпыхался Шухов пока, оглянулся — а месяц-то, батюшка, нахмурился багрово, уж на небо весь вылез. И ущербляться, кесь, чуть начал. Вчера об эту пору выше много он стоял. (85)

Это целеустремленное движение к устности помогает идентификации образа рассказчика в «Одном дне Ивана Денисовича»: карагандинский зэка № 233, задумав писать повесть из жизни каторжного лагеря, растворил себя в сказовом просторечии зэка № Щ-854.

3

Тягу к устности речевого отбора, отчасти и к сказово-интонационной напевности речевого строя, находим во всех позднейших (из числа опубликованных) вещах Солженицына.[6] В рассказе «Матренин двор», например:

[6] Напевности нет в рассказе «Для пользы дела», где обилие диалогов почти полностью вытесняет стили от-авторского сообщения.

> И шли года, как плыла вода ...В сорок первом не взяли на войну Фаддея из-за слепоты. (216)
> И попросила она у той второй забитой Матрены чрева ее урывочек (или кровиночку Фаддея) — младшую их девочку Киру (216)

Автор как бы следует своей героине в словоотборе и речевой интонации:

> Так одной утельной козе собрать было сена для Матрены — труд великий. Брала она с утра мешок и серп и уходила в места, которые помнила, где трава росла по обмежкам, по задороге, по островкам среди болота. (206)

И в других рассказах:

> И теперь, когда со станции, где холодный ветер нес перемесь дождя и снега, где изнывали эшелоны, безутолку толпошились днем и на черных полах распологом спали ночью люди, — как было поверить, что и сейчас есть на свете этот садик, эта девочка, это платье? («Случай на станции Кречетовка», 179)
> Тогда народ наш в седьмую ли долю был так люден, как сейчас, и эту силищу вообразить невозможно — двести тысяч! («Захар-Калита», 304)
> Лютый князь, злодей косоглазый, захватил озеро: вон дача его, купальня его. Злоденята ловят рыбу, бьют уток с лодки. Сперва синий дымок над озером, а погодя — выстрел. («Озеро Сегден», 292).

Подчеркнуто разговорен синтаксис («А выглядел Зотов себе еще работу такую».... 149-50). Просторечный словоотбор в духе выделенного выше разрядкой представлен обилием заимствований из Даля: клешнить, ослониться, доброжилой, навыпередки, обмышку, прихотник и пр. Здесь и находки самого автора — встречавшиеся уже в «Одном дне» запышенные (запыхавшиеся), расстарываться (стараться); и новые: лив («...стоял в шинели под лив, хлест, толчки ветра» 140), вразнокап («шапки были только слегка примочены, вразнокап», 160), на досветьи (на рассвете), утыкалка для ручек», увышать («Долгая голова еще увышала его», 281), угрозить

(«...угрозила ему пальцем»), «безлукавая память», отрубисто ответить», «злонаходчивый забор», «чудомудрый пиджак» и др. Встречающееся в рассказе «Для пользы дела» утверждение по поводу некоторых военных слов и выражений: «Русский язык расчудесно обможется и без них» (278) можно отнести и к иным словообразованиям самого автора, но, кажется, и его собственное отношение к ним критично — в упомянутом выше интервью он признается, что довольно часто ошибался в своем экспериментальном словоотборе.

Наиболее полно взгляды Солженицына на обиход современного русского литературного языка отражены в его статье «Не обычай дегтем щи белить, на то сметана», напечатанной в «Литературной газете» № 131 1964 года. Этой статьей Солженицын включался в дискуссию о стилистике современной советской литературы, начатую в той же газете академиком В. В. Виноградовым, которая, в части собственно языка, велась между поборниками просторечия и сторонниками нормативного лексического отбора.[7] По мнению Солженицына, словарь и склад устной народной речи «дает нам еще не оскудевший источник напоить, освежить и воскресить наши строки». Солженицын приводит множество примеров просторечной лексики и словообразований в духе использованных им в «Одном дне» и в стиле избранного им для статьи заголовка.

В свете таких рассуждений отмеченные выше примеры столкновения просторечных и книжных элементов в сюжетно-коммуникативных стилях расказчика (типа: «...мог он себя допустить есть в шапке — и, взмучивая отстоявшуюся баланду,... проверил, что там попало в миску», 14) получают дополнительное объяснение, которое впрочем еще более подчеркивает динамику «движения к устности».

---

[7] Среди первых особенно воинствующую позицию занимал А. Югов (см. его статью «Эпоха и языковой пятачок» в Литерат. газете от 15 и 17 января 1959 года); противники его, учитывая послеоктябрьские социальные сдвиги и потрясения, приведшие к стихийной демократизации языка, отстаивали необходимость традиционной нормализации литературной речи.

***

«Саморастворение» автора в речевом облике колхозника-сказителя немыслимо, однако, объяснить одной лишь приверженностью к словарю и складу устной народной речи — контраст между семантико-стилевыми основами обоих языков слишком велик.

Это саморастворение есть несомненно замысел автора, генезис и природа творческого его процесса, скованного в свободном своем течении «методом» социалистического реализма.

В интервью 1890 года с одним журналистом.[8] Лев Толстой высказал такую внешне парадоксальную мысль: «Вредно и нехорошо, — сказал он, — когда произведения печатаются при жизни их автора: он, когда пишет, не свободен, он непременно будет думать, что скажут о его труде, как его встретят и пр. и пр.»

«Непременно думать», взявшись за перо, должен был и Солженицын, думать о том, как встретят его повесть партийные редакторы и что и как сделать, чтобы ее не постигла судьба «Доктора Живаго». Запретительность несравненно в большей мере, чем программность, составляет существо социалистического реализма в литературе: автору предписывается отказ от традиции критицизма, отказ от попытки наделить своего положительного героя мировоззрением и суждениями, сколько-нибудь отличными от обязательной в СССР идеологии.

Проблему «автора и героя», поистине головоломную в свете этой запретительности и автобиографичности повествовательной темы, Солженицын решил прежде всего средствами языка: растворение автора в облике сказового рассказчика обеспечило такое изображение «человека за проволокой», которое, как выразился в предисловии к «Одному дню» Твардовский, «ограничено ...кругозором главного героя повести».

Какие-либо обобщения, устанавливающие связь жестокой лагерной действительности с природой господствующей в СССР системы, были этому кругозору не по

---

[8] Журнал Новый мир № 3, 1963.

плечу. Во спасение повести кругозор этот занят был «хлебом единым».

«Не хлебом единым» сказалось лишь в символике некоторых эпизодов и картин. Например — в описании кладки лагерной ТЭЦ, лучшем в советской литературе, по богатству и подлинности живописной экспрессии, изображении трудового «порыва». Объяснение этому порыву надо, однако, искать в «Записках из Мертвого дома» Достоевского, но никак не в современных программных его толкованиях: при всем желании немыслимо ведь приписать лагерным заключенным «энтузиазм социалистического строительства».

А то, как об этом порыве рассказано, раскрывает за маской сказового рассказчика образ большого и самобытного мастера творческого слова.

О творчестве Беллы Ахмадулиной

Впечатление *единственности* поэтического голоса этой молодой (родилась в 1937 году) советской поэтессы складывается сразу же при чтении ее сборника «Струна», вышедшего в 1962 году. Связано оно с чистотой, экспрессией и непередаваемо «своей» тональностью авторского лиризма. В стихотворении «Снег» грузинского поэта Отара Чиладзе, посвященном Ахмадулиной и переведенном ею же на русский («Знамя» № 2, 1967), есть намек на эту тональность:

> Песня снега была высоко сложена
> для прощенья земле, для ее утешенья,
> и, отважная, длилась и пела струна,
> и страшна была тонкость ее натяженья...

Обрадованному читателю приходит на память восторженный отклик Марины Цветаевой на книгу Б. Пастернака «Сестра моя жизнь»: «Я попала под нее, как под ливень»... «Пастернак — это... озарение: да просто любимец богов!»

Цветаева вспоминается не только в связи с этим откликом — явственные творческие нити соединяют этого неповторимого мастера стиха с по-своему-неповторимостью Беллы Ахмадулиной. Сопоставления часто бывают настолько же соблазнительны, сколь и нелепы; но здесь это, по-видимому, вполне уместно. Хотя бы в части «бури и натиска» внутреннего облика обеих. «Гордый вид», «бродячий нрав», «дерзкая кровь» — это Марина Цветаева о себе. А у Ахмадулиной (которую редакторы сборника «Струна» в кратчайшем предисловии называют человеком «романтической души и беспокойного характера») в первом же открывающем сборник стихотворении читаем о «косом азиатском напоре» в крови, о почти обреченной преданности риску, порыву, стремительности:

Видно, выход — в движенье, в движенье,
в голове, наклоненной к рулю,
в бесшабашном головокруженье
у обочины на краю.

Настроенность эта — во многих строфах сборника, в напряжении и размахе мелодико-ритмического звучания, в самой теме образов. Вот, например, конец Снегурочки, вздумавшей прыгать через костер:

Как чисто с воздухом смешалась
и кончилась ее пора.
Играть с огнем — вот наша шалость,
вот наша древняя игра.

(«Снегурочка»)

С Цветаевой близит Ахмадулину и зов к зоркости, широте поэтического кругозора:

Где-то плачет ребенок. Утешьте его.
Обнимите его, не замедлите.
Необъятна земля, но в ней нет ничего.
Если вы ничего не заметите.

И замеченное Ахмадулиной в ее поэтическом раскрытии многообразно и переливчато. Предметы:

Вот течет молоко. Вы питаетесь им.
Запиваете твердые пряники.
Захочу — и его вам открою иным,
драгоценным и редким, как праздники.

(«Молоко»)

Звери:

Охотники ловили барса
на берегу Нарын-реки.
Он не рычал — он улыбался,
когда показывал клыки.

Люди. Подавальщица из ресторана, например, видением поэтессы превращенная в королеву:

...И над прическою короткой
Плывет, надменна и строга,
ее крахмальная корона,
похожая на жемчуга.

Пейзаж. Край сибирский:

Байкала потаенный омут,
где среди медленной воды
посверкивая ходит омуль,
и перышки его видны.

И в той же «Сибирской тетради» — лучшее, может быть, из поэтических созерцаний — «Древние рисунки в Хакассии», совершенное чудо образной точности и глубины, «магического» отбора значений и красок. Вот это стихотворение целиком (щедрое цитирование в этом очерке неизбежно — из-за почти совершенной недоступности оригиналов):

Неведомый и древний лучник,
у первобытного огня
он руки грел. Он женщин лучших
любил. Он понукал коня.

Но что тревожило рассудок,
томило, отводило сон?
О, втиснутый в скалу рисунок!
Как дерзок и наивен он.

Он тяжко рисовал и скупо,
как будто высекал огонь.
И близилось к нему искусство,
и ржал его забытый конь.

Он нежно трогал эти стены.
Но кто он? Что случилось с ним?
И долго мы на эти стелы
как бы в глаза его глядим.[1]

***

Созерцаемое у Беллы Ахмадулиной всегда горячо пережито, всегда — и в этом, может быть, первая особенность и неповторимость ее поэтики — стремится стать *самораскрытием* лирической героини. Это само-

[1] Здесь и в дальнейшем цитаты, взятые из сборника «Струна», приводятся без указания на источник.

раскрытие так правдиво («ни слова маленького лжи»), так внутренне взволнованно и полно, что облик лирической героини возникает перед читателем, как живой, вот-вот подле, рождая в нем своеобразное «чувство локтя». Читатель влечется за лирической героиней след в след; ее голос, ее экспрессия, ритмы, напевы рушатся на него «ливнем», и ее настроения, переживания, темы начинают казаться ему его собственными.

Какие именно темы?

Из наиболее интроспективных: о себе и жизни, себе и любимом, об искусстве и себе.

Тема первая, экзистенциальная, напряжена неудержимым порывом в жизнь («Светофоры», «Конь», и из вне сборника — «Моя родословная» и многое, многое другое). Одно из углублений этой темы: противопоставление «я» — пошлости. Пошлости, алчущей «съедобной» красоты, пошлости, презирающей дарование. В язвительном «О слово точное — подонки!» прекрасно найдено выражение этой полярности.[2] Поэтичнее всего дано оно в стихотворении «Несмеяна»:

> Так я сижу — царевна Несмеяна,
> ем яблоки, и яблоки горчат.
> — Царевна, отвори нам! Нас немало! —
> под окнами прохожие кричат...

Читатель, влекущийся, как было предположено выше, за лирической героиней, вряд ли пройдет мимо этого «яблоки горчат», — он уже и раньше уловил в ее жизнеощущении чувство горечи. Откуда? От боли за всех? «...и я стою — Звучащая, открытая для боли» («Сентябрь»). От некой — не приведи Бог! — лермонтовской самообреченности: «Впасть в обморок беспамятства, как плод, Уснувший тихо средь ветвей и грядок» («Юность» № 6, 1965)? От обиды?...

Насторожившийся и — что греха таить! — чуть влюбленный читатель с окуджавовским заклинанием на устах

---

[2] Кстати: слово п о д о н к и и в ед. ч. п о д о н о к встречается в стихотворении «Петр и Пушкин» у Цветаевой в том же значении:... «недостойным потомком — подонком — опёнком Петра».

«Берегите нас, поэтов, берегите нас!» хватается уже, может быть, за свои дон-кихотские доспехи, ища обидчиков, но вдруг и успокаивается на время, сыскав такое, например, солнечное в сборнике, как «Смеясь, ликуя и бунтуя», или в «Юности» строки вроде:

Кто знает — вечность или миг
мне предстоит бродить по свету.
За этот миг иль вечность эту
равно благодарю я мир.

(«Юность» № 6, 1965).

***

Привкус горечи — во многих стихах о любви. Горечь обманутого либо обманувшегося чувства — сквозной мотив. Лиро-эпическая его интерпретация — девочка Настасья, например, преданная в своей первой любви попустительством самого Неба и «им»:

А он глядел уже обманно,
платочек газовый снимал
и у соседнего амбара
ей плечи слабые сминал

(«Бог»)

Возникает соблазн искать корни этого мотива в современном Ахмадулиной послевоенном быте: четырнадцатимиллионный избыток женщин и связанный с этим цинизм «подонков», охотников за девичьими пазушками (сходные нотки можно встретить, например, в стихах Риммы Казаковой и часто — в советской прозе). Соблазн, однако, преодолевается чисто литературными ассоциациями: у Марины Цветаевой, например, в стихотворении «Заря малиновые полосы» 1919 года встречается очень близкий образ («Во всей девчонке — ни кровиночки... Вся, как косыночка, бела»).

С Мариной Цветаевой, с ее прекрасным «Вчера еще в глаза глядел, А нынче все косится в сторону!» перекликается иногда и личное «горькое» лирической героини ахмадулинских стихов о любви:

Ты думаешь, что я из гордости
хожу, с тобою не дружу?
Я не из гордости — из горести
так прямо голову держу.
(«Не уделяй мне много времени»)

Та же горечь оставленности, почти надрыв — и в стихотворении «Прощание» («Юность» № 6, 1956).

Но перекличка тут же и глохнет: лирический голос этой струны у Ахмадулиной иной, чем у «строительницы струн», Цветаевой, — он женственнее и шире амплитудой. Вот, например, «Декабрь», где переплетаются темы творчества, игры и любви, или стихотворение «Нежность». Для нее, нежности, Ахмадулина находит совершенно «свое» выражение душевной и образной экспрессии: нежность лирической героини чудесным образом воплощается в разные вещные неожиданности, возникающие в квартире любимого:

Вдруг облаком тебя покроет,
как в горных высях повелось.
Ты закричишь: — Мне нет покою!
Откуда облако взялось?

Но суеверно, как крестьянин,
не бойся, «чур» не говори —
то нежности моей кристаллы
осели на плечи твои.

Голос Ахмадулиной в стихах о любви отличен и от голоса признанного мастера этой темы Ахматовой. Речь идет не о стиле ранне-ахматовского салонного образного арсенала («губ нецелованных», «дремы левкоев», «трепетаний стрекоз в груди» и прочего), но — неодинаковости самого ключа лирического выражения. «Я» лирической героини в любовной лирике Ахматовой — всегда крупным планом с его форсированным «любит — не любит» и самосозерцанием. Любящее «я» Ахмадулиной никогда не назойливо, раскрывается обычно в смежной, попутной, далекой от эротической непосредственности сфере чувства. Прекрасный пример — «Твой дом» (из сборника «Струна»). Канва повествовательная: лирическая героиня входит в дом, где до нее жила другая. Канва лирическая: ей кажется, что всё вокруг сговорилось скрывать от нее прошлое, встречает ее гостеприимным обманом, и это само по себе — ярчайшее напоминание о «другой». Вот отдельные строфы:

. . .
На голову мою стыда
он не навлек, себя не выдал.
Дом клялся мне, что никогда
он этой женщины не видел.

Он говорил: — Я пуст. Я пуст.
Я говорила: — Где-то, где-то...
Он говорил: — И пусть. И пусть.
Входи и позабудь про это.

. . .
Он заметал ее следы,
О, как он притворялся ловко,
что здесь не падало слезы,
не облокачивалось локтя.

Как будто тщательный прибой
смыл всё: и туфель отпечатки,
и тот пустующий прибор,
и пуговицу от перчатки.

Все сговорились: пес забыл,
с кем он играл, и гвоздик малый
не ведал, кто его забил,
и мне давал ответ туманный.

. . .
О дом чужой! О милый дом!
Прощай! Прошу тебя о малом:
не будь так добр. Не будь так добр.
Не утешай меня обманом.

***

Тема об искусстве и себе одна из самых «кровных» тем Ахмадулиной и многообразных по поэтическому выражению. В стихотворении «День поэзии» внятен пушкинский мотив самопротивопоставления поэта слушательской толпе: «По той дороге, где мой след затерян, Стекается на празднество народ»... И далее:

. . .
А в публике — доверье и смущенье.
Как добрая душа ее проста.
Великого и малого смешенье
не различает эта доброта.

В поэме «Сказка о дожде» (1963), о которой речь после, — образное воплощение «зова» искусства; во многих других вещах («Лунатики», «Декабрь») — ощущение ведо́мости творческой стихией. Вот, например, стихотворение «Зимний день», где внутреннюю тему об искусстве структурно обрамляет мотив органичности и неудержимости творческого порыва. Строфы 4-8, по-видимому, относятся к Пастернаку:

ЗИМНИЙ ДЕНЬ

Мороз, сиянье детских лиц,
и легче совладать с рассудком,
и зимний день — как белый лист,
еще не занятый рисунком.

Ждет заполненья пустота
и мы ей сделаем подарок:
простор листа, простор холста
мы не оставим без помарок.

Как это делает дитя,
когда из снега бабу лепит, —
творить легко, творить шутя,
впадая в этот детский лепет.

И слава богу, все стоит
тот дом среди деревьев дачных,
и моложав еще старик,
объявленный как неудачник.

Вот он выходит на крыльцо,
и от мороза голос сипнет,
и галка, отряхнув крыло,
Ему на шапку снегом сыплет.

И стало быть, недорешен
удел, назначенный молвою,
и снова, словно дирижер,
он не робеет стать спиною.

Спиною к нам, лицом туда,
где звуки ждут его намека,
и в этом первом «та-та-та»
как будто бы труда не много.

Но мы-то знаем, как велик
труд, не снискавший одобренья.
О зимний день, зачем велишь
работать так, до одуренья?

Позволь оставить этот труд
и бедной славой утешаться.
Но — снег из туч! Но — дым из труб!
И невозможно удержаться.

2

Мастерство поэта. Оно иногда тем подлинней, чем менее ощутимо, и эта неощутимость присутствия мастерства как раз и составляет его индивидуальный признак и исключительность. Так — у Ахмадулиной. Говоря об образности ее поэтического выражения, не скажешь банального «вот находка»! За авторскими находками обычно различимы поиски, напряжение, похожее на «стойку» над притаившимся образом: вот-вот выпорхнет! Образ у Ахмадулиной — не находка, а непосредственность. Поэтому, может быть, ей так присущ ключ мастерства — чувство меры:

Так завершенная окружность
сама в себе заключена,
и лишнего штриха ненужность
ей незавидна и смешна.
(«Опять в природе перемена»)

От чувства меры — сжатость и естественность образной и лирической экспрессии. Вот, например, из «Целинной тетради»:

А грузовик наш так пылил,
что как слепые мы сидели,
лишь видели — орел парил
и слышали — столбы гудели.

И о целинной земле:

Не колокольчики — колокола
росли на ней как сумасшедшие...

Поэтической же зоркости Небо отмерило Ахмадулиной с избытком. Иначе как бы могла сложиться такая вот щедрая синкретическая образность по поводу «Автомата с газированной водой» (так называется стихотворение):

Воспрянув из серебряных оков,
родится омут, сладкий и соленый,
неведомым дыханьем населенный
и свежей толчеею пузырьков.
. . . .
Все радуги, возникшие из них,
пронзают нёбо в сладости короткой,
и вот уже, разнеженный щекоткой,
семь вкусов спектра пробует язык.

Но статическое редко у Ахмадулиной. Чаще — движение, и оно, вероятно, само по себе делает образное сообщение еще напряженнее и ярче. Вот, например, стихи о коне, которого лирическая героиня примысливает, не прощая себе трамвая —

Его сидячего покоя,
его гремучей суеты,
но знаю я, что где-то кони
жуют горючие цветы...
. . . .
И вот лечу я, не седлая
того лихого жеребца,
и грива пенится седая
и плещет около лица.

«Гремучая суета» трамвая! — Эпитет у Ахмадулиной всегда пережит, лиричен, не просто взят с палитры; иногда и внереалистичен, — как, например, выносят нас из обыденности в «аут» песенной красочности эти «г о р ю ч и е цветы» из приведенной выше цитаты! И — по строфам других стихотворений: «п р о х л а д н а я, к а к ж е м ч у г а, корона», «м е д л е н н а я серьга», «п р и т в о р н ы е перстеньки», «з а с т е н ч и в а я фата», «з а п л а к а н н о е в и н о м платье».

Лиричны сравнения:

> то бьется пульс, как бабочка в ладони.
> («В опустевшем доме отдыха».
> «Юность» № 6, 1965).

Лиричны развернутые метафоры:

> И тоненькая, как мензурка,
> внутри с водицей голубой,
> стояла девочка-мазурка,
> покачивая головой.
> («Мазурка Шопена»).

**
*

Лиризм образной экспрессии у Ахмадулиной связан с музыкой стиха — скрытая и слитная энергия звука и образа, вероятно, главное качество ее мастерства; искренность и взволнованность этой энергии — главное «свое» ее поэтики.

Музыка начинается с инструментовки речевого звучания, всегда тончайшей, почти лишенной (в отличие от обычаев многих современников поэтессы) открытой игры повторами. Такая игра встретится, например, в «Моей родословной», где она связана с особой от-авторской тональностью повествования:

> Ах, итальянка, девочка, пра-пра-
> прабабушка! Неправедны да правы
> поправшие все правила добра
> любви твоей проступки и забавы...

В сборнике «Струна» открытость приема единична («Светофор. Это странное имя. Светофор. Святослав. Светозар»). Обычно же повторы растворены в интонационно-звуковом потоке целого. Повторы Л-М-Р, например, в стихотворении «Грузинских женщин имена», почти целиком построенном на аллитерациях:

И лавочка в старинном парке
бела вставала и нема,
и смутно виноградом пахли
грузинских женщин имена...

Смеялась женщина Ламара,
бежала по камням к воде
и каблучки по ним ломала,
и губы красила в вине...

Или Л и М в совершенно чудесном четверостишии:

В тот месяц май, в тот месяц мой
во мне была такая легкость,
и, расстилаясь над землей,
влекла меня погоды летность.
(«В тот месяц май»...)

***

Музыка продлевается в богатстве и свежести рифм. Часто рифм-ассонансов типа л е г к о с т ь - л е т н о с т ь из приведенного выше примера. Неполными рифмами злоупотребляют многие поэты позднейшего поколения, забывая, что сама «скупость» ассонансов должна быть поддержана симфонией строчки или строфы и что без такой поддержки иные созвучия производят впечатления досадной неожиданности. Марина Цветаева, Пастернак, Маяковский пользовались ассонансами именно с этим условием смежной гармонии. Цветаева, может быть, особенно тонко и тщательно: в отличие от Ахматовой, у которой ассонансы не часты, увлечение неполными рифмами (д е г о т ь - д о л ж н о б ы т ь; п о л у н о ч и - ю н о ш е й; р а з г а р ч и в - л а р ч и к и т.д.) отчетливо уже в ранних ее (1915 года) стихах. А в одном из поздних стихотворений включающая неполную рифму «симфония» представлена так:

Бузина цельный сад з а л и л а,
Бузина зелена, з е л е н а!
Зеленее, чем плесень н а ч а н е,
Зелена — значит лето в н а ч а л е!
. . . .

Бузины...
Не звени! Не звени!
Что за краски разведены...

По этому — цветаевскому — пути инструментовки стиха и пользования неполной рифмой идет и Ахмадулина; от симфонии как самозадания — ее удивительные рифмы-полисонансы, односложной, двухсложной и дактилической ударности, вроде п е с к а р е й - п о с к о р е й; р а с т о ч а л - р о с т о в ч а н; ц е л о ф а н е - ц е л о в а л и; к о р о л е в а - к а в а л е р ы; п о д а р к а м и - п о д д а к и в а л; в о д и т е л ю - в о д и ц е ю и т.д. От редкого чувства гармонии и меры — та стилевая дифференциация ассонанса и канонической рифмы, которая раскрывается при внимательном чтении: рифма тридиционного отбора отодвигает «новую», когда традициозность и простота обусловлены смыслом и стилевым звучанием темы. В лирической теме может выдвигаться местами архаическая ее окрашенность (1) или нейтральность эпического сообщения (2) или перекличка с фольклорными звучаниями, которая так хорошо Ахмадулиной удается (3). Вот примеры:

(1) Благославляю в райском том саду
и дерева, и яблоки, и змия,
и ту беду, Бог весть в каком году,
и грешницу по имени Мария
(«Моя родословная»).

(2) В ту осень так горели маяки,
так недалеко звезды пролегали,
бульварами шагали моряки,
и девушки в косынках пробегали.
(«Август»)

(3) Он спускается с пригорка,
бабы смотрят из ворот.
Так ли тонко, так ли горько
та тростиночка поет.
(«Жалейка»)

Тема песенно-народной окраски может повести и к такой, например, простоте рифмоотбора, как бы нечаянно переходящей в омонимию:

Человек в чисто поле выходит,
травку клевер зубами берет.
У него ничего не выходит,
все выходит наоборот.
(«Человек в чисто поле выходит»)

***

От напевности двух последних примеров хорошо перейти к тому главному, в чем и где растворяется и звучит музыка ахмадулинского стиха, — к его мелодико-ритмической структуре. В этом понятии оба слагаемых могут явиться структурной доминантой — и напевность (о ней, как «принципе лирической композиции», убедительно писал Б. Эйхенбаум), и ритм. Именно ритм был конструктивной основой поэтики Марины Цветаевой; «непобедимые ритмы» (как называл это А. Белый) лежали в центре творческой ее сосредоточенности: «Я не верю стихам, которые льются. Рвутся — да!» Иначе — у Ахмадулиной. Мелодика чаще всего — структурный фон ее композиций; напев — форма звучания лирической темы. Это не исключает внимания к ритмам, — «Моя родословная» вся построена на пересечении пятистопного ямба вставками из трехсложников и пэонов. Но и в самом этом пятистопном ямбе, ямбе «раздумий», идущем словно бы прямо от пушкинской «Элегии» и очень полюбившемся поэтессе, «светлая печаль» звучит именно в подтексте музыкального выражения, как «звук струны».

Поэтому даже в таком, например, стихотворении, как «Я думала, что ты мой враг», структура которого целиком основана на игре ритмами, — смена размеров оказывается по существу сменой напева и оставляет единой некую сквозную лирическую мелодию.

Наиболее, может быть, совершенный пример выдвижения мелодики как композиционно-структурного принципа, подлинного синкретизма слова и музыки, представляет собой лироэпическая баллада «Старинный портрет» в сборнике «Струна».

Вот она:

СТАРИННЫЙ ПОРТРЕТ

Эта женщина минула,
в холст глубоко вошла.
А была она милая,
молодая была.
. . . .
Как металася по комнате,
как кручинилась по нем.
Ее пальцы письма комкали
и держали над огнем.

А когда входил уверенно,
громко спрашивал вина —
как заносчиво и ветрено
улыбалася она.

В зале с черными колоннами
маскарады затевал
и манжетами холодными
ее руки задевал.

Покорялись руки бедные,
обнимали сгоряча,
и взвивались пальцы белые
у цыгана скрипача.

Он опускался на колени,
смычком далеким обольщал
и тонкое лицо калеки
к высоким звездам обращал.

...А под утро в спальне темной
тихо свечку зажигал,
перстенек, мизинцем теплый,
он в ладони зажимал.

И смотрел, смотрел печально,
как, счастливая сполна,
безрассудно и прощально
эта женщина спала.

Надевала платье черное
и смотрела у дверей,
как к крыльцу подводят чопорных,
приозябших лошадей.

Поцелуем долгим, маетным
приникал к ее руке,
становился тихим, маленьким
колокольчик вдалеке.

О высокие клавиши
разбивалась рука.
Как над нею на кладбище
трава глубока.

Сплав и движение двух-, трех- и четырехсложных чередований, составляющих строй баллады, почти уводят прочь от понятия «размера» — это не алгебра слогов, это тоническое сложение, творящее мелодию, движимое только одной гармонией слова и музыки. Как, например, сразу и точно вводит в образ само звучание первой строфы с ее готической структурой подъема и спада (потому что «минула» иначе как на интонационном спаде прочесть немыслимо, не убивая языка звуковой ее формы: «ми-нула»... Та же конечная спадающая интонация в рифме «милая» третьей строки выступает уже в функции эмоциональной характеристики, с тем особым оттенком выдоха и замирания, который присущ взволнованному ласковому слову).

А за первой строфой следуют переливы пэонов, напоминающие послушную художнику клавиатуру: чуть заметный нажим — и вот уже течение стиха отразило мотив смятения лиро-эпической темы:

Как металася по комнате,
как кручинилась по нем,
ее пальцы письма комкали...

Еще один легкий нажим — и канва хореев переходит в ямбическую; пэон переносит ударение с третьего на четвертый слог, тончайше, но внятно оттеняя «новое» в легендарном повествовании:

Он опускался на колени,
смычком далеким обольщал
и тонкое лицо калеки
к высоким звездам обращал.

Мелодия течет, вплоть до последней «готической» строфы, замыкающей кольцевую форму баллады, — течет, создавая как бы музыкальное эхо лиро-эпической темы, второе ее звучание.

Мастерство предельно творческое!

Мастерство это относит нас к Блоку — к блоковскому разрушению классических размеров, которое дало русской поэзии новые звучания; к блоковскому синтезу образа и музыки: ...«метафорические образы Блока вырастают из лирической музыкальной напевности», — писал В. Жирмунский.

От символизма и образность «Старинного портрета», сам язык образного сообщения, выводящий это сообщение в некий внереалистический «аут»: «зал с черными колоннами», великолепной полутаинственности недоговоренность: «И манжетами холодными Ее руки задевал»; «мизинцем теплый перстенек»; наконец — песенный драматический и вполне надвещный параллелизм последней строфы —

О высокие клавиши
разбивалась рука.
Как над нею на кладбище
трава глубока.

3

В этих блоковских веяниях, однако, не оглядка на символистскую поэтику, которая (если не считать брюсовской имитации символизма) всегда включала в себя метафизическое ощущение мира, но — отталкивание от фоторепортажного ви́дения жизни, но поиски иного языка поэтического сообщения. Таким языком и оказывается часто язык «двойного образного мерцания», второго прочтения, язык иносказа. «Что есть чтение, как не разгадывание, извлечение тайного, оставшегося за строками, за пределами слов», — писала Марина Цветаева.

Образная структура иносказа различна по степени «аутности», то есть смещенности за черту реалистических подлинностей и членений. Аутный образ может быть локален, почти неощутимо вписан в музыкально-лирическую ткань целого,[4] но может (как это случается и у некоторых современников Ахмадулиной — А. Вознесенского, например) нести на себе главный акцент «второго прочтения».

Стихотворение «Маленькие самолеты», напечатанное в «Литературной газете» (29. II. 1962), — пример такой прелестной по поэтическому своему выражению аллегории, которую надо разгадывать — не то в плане чисто автобиографических ассоциаций, не то как своеобразное продление темы о «физиках и лириках», о господстве творческой мысли поэта над «всесильным пропеллером» —

> Но там, куда ты вознесен,
> во тьме всех позывных мелодий,
> пускай мой добрый, странный сон
> хранит тебя, о самолетик![5]

Шедевром внятного иносказа, поднимающим второе прочтенье зримо под облака, а тему искусства — в самые громы и молнии споров и размышлений о независимости творческого самоутверждения, оказывается, конечно, поэма «Дождь». Напечатанная в отдаленном журнале «Литературная Грузия» (№ 12 за 1963 год) вещь эта фактически затеряна для читателей.

Дождь, заглавное действующее лицо поэмы, символ творческого дара, озарения и порыва, взят — вероятно, намеренно — из пастернаковской образной сферы:

[4] См., например, «О еще с тобой случится»... — в сборнике «Струна».

[5] Другой пример богатого образно-тематического подтекста — «Приключение в антикварном магазине» (журнал «Москва» № 1, 1967 г.).

«...страстнее трав, зорь, вьюг — возлюбил Пастернак дождь» (Цветаева). Открывающий поэму диалог героини с дождем —

. . . .

Дождь, как крыло, прирос к моей спине.
Его корила я: «Стыдись, негодник!
К тебе в слезах взывает огородник!
Иди к цветам! Что ты нашел во мне?

перекликается (даже и по форме) с одним из ранних пастернаковских стихотворений, в котором:

Мой друг, мой дождь, нам некуда спешить.
У нас есть время. У меня в карманах —
Орехи. Есть за чем с тобой в степи
Полночи скоротать. Ты видел? Понял?
Ты понял? Да? Не правда ль, это — то?
Та бесконечность? То обетованье?...[6]

Но этим, вряд ли случайным, совпадением близость и кончается. Далее оба персонажа ахмадулинской поэмы вовлечены в стремительное развитие фабулы, выясняющее их такую драматическую и кровную принадлежность друг другу.

Сказительница и спутник ее («Дождь на моем плече, как обезьяна, Сидел») посещают некий, роскошного интерьера, дом, к ним, гостям, вряд ли доброжелательный. Впрочем, дождь остается за дверьми:

«Позвольте, он побудет на крыльце?
Он слишком влажный, слишком удлиненный
для комнат». «Вот как?» — молвил удивленный
Хозяин, изменившийся в лице.

Затем между хозяевами (вряд ли важны здесь какие-нибудь биографически-бытовые тождества) и гостьей происходит нечто вроде упрятанного за «обтекаемые» слова поединка. Недоброжелательство к себе гостья определяет в таком внутреннем монологе:

---

6 «Белые стихи». Цит. по книге: Борис Пастернак. Стихотворения в одном томе. ГИХЛ. М., 1936, стр. 328.

Когда-нибудь во времени другом,
На площади, средь музыки и брани,
Мы б свидеться могли при барабане,
Вскричали б вы: «В огонь ее, в огонь!»

За всё! За дождь! За после! За тогда!
За чернокнижье двух зрачков чернейших,
За звуки суеты, за косточки черешен,
Летящие без всякого труда!..

Но вот хозяйка предлагает коньяк, и внутренний монолог начинает постепенно звучать надрывно и вызывающе — кто знает, может быть, и перестает быть только «внутренним»:

Что сделать мне для вас хотя бы раз?
Обидьте! Не жалейте, обжигая!
Вот кожа моя — голая, большая,
Как холст для красок! Чист простор для ран.

Я вас люблю без меры и стыда!
Как небеса, круглы мои объятья.
Мы из одной купели. Все мы братья.
Мой мальчик! Дождь! Скорей иди сюда!

Позванный дождь врывается в комнаты. Следует кульминация темы второго прочтения — «укрощение искусства»:

И хлынул Дождь! Его ловили в таз.
В него впивались веники и щетки.
Он вырывался. Он летел на щеки.
Прозрачной слепотой вставал у глаз.
Отплясывал нечаянный канкан.
Звенел, играя в хрустале воскресшем.
Дом над Дождем уж замыкал свой скрежет,
Как мышцы обрывающий капкан.

....

Его скрутили тряпкой половой
И выжимали, брезгуя, в уборной.
Гортанью вдруг охрипшей и убогой,
Кричала я: «Не трогайте, он мой!»...

И в эпилоге:

Пугал прохожих вид моей беды.
Я говорила: «Ничего, оставьте.
Пройдет и это». На сухом асфальте
Я целовала пятнышко воды.

Земли перекалялась нагота,
И горизонт вкруг города был розов.
Повергнутое в страх бюро прогнозов
Осадков не сулило никогда.

Поэма в целом — пример поэтической аллегории такой образной силы и выразительности и вместе такого внутреннего изящества и простоты, что невольно задумываешься: есть ли в русской поэзии что-либо похожее по жанру и мастерству?..

4

О явлении, которое представляет собой творчество Беллы Ахмадулиной, в очерке не расскажешь. Во всяком случае, кончив рассказывать, будешь ощущать неясную тревогу, что чего-то, самого, может быть, важного, не договорил. Ну вот можно ли было почти ничего не сказать о поэме «Моя родословная»? Какой узор творческой фантазии, тонкий и умный юмор, какая подкупающая легкость в обращении с полуабстракциями-полуобразами, требуемыми сюжетом! И почти афористическая чеканность мысли:

. . . .
Еще мне только нехватало: ждать
себя так долго в нетях нелюдимых,
мужчин и женщин стольких утруждать
рожденьем предков, мне необходимых.
. . . .
Пусть завершится зрелостью дерев
младенчество зеленого побега,
пусть нашу волю обостряет гнев,
а нашу смерть вознаградит победа.

Вообще жанр бытийно-философского размышления,

интроспективного по лирической окрашенности, — одна из излюбленных троп, по которой идет поэтесса. Так и в последних трех ее стихотворениях, опубликованных в № 1 «Юности» за текущий — 1967 — год: «Сумерки», «Спать», «Сны о Грузии — вот радость!» В размышлениях — снова призвук печали (только ли «светлой»?), чуть слышный, но внятный, как звук струны. Хоть бы вот в этом:

Малым камушкам во Мцхета
воздаю хвалу и честь.
Господи, пусть будет это
вечно так, как ныне есть.

Пусть всегда мне будут в новость
и колдуют надо мной
милой родины суровость,
нежность родины чужой.

***

Читатель — «очарованный странник» по строфам Ахмадулиной, — конечно же спрашивает себя: как случилось, что у такой поэтессы вышел всего-навсего один единственный сборничек стихов, напечатанный пять лет тому назад ничтожным тиражом в 20 тысяч экземпляров, в то время как ...и т.д.? Как случилось, что такой силы творчество, которое одно должно бы быть гордостью и оправданием времени и условий, в которых сложилось, этим временем и этими условиями словно бы не замечено?

Риторические вопросы уводят от непосредственности впечатления — лучше оставаться при очарованности. Тем более, что в этой своей очарованности читатель не одинок: в последнем сборнике Андрея Вознесенского[7] есть стихотворение, посвященное Белле Ахмадулиной, где встречаем в ее адрес и «нездешняя ангел» и эпитет «божественный». Стихотворение открывается словами:

---

[7] «Ахиллесово сердце». Изд-во «Художественная литература». М., 1966.

Нас много. Нас может быть четверо.

Перефразировка этой взятой у Пастернака («Нас мало. Нас может быть трое») строчки невольно обращает внимание на количество — «четверо». Что ж, может быть, действительно именно четверо голосов звучат особенно поэтически чисто в молодой советской поэзии последних лет? И всех чище и единственнее по тембру и подлинности («ни слова маленького лжи») лирического звучания — голос Ахмадулиной, — кажется, что как раз так и должен бы звучать голос некоего «распечатленного ангела» русской поэзии, если продолжить лесковскую лексику.

По Вознесенскому (оправдан ли оптимизм?):

Что нам впереди предначертано?
Нас мало. Нас может быть четверо.
Мы мчимся — а ты божество!
И все-таки нас большинство!